Nathans erfenis

NATHANS ERFENIS

DICK VAN DEN HEUVEL

 Plateau

ISBN 978 90 5804 071 8
NUR 330

Omslag: Wil Immink
Omslagfoto: Eljee
Typografie: Scriptura

www.uitgeverijplateau.nl

Voor mijn kleinkind

1

De oorlog kon niet ver zijn. Van het kanongebulder aan de oevers van de Donau restte hier niets dan wat dof gedreun. De kleine Yitzhak verdoofde het angstaanjagende geluid met zijn viool. De kleine vingers grepen virtuoos op de zwarte toets en de strijkstok slingerde zich langs de snaren zoals een balletdanser in Het Zwanenmeer over het toneel.

Daar zat hij, in de schaduw van een oude boom met groen bladerdek, de aren op de boerenakkers als zijn publiek. Een kind was hij nog maar, acht jaren oud. Het instrument had hij van zijn grootvader gekregen. Die had de linkerhand van het jochie onder de hals gelegd en de rechter vastgehouden, toen hij als peutertje voor het eerst speelde. Niemand had hem de viool hoeven leren, die zat – zo zei men – bij zijn geboorte al in zijn bloed. Yitzhak wás viool! In de zware jaren onder generaal Ion Antonescu had het kleine dorpje Giurgiu gelachen en gehuild om de muziek van de kleine Yitzhak. Zijn viool was een compleet circus: een clown, als er getroost moest worden, een trapezewerker vol salto mortale's, de spreekstalmeester op momenten van moedeloosheid. En soms liet Yitzhak de mensen huilen, omdat in zijn muziek doorklonk hoe de Joden hier geleden hadden en nog steeds aan het lijden waren. Van al die politiek had de kleine muzikant nauwelijks weet, behalve dat hij inmiddels wist wat angst was, en geweld, dood, verderf, verdriet. Op zulke momenten brachten de lange zuivere tonen van zijn snaren enige verlichting. Soms wilde Yitzhak geen publiek. Dan nam hij zijn viool en liep een eindje het dorp uit.

'Trebuie doar sa?' zei zijn moeder. 'Pas je wel op?'

'Hij loopt in de heuvels geen gevaar,' wist zijn grootmoeder, met de lieve tandeloze glimlach en het perkamenten gezicht. 'Dar du-te acum!'

Het was waar. De heuvels rondom Giurgiu waren zonder gevaar. De laatste resten van Duits verzet hielden zich op aan de rivieroevers van de Donau. Niet dat er nog sprake was van enig gevecht... De berichten dat het met de nazi's gedaan was, hadden ook Roemenië al bereikt. Het was nog maar een kwestie van dagen, misschien een paar weken, totdat het afgelopen was met Hitler en zijn bende. Yitzhak wist niet meer dan 'er komt vrede' en hij hoefde ook niet meer te weten. Vrede was in zijn besef een eindeloze lente, zonder herfst en winter. Altijd bloesem aan alle takken, zonneschijn tot laat in de avond, de warmte op je gezicht en muziek zonder dat gedreun. En misschien kwam iedereen wel weer terug: ooms en tantes, een paar neefjes en een nicht, de familie uit Boekarest. Van de stad wist hij niets, al moest hij er eens geweest zijn. Tenminste, dat zei zijn grootvader. Maar het was te lang geleden en hij was te jong geweest om er iets van op te slaan in zijn geheugen. In Boekarest hadden de Joden het veel zwaarder gehad dan hier, in Giurgiu. Getreiterd werden ze hier en Yitzhak wist dat een paar dorpelingen waren doodgeschoten... dat had hij gehoord, niet gezien. Zijn jonge ogen en

oren werden zo veel mogelijk dicht gehouden voor de verschrikkingen van de IJzeren Garde van Horia Sima. Dat doen
degenen die je liefhebben. Die slaan een hand voor je gezicht,
zodat je niet ziet hoe verschrikkelijk de wereld is. Niemand
kon hem trouwens uitleggen wat dit voor een oorlog was,
hoewel grootvader het had geprobeerd.

'De oorlog van de laatste slechte mensen,' had de oude man
gezegd. 'Ultima oameni rai.' Het was een oorlog van de duivel
tegen God, van goed tegen slecht, van gruwelijkheden tegenover trotse rechtvaardigheid. De jonge Yitzhak had er helemaal niets van begrepen. Hij had schreeuwende soldaten
gezien in Giurgiu en hij begreep hun woede niet. Hoe kon je
boos worden op brave boeren die niets anders wilden dan
graan verbouwen op de heuvels van hun land, en luisteren
naar een jochie op een viool? Hoe kon je woedend worden op
onschuld? 'Als je acht bent, hoef je dat niet te begrijpen. Als je
tachtig bent, begrijp je het ook niet,' zei grootvader.

Soms wilde Yitzhak niet onder de mensen zijn, hoe aardig
ze ook waren en hoe ontroerd ze ook reageerden op zijn muziek. Het was een te zware last voor zijn kleine schouders om
hun verdriet te moeten wegpoetsen met zijn viool. Dan wilde
hij alleen zijn met de boom, de akkers en het groen. Die huil-
den niet en hadden geen weet van welke oorlog dan ook.
Hier, in de heuvels klonk zijn instrument het mooist. Hij
sloot graag zijn ogen om te vergeten dat het zijn eigen handen
waren op de snaren en aan de stok. Zo kon hij luisteren naar
zijn eigen muziek. Want het was niet hij die de viool bespeelde. De viool bespeelde hem.

'Mensch, sie sind noch nur ein hundert Meter hinter uns.'

Yitzhak kon er geen woord van verstaan. Het moest Duits
zijn. Een paar woorden kwamen hem bekend voor. Hij
opende zijn ogen en keek naar de plek waar het geluid vandaan kwam. Daar, vanaf de heuvels. De kleine jongen keek

9

om zich heen. Het glooiende landschap bood nauwelijks enige beschutting. Hoewel, achter de boom misschien.

Hij pakte zijn viool en ging plat op zijn buik liggen, achter de stam. Duitsers, inderdaad. Twee stuks, in uniform. Ze schreeuwden tegen elkaar. En op de achtergrond hoorde hij het ronken en brommen als bij een voertuig. Net een vrachtwagen, alleen zwaarder.

'Ik kan niet meer,' zei de tweede Duitser. Ze hadden de heuvel beklommen en de achterste stond rechtop, naar adem te happen. Zijn ooit zo trotse nazi-uniform was gedegradeerd tot een bebloede voddenbaal. Zijn been leek aan flarden geschoten, maar toch hinkte hij er nog op. Hij hijgde als een stuk aangeschoten wild dat zich tot op het laatst verzette. Er stroomde bloed uit een open wond. Het was donker, bijna zwart. Zijn kompaan kwam teruggelopen, ondersteunde hem en probeerde hem mee te krijgen.

'Kom, man. We moeten verder.'

'Het gaat niet.'

'Het moet. We hebben geen keus.'

Yitzhak zag hun wanhoop en hun angst. Het was een vreemd gezicht, want hun uniformen herkende hij. Zulke soldaten waren met hun geschreeuw af en toe in Giurgiu geweest. Dan schoten ze, dan blèrden ze wat. Dan wilden ze vreten en zuipen. Dan weerklonk dat hatelijke gelach en zetten ze iemand tegen de muur. En dan laadden ze hun geweren door, om uiteindelijk niet eens te schieten, maar te genieten van de angst die ze de mensen wisten aan te jagen.

Op dit moment waren ze geen schim van de bruten zoals Yitzhak hen kende. Twee schijtebroeken waren het – 'Lasilor fricos!' Het was raadzaam om niet gezien te worden, wist Yitzhak. Tegelijk kon hij zijn ogen niet van het tafereel afhouden.

Oorlog. Hij wist wat het was, maar ook weer niet. Nu zag

hij het met eigen ogen: soldaten in groene uniformen, bang als konijnen, bloedend als vers geslachte beesten. Zo had hij wel eens een ree gezien, in de schuur van zijn grootvader, met de emmer eronder om het bloed op te vangen voor worst. Van mensen kende hij het bloeden niet. Niet op deze manier. Ja, een vinger waar een kus op moest, een knie voor wat verband. Maar deze wonden waren te groot voor het oog van een kind. En toch moest hij kijken en luisteren, al begreep hij al die woede en pijn niet.

Het grommen werd harder en vooral gemener. Het kwam nog van over de heuvel, maar het geluid werd steeds sterker. Er kwam een vreemde buis over de heuveltop en Yitzhak zei zachtjes tegen zichzelf: 'Wat is dat nou?' Daarna volgde alles waaraan de buis was bevestigd. Zo'n vreemd voertuig had hij nog nooit gezien. Een vrachtwagen was het beslist niet. Wielen had hij niet. Of wel, maar er liepen banden overheen. Je kon ook niet zien wie het ding bestuurde. Wel zat bovenin blijkbaar iemand met een machinegeweer. Dit moest een tank zijn! Een Russische tank. Hij had erover gehoord, maar ze in de buurt van Giurgiu nog nooit gezien. Dit was er dus een. Een grommend insect van enorme afmetingen, met niet veel vriendelijkheid in het metalen lijf. En deze militaire tor zat achter die twee Duitsers aan, zoveel was wel duidelijk.

De soldaat achter het machinegeweer hoefde nauwelijks te richten. Hij schoot en trof de soldaat die was teruggelopen om zijn maat te helpen. De kogels lieten diens lichaam in de lucht trillen. Yitzhak keek ernaar alsof het een kunststukje betrof. Het verwonderde hem meer dan dat het hem angst inboezemde. Hij zag hoe het uniform met kleine plofjes aan stukken werd gereten. De Duitser was dood, nog voordat hij de grond raakte. De ander keek even naar het levenloze lichaam en besefte dat hem niet veel tijd meer gegund was. Hij wierp zijn wapen weg en probeerde zich uit de voeten te maken. Het ging nauwelijks met dat gewonde been. Op dat moment bleef hij met zijn voet achter een tak haken. In elke andere situatie zou hij zich binnen een seconde weer hebben losgekregen. Ditmaal voelde de tak als een berenval waaruit geen ontsnappen meer mogelijk was. Hij trok voor zover hij nog kon en zag, terwijl het warme lichaamsvocht in stralen langs zijn benen liep, dat de tank hem naderde.

'Krijgsgevangene! Ik ben een krijgsgevangene. Luister dan toch. Mijn wapen ligt daar. Ik geef me over. Zeg dan wat!'

Er werd niets gezegd. Helemaal niets. Niet omdat de Rus hem niet hoorde, maar alleen omdat hij niet naar hem wilde luisteren. Yitzhak vergat het gevaar en kwam achter de boom vandaan om naar dit schouwspel vol angst en pijn te kijken.

Jongetje met viool in zijn hand, en strijkstok in de andere, met open mond naast een boom, kijkend naar een wereld die hij tot nu toe nooit gezien had.

De Duitser kreeg hem in de gaten. Keek naar het jongetje en begon veinzend te smeken.

'Hé, jij daar. Klim 's op de tank. Je spreekt toch wel Duits? Liebe Jüdlein. Zeg dat ik me overgeef.'

De tank hield even op met brommen en stond stil op enkele meters afstand van de soldaat met zijn voet, vast in de tak. Die schudde met het zere been om los te komen, maar dat lukte niet. Hij schreeuwde Yitzhak alle vloekwoorden over Joden toe die hij binnen een paar jaar militaire dienst had weten te verzamelen.

De kleine violist keek alleen maar. Ook naar de man in de tank met het machinegeweer, die geen enkele emotie tentoonspreidde en alleen maar naar zijn slachtoffer keek. Toen bromde de tank en kwam het gevaarte op gang. Het ging recht – en volstrekt emotieloos – op de Duitser af die geen woorden meer had, alleen nog maar kon schreeuwen. De tank hield nu ook geen vaart meer in. De rupsbanden werden nog wat gericht en na een paar tellen was de ijzeren tor daar. Yitzhak hoorde botten breken. En geschreeuw, dat hoorde hij ook. Alles bij elkaar duurde het niet lang. Na een paar seconden was het leven van de Duitser voorbij en moest er van zijn lichaam niet veel meer over zijn dan een geplette vleesprak.

Yitzhaks maag draaide zich om en hij kotste. Hij werd duizelig, pakte de viool over in de hand waarin hij ook de strijkstok hield en moest zijn vrije hand tegen de stam van de boom zetten om niet te vallen. Hij zakte door zijn knieën, om vervolgens te huilen – hartstochtelijk en hemeltergend. Het grommen hield op, en uit de tank klom niet alleen de schutter, maar ook een andere Russische soldaat. Ze lachten luid en ze sprongen van de tank af, om daarna nog even te kijken naar de gevolgen van hun monsterlijke daad.

'Hé Jood, wou je hem helpen? Het is een Duitser.' Yitzhak keek vol afschuw naar de tank. Hij voelde aan zijn wangen en merkte dat ze nat waren van warme tranen. 'En jou krijgen we ook nog wel,' zei de Rus dreigend. Hij pakte een geweer en richtte dat op de kleine jongen. Yitzhak wist dat de 'bevrijder' niet zou aarzelen een kogel door hem heen te jagen en volgde zijn eerste impuls. Hij rende weg. Hij hoorde hoe zijn viool geraakt werd, en hij hoopte maar dat het instrument er geen weet van zou hebben. Daarna suisde nog een kogel vlak langs zijn oor… maar hij was ervan overtuigd dat hij dit zou overleven. Hij rende en hij rende, terug naar Giurgiu aan de oevers van de Donau. Hij hoorde hoe de kanonnen luider klonken, en toch wist hij dat hij de veiligheid tegemoet rende. Hij leefde, en de oorlog was nog niet voorbij.

2

Amsterdam, winter 2012

De combinatie van getallen, letters, strepen en codes dansten voor zijn ogen. Er moest een zinvolle uitkomst zijn van deze logaritme, maar het leek net alsof zijn hersens het pad door de taaie stof niet wilden volgen. Dit was niet het enige boek dat opengeslagen vóór hem lag. Als hij opkeek, zag hij een volstrekte wanorde aan schriften vol aantekeningen en opengevouwen tabellenboekjes, een halfgare laptop met een bureaublad vol documenten. Dat ding kon trouwens elk moment uitvallen en dan was al het zinloze reken- en denkwerk voor niks geweest.

De hal van het ziekenhuis was deze nacht leeg en daardoor ook wat unheimisch. Hij had het baantje als nachtportier aangenomen omdat hij hier twee vliegen in een klap kon slaan. Hij liep twee tentamens achter en geen pinautomaat wilde hem meer iets geven. Hij had evenveel vrienden als schulden, dus zag hij de laatste tijd zijn vrienden niet vaak en zijn schulden des te meer. Hij had gebedeld om een baantje bij het studenten-uitzendbureau en dit hadden ze per direct kunnen regelen. Vrijdag kreeg hij zijn eerste geld. Hij wist nog niet precies wat hij ging eten, maar het moest meer zijn dan de blikken ravioli waarmee hij zich de laatste maand in leven had gehouden. Uit de laptop kwam wat muziek, zachtjes, eigenlijk mocht dat hier helemaal niet. Zelfs met dit beperkte volume leken de klanken nog door de hal te schallen. Louter beton, dit ziekenhuis, klinische, ongeïnspireerde architectuur. Wat verplichte, onooglijke kunst aan de muren en verder afgetrapt linoleum en meubels die een jaar of tien geleden gloednieuw waren geweest. Er ging een zoemertje af in zijn horloge dat hij zelden om zijn pols droeg. Het klokje stond rechtop, met het bandje gevouwen, tegen een van de boeken aan. Hij moest zijn ronde gaan lopen.

Lange gangen met tl-licht, zijn eigen voetstappen als het enige geluid, af en toe gekreun uit een van de donkere kamers, een eenzame nachtzuster met een puzzelboekje in haar open kamertje. Het moest een vooroorlogs systeem zijn en hij vroeg zich af of iemand zijn ronde ooit controleerde. Hij liep van punt naar punt, en stak op gezette plekken een sleutel in een kastje, om die daarna rond te draaien, zodat de tijd werd afgedrukt op een rolletje papier in een versleten kistje. Alsof het iemand ooit zou interesseren hoe laat hij wáár was geweest. Waarschijnlijk was dit hele systeem aangelegd, omdat er al sinds mensenheugenis werkstudenten waren geweest die er met de pet naar hadden gegooid. Zo was er in ieder geval een stok om de hond mee te slaan ('Je hebt je ronde van kwart over drie niet gelopen!'). Stephan liep ze wel allemaal trouw. En de enige reden waarom hij zich aanzette tot zoveel volgzaamheid van de protocollen was honger. 'Dat is geen honger, dat heet trek,' had een lerares op de basisschool ooit tegen hem gezegd. 'Alleen in de Derde Wereld hebben ze honger.' Misschien had ze gelijk gehad, maar de ravioli kwam hem de strot uit. Een paar dagen geleden had hij witte rijst met wat boter en zout geprobeerd, maar dat was helemaal niet te vreten.

Over een jaar had hij zijn bachelor, en daarna een master. Soms beving hem de gedachte dat je aan die papieren helemaal niets had. Dat niemand hem wilde hebben, omdat hij eigenlijk niets anders kon dan formules oplossen van problemen die voor de hele samenleving onzichtbaar waren. Al sinds de eerste dag in de collegebanken vroeg hij zich af wat het nut was van de kennis dat zich in het rekenkundig universum getallen moesten bevinden die met elkaar samen tot uitkomsten zouden komen die niemand ooit in de stoutste algebraïsche fantasieën had kunnen verwachten. Negens had hij voor wiskunde op het vwo gehad. En in de gesprekken met zijn toenmalige mentor was hem voorgehouden 'dat hij wel gek zou zijn als hij geen wiskunde zou gaan studeren.' Nu zat hij in het tweede jaar, maar het leven dat hij leidde, beviel hem maar niets. Hij had geen geld, en hij wist niet waarom hij deed wat hij deed. En triester nog was het gezwoeg, de baantjes, het zoeken naar geld, een kamer waar het vroor dat het kraakte. Hij had heel veel medelijden met zichzelf en hij vond het bovendien schandalig dat er maar weinig mensen waren die enig mededogen met hem hadden.

Zevenentwintig kastjes met prikklok later mocht hij terug naar de boeken. Hij wist niet goed wat hij nu liever deed: dat zinloos wandelen door dit enorme ziekenhuis, waar toch niets gebeurde of staren naar een hoop onzin waar de wereld helemaal niets mee opschoot. Zuchtend ging hij weer zitten in zijn stille hok. Hij streek met zijn handen over het blad dat hij vol gekalkt had met ondragelijke cijfertjes, toen er hard gebonkt werd op de glazen deuren aan de voorkant van het ziekenhuis. Daar stond een vrouw, met een kind in haar armen en ze leek in paniek. Zonder er ook maar een moment bij na te denken, griste Stephan de sleutels uit een la en rende ermee naar de entree. Ook hier was aan de zijkant een apparaat aangebracht waarmee je uiteindelijk – na het invoeren van een code en het omdraaien van de sleutel – de deur open kreeg. Het lukte niet. Stephan dacht dat hij de code wist, maar in de consternatie was die hem volstrekt ontschoten. Hij drukte een drietal andere combinaties van dezelfde getallen in, maar telkens werd zijn actie beantwoord met een scherpe en afwijzende, lage pieptoon. Hij moest de code gaan opzoeken... ondertussen zag hij de vrouw, tranen in de ogen, het slaan van haar vuisten op de deur.

'Ik doe open,' schreeuwde hij.

Hij rende terug naar het hok. Overal lagen getallen, maar nergens de juiste. Een boek moest het zijn. Een boek met codes. Hij trok de nodige mappen van een klein plankje, sloeg de bladzijden open en vond steeds maar niet wat hij zocht.

'Rustig,' zei hij tegen zichzelf. 'Haal eerst adem.'

Toen keek hij rond en probeerde zijn hersenen tot activiteit aan te zetten. Iemand had hem – op de eerste dag – toch verteld waar die voordeurcode was. Rode map? Rode map! Dit was de rode map. Hij greep de rode map, sloeg hem open en zag een viertal cijfers. Niet te snel wegrennen, eerst onthouden. 7312.

Het lukte. Hij draaide de sleutel om, typte het getal in en de deuren van de entree – grote glazen deuren van meer dan drie meter hoog, twee meter breed – schoven open.

'Eerste Hulp!'

'Andere ingang,' zei Stephan, want zo waren de instructies.

'We kunnen toch wel binnendoor?'

Dat moest kunnen. Het mocht niet, stond hem bij. Maar dat betekende niet dat het niet kon. In een impuls nam hij het kind over, liep ermee een gang in. Daar stond een rolbrancard waar hij het kind op legde, om vervolgens een wandtelefoon te zoeken en de hoorn te nemen.

'Portier Noordkant. Ik heb een gewond meisje. Kneuzingen, bloed. Ik heb hier een arts nodig.'

Meteen wierp hij de hoorn weer op de haak, pakte de rolbrancard en begon ermee te rijden.

'Wat doet zo'n kind op dit uur nog op straat?' schreeuwde de vrouw, bijna hysterisch.

'U bent geen familie?' vroeg Stephan nog. Toen bleef de vrouw staan.

'Jij kunt het vast alleen wel af,' zei ze en draaide zich om. Ze rende weg. Stephan aarzelde. De situatie leek volkomen uit de hand te lopen. Een vrouw was binnengekomen met een gewond kind, en nu liep ze weg. Maar hij liet zijn aarzeling niet lang duren... minder dan een seconde. Het kind bloedde hevig, dat had nu prioriteit. Later moest hij zich maar druk maken over wie die vrouw was en hoe dit allemaal gebeurd kon zijn. Hij reed het bed de lift in, schreeuwde tegen de knoppen alsof hij het ding daarmee sneller naar beneden kon krijgen. Bij de Eerste Hulp stond er een verpleegster klaar.

'Door wie is ze binnengebracht?'

'Een vrouw.'

'Familie?'

'Geen idee.'

'Ik bel de politie,' zei de zuster. 'Misschien is er wat bekend.' Meteen nam een arts het bed over, zei verder niets tegen Stephan en reed het bed naar een van de behandelkamers.

Daar stond hij dan, een paar minuten later, machteloos. De hectiek van de gebeurtenissen hadden gezorgd voor een stoot adrenaline door zijn hele lijf en nu werd hem alles uit handen genomen. De politie werd gebeld, het meisje werd verzorgd, de dader werd gezocht. Alles werd gedaan, hij kon terug naar zijn hok.

De boeken, de laptop, de schriften, ze lagen daar als een stilleven in een chaotische nacht. Dooie spullen in een uur vol groot leven. Hij kon zich er niet toe zetten om er nog een blik op te werpen. 'Wie is die vrouw?' zei hij hardop en hij keek naar de glazen deuren van de entree die nog steeds open stonden en leken te roepen 'Kom!' Als je door die deuren gaat, dacht Stephan, dan ga je naar buiten… maar in feite stap je dan juist de wereld ín. Hij kon het niet laten. Opnieuw hoorde hij zichzelf zeggen: 'Wie is die vrouw?' Hij moest haar vinden. Hij moest zoeken…

De aantrekkingskracht van de nacht was te groot voor hem en hij wist niets anders te doen dan zijn voeten te gehoorzamen. Die voerden hem werktuigelijk door de ingang, de nacht in. Hij drukte op een knop en zorgde ervoor dat de deuren achter hem sloten.

Wat hij zag was een oprijlaan en een parkeerterrein, een bushokje, de weg daarachter en verderop het nachtelijk groen van de rijke bossen rondom dit ziekenhuis. Hij liep, voorzichtig en op zijn hoede, maar wel voortdurend in beweging. Hij wist niet waar hij moest zoeken. De vrouw had plotseling voor de glazen deuren gestaan en hij had geen idee waar ze vandaan was gekomen. De nacht was stil en de vrouw blijkbaar ook. Hij gokte op 'links' en dwaalde enigszins weg van het ziekenhuis, een zoektocht in het ongewisse. Ze kon overal zijn, of misschien wel ver weg. Was ze naar huis gegaan.

Het zou kunnen zijn dat hij een uur zo liep, of anders een paar minuten. Er was een leegte in zijn hoofd gekomen die hij nooit eerder had gevoeld. Altijd was er angst, of woede. Verzet was er ook veel. Tegen iets studeren wat hem werkelijk niets interesseerde. Tegen een bestaan dat hem was opgedrongen en waarvoor hij nooit had gekozen. Hij was een boerenzoon die geen boer wilde worden. En zijn vader zei: 'Dan moet je het zelf maar weten.' Van zijn moeder herinnerde hij zich vooral haar glimlach en haar zachte huid. En hoe ze hem had getroost als hij verdrietig was. Verhaaltjes voor het slapen gaan en kopjes thee na schooltijd. Ze was gestorven toen hij elf jaar oud was. Zijn vader sprak hij nooit... of zelden, alleen als het moest. En dan waren de gesprekken bovendien koud en zakelijk. Omdat Stephan geen boer had willen worden, had zijn vader besloten zijn handen van hem af te trekken. Vanaf die dag was hij een wees, die zwierf door het leven, zonder vooropgezet plan en doel. Hij begreep niet waarom hij op dit moment moest denken aan thuis, en aan vroeger. Er moest een vrouw gevonden worden. Als zijn hersens zich daar nu eens mee bezighielden. In plaats daarvan dwaalden zijn gedachten af naar de boerderij, de plek waarvan hij zich moedwillig had losgescheurd. Nu, tijdens dat lopen, voelde hij dat dit zijn leven was. Een maan, sterren en een lijf, en dan doen wat je moet doen.

De wagen vond hij aan een stil pad. Het was een gifgroene Japanner en de vrouw zat achter het stuur, ze staarde voor zich uit. Ongetwijfeld verkeerde ze in soort van shock, de autoruit was aan splinters en de motorkap was gedeukt. Dat alles kon je goed zien in het maanlicht. Stephan opende het rechtervoorportier en ging naast haar zitten. Even zweeg hij. Hij keek door wat er nog over was van de voorruit en hield zijn adem in.

'Leeft ze nog?' vroeg ze mat.

'De dokters zijn met haar bezig.'

'Ze dook plotseling de straat op. En ik reed te hard.'

'De politie is gebeld,' zei Stephan zonder toon.

'Ik ben onschuldig, vind je niet? Als dat kind gewoon thuis was gebleven. Ik had haar helemaal niet hoeven aanrijden. Dat maakt me onschuldig, vind je ook niet?'

'Het is beter dat u meekomt.'

Ze keek hem aan. En het leek alsof haar ogen zijn gezicht bestudeerden. Ze streelde zijn gezicht.

'Je bent een mooie jongen. Mooie ogen,' zei ze. 'Daar zullen veel meisjesharten door gebroken worden.' Hij pakte haar hand en haalde die – zo vriendelijk mogelijk – weg van zijn gezicht.

'Ik ga niet mee.'

'Het is echt beter...'

'Wat deed dat kind op straat? Wat deed ik in die auto? Ik moest gewoon even weg.'

Ze begon te huilen. Diep, hartverscheurend te janken met snikken en dierlijk gekerm. Hij zag hoe ze leed en hij trok haar tegen zich aan, omdat hij niet anders wilde dan haar troosten. Ze liet het gebeuren. Zijn schouder was nu alles wat ze nodig had.

Even later kon hij haar meenemen en waren ze terug bij het ziekenhuis. Daar was nu van alles te doen. Er stonden maar liefst drie politiewagens en er liepen agenten driftig rond. Stephan was opmerkelijk rustig. Hij hield de vrouw vast, ondersteunde haar en liep met haar naar de glazen deuren. Hij nam haar mee naar een politieman, en ze liet dat allemaal gebeuren, omdat ze er van overtuigd was dat hij het beste met haar voor had.

'Ik heb haar aangereden,' zei de vrouw. Ze huilde ditmaal niet.

'Dan moet ik u meenemen naar het bureau,' zei de agent en keek vervolgens Stephan aan. 'Jij zat met mevrouw in de auto?'

'Hij is de portier,' zei ze. 'Als het meisje leeft, dan is dat aan hem te dank...' De agent liet haar niet uitspreken.

'Het meisje is zojuist overleden, mevrouw. Als ik het goed begrijp bent u weggegaan?'

'Nee, dat is niet waar,' zei Stephan, omdat hij begreep wat er gebeurd was.

'Jij moet maar weer eens aan je werk,' zei de agent. 'We konden er niet eens in. Alleen de Zuidkant was open.'

Stephan knikte. Hij liep de deuren door, de gang in en hij zag zijn hok, zijn boeken, de zinloosheid. En hij zag de drukte van agenten, een zuster die een verklaring aflegde, een arts die iets tekende waarmee de dood ook officieel was. Hij pakte een tas en stopte er zijn boeken in. Hoe koud het thuis ook was, hier wilde hij geen seconde langer blijven.

Het studentenuitzendbureau bevond zich in de Nieuwe Willemstraat, een miniem stukje weg tussen de Lijnbaansgracht en de Marnixstraat. Het was een rommelig benedenhuis, maar je kon er verse koffie krijgen en er stond een grote pot met besuikerde koekjes.

'Al krijg ik een miljoen, ik ga daar niet meer heen.'

Stephan zat aan de counter tegenover Ankie, die net zoveel student was als hij, maar net iets beter haar pad door het studentenbestaan had gevonden. Ze werkte hier halve dagen en studeerde daarnaast Culturele Antropologie en Sociologie der niet-westerse landen. Voor een wiskundige als Stephan was zo'n term een doorn in het oog.

'Wat doe je dan wél?' had hij een keer in de kroeg aan haar gevraagd. Hij moest er zelf om lachen. Zij niet.

'Probeer jij me nou te versieren?' had ze toen gevraagd, nogal streng.

'Nee. Natuurlijk niet.'

'Jammer,' had ze gezegd. En toen pas had ze geglimlacht.

Ankie was leuk en ze kleurde alles zonnig. Dat kon hij, met alle donderwolken in zijn hoofd, op dit moment wel gebruiken.

Nu keek ze het systeem door en schudde haar hoofd.

'Ik heb niks voor je.'

'Kom op, Ankie. Ik zit voor drie hele grote tentamens. Ik kan daar gewoon niet meer naar terug. Ik zie de hele tijd...' Hij aarzelde, ze keek hem aan en knikte.

'Dat klopt, want ze willen je niet meer.' Hij fronste zijn wenkbrauwen. 'Ja, je hebt je post verlaten. Zeker een half uur.'

'Ja, maar... er was... Ze hadden die vrouw anders nooit gevonden. Ik wist tenminste hoe ze eruit zag.'

'Ze willen je niet. Je bent 'onbetrouwbaar'. Dat staat hier. En dat staat hier niet voor niks.'

'Wat een onzin.'

'En dus kan ik jou niet slijten als nachtportier. Daar krijgen we gelazer mee. Bij het minste of geringste...'

'Er was een meisje doodgereden, Ankie! Dat begrijp je toch?'

'Dit hier is niet Dorpstraat in Ons Dorp, Stephan. Dit is Amsterdam. Daar hebben ze een snelweg omheen gelegd en er zijn er ook nog een paar dwars door de stad. Er gebeuren hier ongelukken, ja.'

Stephan keek haar aan. Wat probeerde ze hem nu te zeggen? Dat hij zich niets moest aantrekken van dode meisjes en oudere vrouwen in shocktoestand? Had hij daar in dat hok moeten blijven zitten met paarse krokodillen? Beetje wijzen dat ze met dat halfdode kind om moest lopen naar de Eerste Hulp?

Hij schudde zijn hoofd. Ja, hij was weggegaan. Dezelfde nacht nog. Hij wilde daar niet naar terug. Maar hij had niets verkeerd gedaan. Hij was een mens geweest, die nacht. Als dat kind nog een kans had gehad, dan had hij haar die gegeven... hij en niemand anders.

'Wat heb je dan wel?' zei hij uiteindelijk moedeloos.

'Voorlopig niks.'

'Krijg ik wel m'n geld van deze week?'

'Nee.'

'Wat nou?!'

'Ze hebben schade geleden, zeggen ze.'

'Ik moet een baantje,' zei Stephan. 'Kijk nog eens in die computer van je.'

'Niks, zeg ik toch?!'

Stephan knikte. Niks was niks. Niks kon niet meer zijn dan niks. Het niks was dan wel een staat van iets, namelijk het ontbreken van die staat. Hij kende de definitie van nul. Nul deed het goed in de wiskunde. Veel beter dan oneindig. In het oneindige waren onontdekte gebieden waar niets zeker was. Maar op het terrein van de nul was alles helder en klaar. Zwart en wit waren beide nul. Honger was ook een verschijningsvorm van nul. Bankrekening was nul. Vader was nul. Studie was nul. En als hij er zo eens over nadacht... de grootste nul was hijzelf, hoewel er zich – zuiver wiskundig – geen hiërarchie bevond in de orde der nullen.

Ze keek hem aan, tikkeltje meewarig. Want ze kon niets voor hem betekenen. Zou ze wel graag willen; ze mocht hem wel. Stephan, met die mooie krullen en die kralen van ogen, dat lieve, maar wat onhandige voorkomen. Hij was een buitenbeentje, een uitzondering. Hij leek altijd een enorm gewicht met zich mee te zeulen, alsof het leven voor hem veel zwaarder was dan voor alle andere generatiegenoten. Ze had hem wel eens 'een zeer plaatselijke onweersbui' genoemd. Zo voelde hij zich ook vaak. Dat overal de zon scheen en dat alleen boven zijn hoofd die wolkbreuk was waarvoor geen paraplu je kon behoeden. Ze gunde hem het beste. Maar ze kon nu even niets voor hem doen.

Freek was de laatste die hem misschien nog een tientje zou willen lenen. Hij studeerde Nederlands en ze waren vrienden geworden tijdens de introductieweek van de Universiteit. Ze hadden een onbegrijpelijke theatervoorstelling moeten zien in de Stadsschouwburg die tot hun afgrijzen meer dan viereneenhalf uur duurde. Freek had tijdens de eerste pauze – er waren er twee – tegen zijn buurman gezegd: 'Ken jij de Stadsschouwburg?' Daarop had Stephan alleen zijn hoofd geschud.

'Ik ook niet,' zei Freek vervolgens, was opgestaan en had een deur geopend waarop stond: 'Geen toegang'.

'Dat is een teken,' zei Freek. Vervolgens namen ze alle deuren waarop die tekst stond en zo dwaalden ze door de kleedkamers, waar ze – met enig plezier – wat kledingrekken van plek verwisselden. Ze vonden ook een ladder die toegang gaf tot een luik in een plafond. Door een brandtrap te nemen, kwamen ze uiteindelijk uit op de zijkant van het toneel, of liever gezegd zo'n twintig meter daarboven. De tweede acte – zo mogelijk nog saaier dan de eerste – bekeken ze van daaruit, en ze zagen tot hun genoegen dat er enorme paniek in het acteursgilde uitbrak, toen bepaalde kleren niet meer hingen op de plekken waar ze toch echt hadden moeten hangen. Op het toneel bleef het tamelijk rustig, maar daarachter was van alles aan de hand.

Toch bleven ze daar niet voor de derde acte, uiteindelijk kwamen ze terecht bij de laad-en-los-plaats van het theater, waar ze de chauffeur hielpen met het inladen van allerlei spullen die voor het laatste bedrijf niet meer nodig waren. Ze kregen in ruil daarvoor een paar pilsjes en hoorden verhalen aan over acteurs, hun buitenechtelijke misdragingen en hun liederlijk gedrag na de voorstelling. Omdat ze aan zijn lippen hingen, verzon de chauffeur uiteindelijk de meest onmogelijke geschiedenissen over het volk op de bühne. Later, bij het nagesprek, kon Freek de neiging niet onderdrukken om aan een van de acteurs te vragen: 'Je hoort wel eens verhalen over acteurs. Dat ze het met Jan en alleman doen. Is dat nou echt zo?' Waarop de hoofdrolspeler minzaam lachte, vertelde dat hij een eerzaam huisvader was en de actrice – van wie de chauffeur had verteld dat ze de oorzaak was geweest van enige amoureuze escapades – niet meer uit een hoestbui kwam, zodat het nagesprek uiteindelijk voortijdig moest worden afgerond.

Freek misdroeg zich vaak. Stephan voelde zich op zulke momenten een vazal en een bondgenoot in het kwaad. En Freek vond het fijn om Stephan als publiek te hebben.

Een tientje kon hij net missen. Twee briefjes van vijf.

'Je krijgt het deze week nog terug.'

'En dan komen ze er in dat ziekenhuis uiteindelijk achter dat je een held bent. Krijg je misschien nog een medaille ook.'

'Ik hoef geen medaille. Ik wil dat ze mij met rust laten.'

Freek betaalde het broodje en de koffie. En hij las een van zijn onbegrijpelijke gedichten voor, waarvan de jonge student Nederlands er intussen duizenden moest hebben. Stephan lachte er een beetje schaapachtig om.

'Van literatuur heb jij geen benul,' zei Freek. 'Jij bent een rekenmachine.'

Stephan knikte. Hij vond ook dat hij dat was. En het broodje smaakte goed.

Die avond probeerde hij Ankie weer te bellen, maar zijn beltegoed was op. En zo liep hij door de regen met een tientje op zak. Dat waren vijf blikken ravioli, of één echte maaltijd – gehaktballen, een salade, misschien zelfs een toetje, ijs en vruchten. Hij kon beter verstandig zijn, maar Stephan had genoeg van zijn verstand. Verstand had er voor gezorgd dat hij dacht dat er voor hem wel iets beters te halen was dan als eenzame boer, op een landje in de Noordoostpolder. Verstand leverde hem de negens en zulke mooie studieadviezen op. En hoewel de formules zelden of nooit zijn hersencellen binnendrongen, was hij een van de besten van zijn jaar... zo niet de allerbeste. Hij deed er geen moeite voor. Het zat blijkbaar allemaal al in zijn hoofd, sinds zijn geboorte. Misschien werd hij ooit hoogleraar wiskunde en moest hij de rest van dit ondermaanse leven volmaken met onzinnige formules die op hun beurt weer tot nieuwe wiskundige problemen zouden leiden.

In een bushokje stond een kalende man van in de veertig. Die had het koud, was doorweekt en had geen zin in een praatje.

'Meneer?' Geen antwoord. 'Mag ik misschien even bellen met uw telefoon?'

'Nee, natuurlijk niet.'

'Ik wil er wel voor betalen.'

'Waar is het heen?'

'Gewoon een 06-nummer. Niets bijzonders.'

'Vijf euro,' stelde de kletsnatte man.

Stephan schudde zijn hoofd.

'Dan niet.'

'Twee euro, ik moet ook nog eten.'

'Dan eet je niet.'

'Meneer...'

'Lazer op,' zei de man uiteindelijk.

Stephan keek om zich heen. Niemand op straat. Er waren tegenwoordig net iets te veel definities van nul om hem heen. Vijf euro, dat betekende een streep door al het lekkere eten dat hij zich voor vandaag in zijn hoofd had gehaald. Het moest maar. Hij haalde een van de vijfjes tevoorschijn en kreeg de telefoon. De transactie verliep verder volkomen woordeloos. Hij belde.

'Ankie? Heb je iets voor mij?'

'Nou... eh,' zei ze. En dat klonk als goed nieuws.

'Wat dan? Heb je dan toch iets?'

'Het is een beetje moeilijk uit te leggen over de telefoon. Heb je vanavond iets te doen?'

'Hoezo?'

'Ik dacht... nou ja, misschien kunnen we wat gaan eten.'

'Eten...' verzuchtte Stephan en haalde het andere briefje van vijf uit zijn zak. 'Patat?'

Zij betaalde. Hij was haar gast. Het eettentje bevond zich in een straatje tussen de Weesperzijde en de Wibautstraat en had wat weg van een oud schoollokaal. Een student met een bijbaantje kon er prima eten voor weinig. Stephan nam een salade. Daarin moesten zich, ergens tussen al dat groen en rood en geel, wel wat vitamines bevinden. Ook at hij rood vlees omdat hij ernstig vreesde voor bloedarmoede. Zij wees op een pasta. Hij voelde zich in haar bijzijn een klein jongetje. Een jongetje dat bezig was zijn bestaan op een grandioze manier in elk mogelijk opzicht te verknallen. Haar glimlach had iets betuttelends. Alsof ze elk moment kon zeggen: 'Jongen, toch.' Ze was net zo oud als hij, maar op dit moment deed ze alsof ze zijn oma was. Ze zei niets. Maar het prominente zwijgen deed bijna zeer aan zijn oren.

'Ik maak er een beetje een puinhoop van,' erkende Stephan.

'Er is een tekst van een liedje. Hoe ging dat ook alweer?'

'Je gaat hier toch niet zingen, hè?!' glimlachte de jonge student.

'Je hebt dromers, je hebt hopers… het verschil is niet zo groot. Een dromer was ooit een hoper die onderweg zijn ogen sloot.' Ze knikte even en ging verder: 'Ik ben een dromer, daar kom ik rond voor uit. Maar neem het me maar niet kwalijk als ik eventjes mijn ogen sluit.'

Hij luisterde, en probeerde de essentie ervan te begrijpen, maar die ontging hem.

'Hou je niet van liedjes? Van gedichten of boeken?'

'Boeken? Onzin. Niks zo makkelijk als een verhaaltje verzinnen.'

'Jammer.'

'Hoezo jammer?'

'Ik had namelijk een leuk baantje voor je. Rustig ook. Jammer dat je het niks vind.'

'Sorry? Nee, wacht… boeken! Wat is dát leuk, zeg. Ze zijn

niet alleen interessant, maar ze zien er ook zo mooi uit. Ik geloof dat ik me vergiste… Ankie, ik ben wanhopig. Doe me dit niet aan. Boeken, ik ben er gek op. Zou ik mij een leven kunnen voorstellen zónder boeken? Geen denken aan!' Hij stelde zich aan, dat vond ze leuk. Ze glimlachte.

'Oké…' zei ze en keek hem doordringend aan. 'Een stokoude schrijver zoekt een assistent.'

'Een wat?'

'Een schrijver. Iemand die boeken schrijft. Van die verzonnen verhaaltjes. Wil jij ook een toetje?'

Hij durfde geen 'ja' te zeggen.

'Ik trakteer. En de volgende keer betaal jij. Je hebt nu toch een baan.'

Ze vertelde er verder niet veel over. Noemde alleen een adres op de Nieuwmarkt en een naam. Nathan Mossel.

Het trappenhuis naar de woning van de oude schrijver rook naar geschiedenis. Tientallen jaren van opgedroogde lekkages, van een kruipruimte vol schimmel en achterstallig onderhoud, verbruind, oud behang met lijm die het uiteindelijk ook maar had opgegeven. Smerig was het niet. Op zijn hoogst stoffig... de loper zat vol met slijtgaten – trap op, trap af, en dat al zo vreselijk lang – de kleur was onbestemd geworden, hier en daar zat een roede los. Stephan had op de bel gedrukt en hoorde hoe er aan een touw werd getrokken om de deur van het slot te krijgen. Er had een 'Wie daar?' geklonken en de jonge student had Mossels naam geroepen, het duistere trapportaal in.

'Ga weg,' bromde de norse stem op de bovenste verdieping.

Dat had Stephan kunnen doen. Het enige dat hem weerhield was die verrekte regen buiten. Hij was doorweekt. Het water droop over zijn rug zijn onderbroek in. Zijn sokken sopten in zijn gymschoenen en hij wist dat hij iets moest doen om de ellende te stoppen. Tegenslag kon je aan, zolang er af en toe een meevaller tegenover stond. De laatste tijd kon hij nauwelijks één hoogtepunt in zijn miezerige bestaan noemen. Hij had geen geld, studeerde zonder enige vorm van studiefinanciering, van zijn vader hoefde hij nauwelijks een bijdrage te verwachten en tot nu toe wist hij elk baantje binnen de kortste keren op een regelrechte ramp te laten uitdraaien. Stephan was net iets te vaak ontslagen, op staande voet, en meestal buiten zijn schuld. Tenminste, dat vond hij zelf.

Nathan Mossel was een schrijver. Stephan had nog nooit van hem gehoord had, maar dat lag aan hemzelf. Nathan schreef, en hij had een assistent nodig. Wat dat precies inhield – Stephan had geen idee… waarschijnlijk een rolstoel vasthouden, medicijnen bij de apotheek ophalen en meer van dat soort dingen. Zo simpel was het, en het moest niet ingewikkelder worden.

De jongen liet zich niet wegsturen. Vandaag in ieder geval niet.

'Het regent.'

'Kan me niet schelen, ga weg!'

'En ik heb werk nodig.'

'Niet hier, wegwezen.'

Stephan keek naar buiten. Dit was geen regen meer, dit was een zondvloed. Amsterdam zou verzuipen als dit nog een paar uur zou voortduren. Straten stonden blank en auto's zwommen over het wegdek. Paraplu's werden in de stormwind aan flarden getrokken en oude mensen wankelden een ware verdrinkingsdood tegemoet. Nog even en de rondvaartboten konden hier voor de deur parkeren.

Hij hoorde boven een deur dichtslaan. In ieder geval stond hij al in het trapportaal. Een knappe vent die hem nog weg kreeg.

Hij ging de trap op. Stephan had niets te verliezen. Boven was werk, werk was geld, geld betekende eten. De wetenschap had hem tot een oermens gemaakt. Hij dacht alleen nog maar in kreten. De enige andere optie was opgeven. Terug naar de boerderij van zijn vader en zich daar verstoppen in dorps hooi, tussen zwijgende koeien, een roemloos bestaan in een kleurloos huis zonder enige afwisseling. En dan nog straf krijgen ook, voor het feit dat hij twee jaar geleden blijk had gegeven van een eigen wil. Hij was naar Amsterdam gekomen om te leven. Maar het leven hier was hard, onverbiddelijk, kwaadaardig. De stad was een jungle en daar gold alleen het recht van de sterkste.

Hij klom de trap op, tot aan de tweede verdieping, waar Nathan Mossel woonde. Kloppen kon je het niet noemen. In de slag waarmee Stephan op de deur bonkte, klonk overlevingsdrift door.

'Doe open, ouwe man!' schreeuwde hij. Het klonk als een belachelijke smeekbede van een straatzwerver om brood. 'Ik ga hier toch niet weg, als u dat soms mocht denken. Ik laat u er niet langs.'

Na het uitblijven van een reactie vervolgde Stephan: 'U kunt de hele stad afzoeken naar iemand die beter is dan ik, maar die vindt u toch niet. En zal ik u eens vertellen waarom? Omdat u me niet interesseert! Ik weet niet eens wie u bent. Ik heb nooit van u gehoord. Ik kom hier alleen maar om te werken. En omdat het buiten regent. Met dit weer stuur je nog geen hond de straat op, Mossel. Doe open.'

Dit alles kon je niet zeggen. Een gewone werkstudent op zoek naar een baantje zegt zulke dingen niet. Sterker nog, stervelingen – hoe wanhopig ook – drukken zich uit in taal met meer menselijke beschaving. Het kon Stephan niets schelen. Als hij nu vertrok, zouden er meer mensen slachtoffer worden van zijn innerlijke woede. Iedereen die ook maar enigszins in zijn buurt zou komen, kon een dreun verwachten, verbaal of fysiek. Hij had er genoeg van. Het ziekenhuis was de druppel geweest. Zo kon je een goedwillend mens niet behandelen, dacht hij met het nodige zelfmedelijden.

De deur ging open. In de deuropening stond een oude grijze man met perkamenten handen, een baard en een keppeltje. Hij had ogen die ondanks de leeftijd, niets aan scherpte hadden verloren.

'Om de mensheid voor jou te behoeden, laat ik je binnen,' zei Nathan Mossel. 'Maar alleen daarom!'

'Je kunt me uitwringen,' zei Stephan en hield zijn armen wijd om te laten zien dat het water nog altijd van hem afdroop.

'Ik heb geen handdoek voor je.'

'Ik word uw assistent.'

'Het is iets met computers,' zei Nathan en fronste. 'Weet je zeker dat jij geen kortsluiting maakt?'

'Heeft u niet een of andere lap? Iets dat een beetje droog is.'

Mossel keek naar hem. Of liever gezegd, hij bestudeerde de jongen.

Zachte ogen, dacht Stephan, maar waarom kijken ze dan zo streng? Nog altijd hield de oude schrijver de knop van de deur in zijn handen, alsof hij die nog elk moment kon dichtgooien.

'Kom dan maar binnen,' zei Nathan uiteindelijk en ging hem voor, het halletje in.

Een uitdragerij in crisistijd zat minder vol dan de voor-tussen-achter-verdieping van Nathan Mossel hier op de Nieuwmarkt. Er waren meubelen – kasten, tafels, stoelen, schemerlampen, bijzettafeltjes, dressoirs – en alles in meervoud. Je kon je kont niet keren op deze vijftig vierkante meter. Overal waar je keek, stond wel iets. Vaak ook nog met iets erbovenop, waar vervolgens weer wat in gezet was. Overal zag je ook planten, met grote bladeren met een dikke laag stof erop. 'Knus' was het woord dat Stephan te binnen schoot, al leek Nathan Mossel verre van een gezellig man. Eerder nors, stekelig, met weinig affiniteit met de mensheid. Het was duidelijk dat hij een eigen stoel had, dicht bij het raam aan de voorkant. De stoel was omringd met stapels boeken. En niet alleen de stoel. Overal waar in dit huis nog enigszins ruimte te vinden was, zag je boeken, geschriften, oude kranten, folders of tijdschriften. Stapels, groentekratten vol, uitgespreid over de vloer, in een berg, ergens in een hoek. Alles wat ooit op de wereld geschreven was, leek zich in dit huis samen te pakken. Er waren ook nog boekenkasten, terwijl het in dit huis geen gewoonte leek dat boeken in dat soort kasten moesten *staan*. Die kasten waren volgepropt. Op de plank stonden de boeken geperst naast elkaar en uiteindelijk – boeken zijn niet allemaal even hoog – was in de open ruimte boven de rijtjes boeken ook nog van alles ertussen gepropt. Zeker zestien stoelen stonden er in de voorkamer, maar je kon er maar op één zitten; ook op de zittingen van al die andere stoelen lagen stapels. De vensterbank diende al een tijdje als uitbreiding van de bibliotheek, en ook de schoorsteenmantel stond vol.

'Ga zitten.'

'Staan is prima,' zei Stephan.

'Je bent zo te zien geen Jood, is het wel?'

'Had dat gemoeten?'

'Het strekt tot aanbeveling.'

'Geen spatje.'

'Weet je wat je taak is?'

'Geen idee.'

'De uitgever noemt het digitaliseren. Ik vind dat een lelijk woord. Jij?'

'Hangt er vanaf wat ermee bedoeld wordt.'

Nathan keek hem aan. Stephan dacht: ik heb niets te verliezen en buiten regent het.

'Wat zou ermee bedoeld kunnen worden?' vroeg Nathan.

'Dat u analoge bestanden heeft.'

'Is dat een ziekte?'

'Ik weet niks van ziektes,' zei Stephan. 'Ik studeer wiskunde.'

'Ach, wiskunde?' knikte de oude man.

'Gewone mensen zouden zeggen: hij maakt sommen. En als u nu tegen me zegt: jij maakt sommen, dan zou ik – als ik trots zou zijn op mijn studie – boos moeten worden.'

Hij zei het, zonder te aarzelen, met de volle blik op Nathan die zowaar een glimlach op zijn gezicht kreeg. Hij pakte een stapel boeken van een eetkamerstoel af en legde die op een andere stapel die – vanwege een of andere onbewezen natuurwet – niet omviel.

'Nathan Mossel. Zegt je dat wat?'

'Geen idee wie dat is.'

'Ik.'

'Gefeliciteerd,' zei Stephan. Hij wist echt niet hoe hij moest reageren. 'Ik heb niks van u gelezen.'

'Want je leest niet.'

'Alleen als het er toedoet.'

'Ik doe ertoe. Hoe oud ben je?'

'Tweeëntwintig.'

'Dan was je tien toen ik mijn schrijfmachine hier uit het raam heb geflikkerd.' Nathan liep naar het raam, het vervulde hem met enige melancholie… hij vond het blijkbaar een fijne herinnering. 'Het was een mooie bocht die hij maakte. Hij bleef even hangen in de lucht. En toen viel hij naar beneden. Ik zag overal toetsen heen springen. Bakeliet. Ik wist dat ik vergeten zou worden. Dat is het mooie ervan.'

'Ik lees nooit,' bekende Stephan.

'Dan zou je juist schrijver moeten worden,' zei Nathan en het klonk als een zangerige overwinning op de complete mensheid. 'De meeste schrijvers lezen niet. Behalve de paar die in feite niet kunnen schrijven. Die lezen wel en weten daar dan ook weer alles van. Maar het enige dat zij doen, is vergelijken... de hele dag door. Op zoek naar het bewijs dat anderen mindere goden zijn op het schrijfblok.'

'Maar u leest wat af,' constateerde Stephan.

'Touché.'

'Ik probeer alleen wat logica te zien in uw betoog.'

'Komt: ik ben niet alleen een schrijver, ik ben ook een Jood.'

'Zó!' zei Stephan. Het interesseerde hem niet. Hij wilde weten wanneer hij kon beginnen, wat het hem opleverde en wanneer hij zijn eerste salaris zou kunnen verwachten.

'Lernen, lernen, lernen,' brabbelde Nathan. 'Dus jij studeert computers.'

'Nee, wiskunde. Informatica ook.' Stephan keek hem eens doordringend aan. 'Maar wat is nou eigenlijk de bedoeling?'

'Loop maar mee.'

Nathan ging een gangetje door en toen een trap op. Voor iemand die – wat zou hij zijn – de negentig gepasseerd was, leek hij opmerkelijk vitaal en fit. Op de overloop van de verdieping boven de woonvertrekken bleef Nathan even staan. Hij keek Stephan aan alsof hij op het punt stond het Heilige der Heiligen te ontsluiten...

In tegenstelling tot de volle woonkamer van Nathan Mossel, was dit hoger gelegen vertrek een toonbeeld van serene leegte. Er stonden niet meer dan vier kleine tafeltjes. De eerste – in het midden van de kamer – droeg een computerscherm. Daaronder stond een computer. Op dit apparaat kon zowat een halve universiteit draaien. Daarnaast stond een tweede tafeltje met een scanner. Een derde tafel lag vol met schriften, boekjes, schrijfblokken en de laatste tafel was leeg.

'Heeft de uitgever gebracht.'

'Da's mooi spul, meneer Mossel.'

'Zal best. Het heeft ook wat mogen kosten.'

'U gaat een nieuw boek schrijven?'

'Nee, natuurlijk niet. En zeker niet op een computer. Ik ben niet gek. Ik ben oud, dat is heel iets anders.'

Stephan bekeek de apparatuur. Het was het nieuwste van het nieuwste, sneller dan snel. Allemaal van de beste merken.

'Dus Repelsteeltje,' verzuchtte Nathan Mossel. 'Kun jij van al dit vlas om ons heen een mooi gouden schijfje weven?' De schrijver pakte een doosje en haalde er daadwerkelijk een goudkleurig cd'tje uit. 'Alsof goud meer waard is dan vlas. Van vlas kun je nog iets maken. Goud is alleen maar goed om holle kiezen mee te vullen. Wat denk je ervan, al mijn schoons op dat kreng?'

Stephan begreep wat er moest gebeuren, maar voor alle zekerheid herhaalde hij het maar eventjes.

'Als ik het goed heb, moet dus al uw werk worden gedigitaliseerd. Ik bedoel, u heeft van alles geschreven, maar het staat nog niet in de computer.'

'Zoiets, ja. En dan heb ik het nog niet over de handschriften gehad.'

'De handschriften?'

'Buiten mijn meer dan honderd romans heb ik zo'n duizend schriften met handgeschreven verhalen, gedichten, teksten, overwegingen, gedachten, ideeën. En dat mag – volgens mijn uitgever – niet verloren gaan.'

'Lijkt me simpel.'

'Volgens de uitgever is het knap lastig. Ik heb namelijk een lelijk handschrift.'

'Hm,' bromde Stephan terwijl hij een van de dunne schriften opensloeg.

'Hij zal zijn best moeten doen.'

'Wie?'

'Pim, hier.' Nathan wees even naar de computer

'Waarom noemt u hem Pim?'

'Weet ik niet. Hij lijkt me een soort Pim. Eefje vind ik ook prima, hoor.'

'En u denkt dat Eefje ons gaat helpen?'

Stephan merkte dat 'Pim' had afgedaan en dat Eefje de naam van de computer zou worden. Hij wist wat hem te doen stond. Het was veel werk, maar ingewikkeld kon je het niet noemen. De scanner, of liever gezegd het programma dat het schrijfwerk moest verwerken, zou het handschrift – en alle variaties ervan – moeten leren. Het was inderdaad allemaal nogal slordig, zo zag hij in de schriften, maar op het eerste gezicht was het wel eenduidig. Dezelfde letters bleven onder verschillende omstandigheden identiek van vorm. Het zou saai werk zijn. Rustig ook. Alleen moest hij handmatig de bladzijden invoeren en dat kon de concentratie op de tentamens wel eens in de weg staan. Niettemin, dit was werk en dus geld. 'We scannen het allemaal in en corrigeren het.'

'Corrigeren? Er valt niets aan te verbeteren.'

'Dat geloof ik graag, maar...'

'Het moet exáct zó de computer in. Begrijp je dat?'

'En daarom moeten we het corrigeren. De computer maakt wel eens een foutje.'

'Ze zeggen van niet.'

'Ze zeggen van alles. Maar gelooft u mij... we moeten het echt nalezen.' Nathan Mossel knikte. Hij vond het maar niks, die computer. En nu hij hoorde dat het ding ook nog eens fouten maakte, vond hij het helemaal een monster. 'Is er iets van een volgorde?' vroeg Stephan.

'Slechts een menselijke,' zei Nathan afgemeten.

De jonge student wierp een blik op de oude man. Er was

iets triests aan diens houding en gezicht. Aan de andere kant kon het ook gewoon de ouderdom zijn.

Hij liet zijn hand door wat papieren gaan. 'Alles wat ik heb geschreven, heb ik in dozen gekwakt. Wat bovenop ligt, is het meest recente. Het onderste is allemaal jeugdzonde.'

'Ik hoef het toch niet ook te lezen, is het wel?' vroeg Stephan, wellicht net iets te snel.

'Waarom zou je,' antwoordde Nathan Mossel meteen cynisch. 'Maar er zijn ook getypte teksten. Helpt dat?'

'Van wat voor schrijfmachine?'

'Dat moet je aan de stoeptegels vragen. Die kennen dat ding beter.' Toen legde Nathan een hand op de schouder van de jonge student en zei, met bijna trillende stem: 'Het is dierbaar werk.'

'Ik wil graag een voorschot,' antwoordde Stephan. 'Ik moet trouwens een extra kabel kopen, want die ontbreekt, zo te zien. En een losse harde schijf.'

Nathan keek hem doordringend aan.

'En dat komt dan zo maar mijn huis binnen en doet meteen zaken! Ik neem je aan. Je hebt vast goed bloed.'

Er kon zowaar een glimlach af bij Stephan.

'Ik moet wat voorbeelden meenemen. Want ik moet de computer uw handschrift leren. Dat is nogal een proces.'

Nathan gaf hem een map, een enorme map vol handgeschreven documenten.

'Een paar velletjes is meer dan genoeg,' wilde Stephan nog zeggen, maar Nathan had de kamer al verlaten. Met enig misprijzen staarde Stephan naar al het werk.

Even later stonden ze in het portaal. Er hing een schilderij dat in de loop van de jaren veel van zijn kleur had verloren. Het stelde een jongen voor, van een jaar of tien. Hij had een mooie en heldere blik, maar glimlachte nauwelijks. In zijn hand had hij een viool. Stephan keek naar het instrument.

Het leek wel alsof er een klein gaatje in de klankkast was geboord.

'Bent u dat?' vroeg hij.

Nathan liet het antwoord even wachten.

'Nee,' zei hij dan.

Stephan keek naar de signatuur. Geschilderd door Abraham Lopez Cardozo, in 1947. Vijfenzestig jaar geleden. Mossel moest toen al ouder zijn geweest, rekende hij snel.

'Ik zal je mooie verhalen vertellen,' kondigde Nathan aan.

'Daar was ik al bang voor,' zei Stephan, zo zacht dat de schrijver het niet kon horen.

3

Volgens een ooggetuige was het na de bomaanslag een paar seconden stil, voordat het geschreeuw begon. Het was – zo zei hij – alsof zelfs het asfalt was geschrokken van het geweld. Van de dader was geen snipper vlees overgebleven. Die had de bom om zijn lijf getapet en was midden in het gebouw gaan staan, daar, waar hij de meeste slachtoffers kon maken. Een overlevende had hem gezien en beschreef de rust waarmee de Palestijn naar zijn moordplek was gelopen. Hij had niets geschreeuwd, niets gezegd. Hij had iets in zijn hand, wat vrijwel zeker de ontsteking moest zijn geweest. Het winkelcentrum aan de Rehov Ben-Yehuda beleefde op dat moment een van de drukste dagen van het jaar. Er vielen vijf doden en meer dan honderdvijftig gewonden, die middag.

De inspecteur-generaal van de politie, Assaf Hefetz, legde een verklaring af en probeerde daarin niets van enige woede te laten blijken. Maar zijn bloed kookte. Hij voelde zich machteloos, omdat hij niet kon doen waarvoor hij was opgeleid: het vinden van de daders en ze voor de menselijke rech-

41

ter brengen. Hij kende de namen van de slachtoffers en las ze zorgvuldig voor: Hillel Savir, Raz Goldberg, Leah Attal, Tamar Shalev en de dertigjarige violist Yoshi Weinstein. De camera's zagen hoe Assaf op zijn lip beet, de microfoon registreerde het knakken van zijn stem. Maar hij hield zich goed. Het was niet zijn taak om daders te veroordelen. Hij moest slechts de feiten weergeven zoals hij die kende: namen, de dag, de dader, hoe en wat.

Buiten de vijf stierf niemand aan zijn verwondingen, op zich een wonder. De verwoesting die de menselijke bom had aangericht, was onvoorstelbaar. Het gebouw kon blijven staan, maar moest volledig worden gerenoveerd. Korte tijd schuwden mensen de straat. Echter niet voor lang. 'Dat zit niet in de aard van de Israëliër,' zei Likuds Binyamin Netanyahu, die een jaar eerder tot minister-president was verkozen, maar wiens zetel sindsdien al wankelde. 'Wij zullen nooit grond ruilen voor oorlog. Wellicht voor vrede, maar niet voor oorlog. Niemand weert ons van onze plek. En door angst laten we ons al helemaal niet leiden.'

Op straat werd geschreeuwd, zoals op de straten van Jeruzalem altijd wordt geschreeuwd. De discussies liepen hoog op. Er werd vergelding geëist, genoegdoening, maar ook vrede, dan weer oorlog, wapenstilstand, onderhandelingen. Iedereen had een mening over hoe de toekomst eruit moest zien en niemand was het met een ander eens. De camera's snorden en toonden verdriet, afschuw, het geschreeuw. Praatprogramma's in Nederland hadden het over schuld, over Israëlisch staatsterrorisme, over de Palestijnse Zaak, over een Arabische Staat die in plaats van Israël moest komen, over links en over rechts.

En op een begraafplaats, net buiten Jeruzalem, werd een viool begraven. Een viool met een gat in de klankkast.

4

Amsterdam, winter 2012

Hij had de teksten van Nathan Mossel vergroot op het fotoko-
pieerapparaat van het uitzendbureau. Elke letter moest meer
dan tien centimeter groot zijn om de speciale software het
handschrift van Mossel te kunnen laten lezen. Dit moest voor
alle zesentwintig letters van het alfabet, samen met hun variaties. Nathan schreef een andere 'o' als deze aan een 't' vastzat
dan aan een 's' of een 'v'. En dat gold ook voor de 'a' en de 'u'.
Soms was er een 'i' die gemakkelijk voor een 'j' kon doorgaan.
Ook daarmee was zorgvuldigheid geboden.

Stephan was er maar druk mee. Ankie liet hem zijn gang
gaan. Het was een rustige dag en ze genoot van het enthousiasme waarmee Stephan de vellen uit de machine trok, om ze
daarna weer op de glazen plaat te leggen zodat hij ze nogmaals kon vergroten. Dit werk kon hij vanzelfsprekend ook
doen bij een of ander kopieerwinkeltje, maar de student had
zijn voorschot te pakken en was er zuinig mee. Hij zou geen
eurocent te veel uitgeven.

'Een gezelschapsdame,' zei hij ondertussen klagend. 'Dat is

43

wat die man nodig heeft. Hij kletsmajoort me nog een keer de oren van de kop. Hij wil me allerlei verhalen gaan vertellen. Daar zit ik nou net op te wachten, zeg.'

'Door de telefoon leek het me een aardige man.'

'Heel aardig. Veel meegemaakt ook. Maar hij doet zijn naam wel eer aan. Zodra je Mossel openbreekt, spuugt hij in je gezicht. Het is dat ik wanhopig ben.'

'Is dat allemaal nodig?' vroeg ze, met een blik op zijn overenthousiaste werk aan letterkopieën.

'Als ik iets doe, doe ik het goed.'

'Volgens mij krijg jij de tijd van je leven,' glimlachte ze. 'En wanneer komt jouw etentje er nu aan?'

'Eh...'

'Dat ik erom moet vragen! Jij bent echt een flirt van niks!' Gelukkig lachte ze erbij. Stephan wist niet goed hoe hij dit recht moest breien. Het voorschot voorzag niet bepaald in een diner op korte termijn.

'Het komt, echt!' zei hij ten slotte en ging weer verder met kopiëren.

'Ik dacht dat die vent dood was,' zei zijn hospita, later op de dag.

Stephan had een halve woning op de vierde verdieping van een huis aan de Haarlemmerdijk. Het was een verbouwde zolder en in de winter was het niet warm te stoken. De koude, striemende wind sloeg recht over het dak, want dit huis was het hoogste van de buurt en de straat. De ramen gaven uitzicht op het spoor, het Centraal Station en verderop ook nog het IJ, en de overkant daarvan: Amsterdam-Noord. Bij de huur zat een gaskacheltje, waarmee je alleen maar je voeten warm kreeg, als je er zowat in ging zitten en verder een elektrisch blaasapparaat dat hij op zijn bureau had gezet, zodat hij bij het werken tenminste zijn handen niet hoefde te laten bevriezen. Aan huur kostte de vijfentwintig vierkante meters bijna niets en af en toe – maar alleen als ze in een goed humeur was – kookte ze ook nog wel eens voor hem.

'Nathan Mossel,' zei ze. 'Vroeger las ik hem wel. Hij had elke dag een verhaal in de krant. En dan om de haverklap een boek. Daar kon je niet tegenop lezen, tegen die man.'

'Ik moet nog een hoop doen,' zei Stephan. Ze had hem staande gehouden in het trapportaal, ook al omdat hij twee maanden huur achterliep. Mede daarom had hij haar verteld over Mossel en zijn baantje, als een soort garantie dat het geld eraan kwam.

'Ik heb boerenkool over. Want je zal wel weer niet koken voor jezelf. Kom het zo wel brengen.'

Hij wilde protesteren, maar dat lukte niet. Ze draaide zich om naar de deur. Hij ging aan de slag. Ook al was het er nu stervenskoud – en in de zomer bloedheet – deze kamer was de eerste plek op aarde die hij als zijn thuis ervoer. Misschien was het in zijn vroegste kinderjaren wel goed geweest op de boerderij, maar daar kon hij zich niets van herinneren, behalve dan de glimlach van zijn moeder. De foto van haar stond op een richel. Ze moest uit louter liefde hebben bestaan. In haar blik zat geen spoor van woede of verdriet. Ze was gestorven aan een kuchje, dat uiteindelijk het gevolg bleek van iets wat door haar hele lijf uitgezaaid was. Het was razendsnel gegaan, al wist Stephan er het fijne niet van. Sinds haar dood werd er in hun huis niet langer gepraat. Misschien een paar woorden, het allernoodzakelijkste, maar meer ook niet. Hij wist wel dat zijn vader werd opgevreten door verdriet. En er waren ook wel dagen dat hij hem zijn jeugd kon vergeven. Maar op de keper beschouwd was er niet veel aan geweest. Stephan nam geen vriendjes mee naar huis. In huis mocht er niet gespeeld worden. En bij andere vriendjes spelen mocht ook al niet. Verjaardagen werden niet gevierd. De feestdagen trokken voorbij in louter somberheid. Van de jaren op de middelbare school herinnerde Stephan zich niet veel meer dan een langdurige opsluiting in een emotionele gevangenis. Het huis bestond uit kale muren, het was er altijd herfst, zijn vader hield zich bij zijn grauwe blik en duldde in niets tegenspraak. Slechts één keer werd er een oorlog uitgevochten: toen Stephan besloot om voor zijn studie naar Amsterdam te gaan.

'Nee.'

'Ja.'

'Ik zei: Nee.'

'En ik doe: Ja.'

Meer woorden vielen er niet. Er sloeg daarna een deur dicht, Stephan pakte zijn koffer, hoorde nog een schreeuw.

'Geen stuiver!'

Op dat moment was ook de laatste band doorgesneden. Hij wist niet of hij ooit nog terug zou gaan. Ze belden niet, schreven niet, het leek alsof elke vorm van bestaan uit elkaars besef was weggesneden. Alleen voor het hoogstnoodzakelijke werd af en toe nog een brief geschreven, maar ook daarin werden zo weinig mogelijk woorden gebruikt. Stephan wist niet wat het met hem deed. Hij had vooral moeite om zijn hoofd boven water te houden. Verzuipen was zo makkelijk in de grote stad. Over de toekomst had hij geen idee. Hij wist niet hoe die eruit zou moeten zien. In ieder geval geen boerderij. Maar misschien had hij nog wel meer deuken opgelopen. Soms probeerde hij daarover na te denken, maar gelukkig had hij zijn sommen om zijn hersens mee dicht te doen.

Hij stak de butagaskachel aan en stak de stekker van het elektrische blazertje in het stopcontact. Hij zocht in de kast nog een extra trui. Toen legde hij de map op tafel, met al die teksten en daarop de verzameling vergrotingen die hij intussen had gemaakt. Hij had millimeterpapier gekocht en was van plan om daarop de letters over te trekken. Een andere mogelijkheid was er niet. De computer bleek niet zomaar in staat om het handschrift van Nathan Mossel te lezen. Het was een soort borduren. Hij vergrootte de handgeschreven letters uit, en zette ze over op millimeterpapier. Vakje na vakje moest hij invullen om zo een digitale letter te creëren die daarna ingevoerd kon worden in de bouwval van zijn eigen laptop. Hij hoopte maar dat het apparaat niet zou bezwijken onder deze overbelasting.

Op de tv was een oorlog te zien, in een ver land, met soldaten die zich schuilhielden voor de rebellen achter ruïnes. Zijn hospita kwam even langs met een bordje dampend eten.

'Waar zit je nou naar te kijken, Stephan?'

'Naar niks,' zei de student, die zijn tv geen blik waardig gunde.

'Naar oorlog. Daar moet je niet naar kijken als je aan het werk bent. Ga jij nou maar rekenen, dat is veel mooier.'

'Vrede kun je niet uitrekenen,' liet Stephan zich ontvallen. Hij wist niet eens waarom hij het zei. De zin flapte uit zijn mond, als een gedachte die hij niet kon tegenhouden. Ze keek naar hem, met moederlijke zorg. Stephan wilde die blik niet. Hij had genoeg aan die ene glimlach van iets meer dan tien jaar geleden. Dat was meer dan genoeg.

'Je hoeft het niet af te wassen, hoor. Ik heb een machine,' zei ze en toen ging ze weg. Hij hoorde hoe ze de deur achter zich dichttrok. Hij ging met zijn handen een beetje door de map papieren van Mossel en plotseling stuitte hij op een krantenknipsel. Het was oud, geel en het zou breken als je het onzorgvuldig vastpakte. Er stond een foto bij. Kinderen.

Trouw, 23 september 1947

VIJFHONDERD ZWERVENDE JOODSE KINDEREN IN ONS LAND

Binnen drie jaar Palestina?

van onzen correspondent

Maandagavond, precies op tijd, kwam in Apeldoorn, een speciale trein uit Praag binnen met omstreeks 500 Joodse kinderen van 8 tot 14 jaar, allen afkomstig uit Midden- en Oost-Europa. Zij zullen voor onbepaalden tijd in de inrichting 'Het Apeldoornsche Bosch' worden ondergebracht met uiteindelijke bestemming Palestina.

Hij hield het artikel zorgvuldig vast. Sinds het moment dat hij de trap van Nathan Mossel was opgelopen, was hij bevangen door onrust. Misschien zelfs al toen hij de beslissing nam om zich niet te laten wegsturen.

Er had zich een raadsel in zijn hoofd genesteld. Het leek op een wiskundig dilemma dat zich niet meteen liet temmen. Hij had zich in het eerste jaar van zijn studie beziggehouden met de vraag naar het waarom van de zogenaamde Sophie Germainpriemgetallen. Deze vrouwelijke wiskundige had aan het begin van de negentiende eeuw gesteld dat twee keer een priemgetal + 1 opnieuw een priemgetal moest zijn. Sindsdien waren wiskundigen bezig om het grootste SGP te vinden, met vooralsnog een wereldrecord uit 2006 van Zoltán Járai. Het waarom ervan was echter nooit uitgeplozen.

'Het ís zo,' had de vrouwelijke hoogleraar Gusta Marthés hem ooit gezegd.

'Maar waarom?'

'Het waarom doet er niet toe. We kennen de wet en daarom accepteren we die.'

'En als er een uitzondering is?'

'Dan passen we de wet aan. Maar vooralsnog is die uitzondering er niet.'

'Dus zoeken we, als makke schapen, grotere en nog grotere getallen en we vragen ons niet af wát we nu eigenlijk zoeken.'

Ze had hem bewonderend aangekeken.

'Als jij het antwoord vindt...'

Hij had gezocht. Maar hij had niet gevonden. Op kwaaie dagen hield het dilemma hem nog wel eens uit zijn slaap. En nu was er dat portret in het portaaltje, van die jongen van wie Nathan niet had gezegd dat het zijn zoon was. Maar wat was die jongen dan wel?

Het had diepe indruk gemaakt op Stephan. Omdat het een raadsel was, een wiskundig dilemma. Er hing het portret van een kind. En dat kind was niet de zoon van Nathan Mossel. De oude schrijver had niet gezegd in welke relatie dit kind dan wel tot hem stond. Daarmee was het een zwart gat geworden, een onoplosbaar priemgetal in een universum vol Cunningham-kettingen en mersennegetallen.

Hij had de ogen van dat joch al honderd keer gezien – elke keer als hij zijn eigen ogen sloot – en alleen door af en toe ferm met zijn hoofd te schudden, gingen de gedachten weg. Maar ja, niet voor lang. Er was iets met Nathan Mossel, er was daar iets in dat huis, er was iets met deze teksten, met dit krantenartikel. Stephan kon met geen mogelijkheid een oorzakelijk verband zien. Dit was niet iets dat samengebracht kon worden in een formule, terwijl er wel een relatie tussen al die zaken moest zijn.

Stephan begreep niet dat het hem bezighield. Nathan Mossel was een baantje, om geld te verdienen, de huur te betalen, aan eten te komen, niet naar huis te hoeven kruipen om een poging te doen te repareren wat nu eenmaal 'total loss' was. En nu merkte hij dat er een lichte koorts in hem was ontstaan, die maar niet wegtrok.

Van werken kwam niks. Hij liet de letters liggen. Morgen weer een dag. In de kamer stond een bed en hij liet de televisie aan staan. Het geluid van die vreemde oorlog waarover hij niets wist, maakte hem rustig. Hij keek naar het plafond, alsof hij naar een constellatie van feiten kon kijken die alleen nog maar een lijnverbinding nodig hadden om hun essentie te vinden. Wat was er in vredesnaam met hem aan de hand? Waarom was hij zo uit evenwicht geraakt? Wat was er gebeurd dat hem ontregelde? Waarom zei hij: 'Vrede kun je niet uitrekenen?' Zulke zinnen kwamen nooit uit Stephans mond. Zulke gedachten had hij niet. De wereld moest simpel zijn. Of ingewikkeld, maar dan als een formule, als logaritme, als een prachtige kwadratische vergelijking die uiteindelijk een heldere uitkomst had.

Er was een kind van betekenis in het leven van Nathan Mossel. En dat kind had geen naam. Van een relatie tot de oude schrijver was niets bekend. Het huis waarin dat portret hing, stond stil in de tijd. Alsof je van een modern, jong plein – de Nieuwmarkt in Amsterdam met zijn trendy cafeetjes, zijn moderne appartementen, zijn modieuze boekwinkeltjes en boetiekjes – zomaar een verleden kon binnenstappen. Een huis vol boeken, vol met alles wat ooit geschreven was... alsof Nathan Mossel zijn woning had gebarricadeerd, met kennis over het verleden. Wie kon in vredesnaam nog binnenvallen in dat huis en alles meenemen? De dood? Zou dat het zijn? Dat Nathan Mossel bang was dat morgen de dag zou zijn waarop hij het tijdelijke voor het eeuwige moest verwisselen en dat alles wat hij had samengebracht dan zou worden verbrand of vernietigd? Maar waarom hield hij dan dat ene, dat portret van dat joch, zo geheim? Waarom zei hij niet gewoon:

dit is mijn neefje en die is ziek geworden en ik heb dit portret, omdat ik af en toe aan hem wil denken?

Er was meer. Er moest veel meer zijn, wist Stephan – en de uren tikten voorbij. Maar wát er was, dat wist hij niet. Dat kon hij alleen maar gaan zoeken. Zoeken in het duister waar alleen maar vragen zijn.

Hij belde Ankie. De ziel was op drift, als een ballon in een stormachtige lucht en hij had behoefte om te praten. Niet met zichzelf, want daar werd hij alleen maar onrustiger van. Ze spraken af in een drukke kroeg, ergens op de Haarlemmer- straat. Ze zochten een tafeltje in de hoek. De luide stemmen van de andere gasten hadden geen vat op hun gesprek.

Stephan praatte, sprak over Nathan, en hij merkte dat hij nog steeds koorts had. De woorden buitelden over elkaar. Ankie luisterde, genoot van zijn enthousiasme en zag hoe zijn ogen heen en weer schoten terwijl hij probeerde te beschrij- ven waar hij was geweest en met wie. Hij vertelde het verhaal van de vijfhonderd Roemeense kinderen en hun verblijf, een jaar lang, in Het Apeldoornsche Bosch en het werd – zoals hij het beschreef – een mysterie met heel veel vragen. Een span- nend verhaal... een onopgeloste zaak uit het verleden.

'Waarom ben jij eigenlijk wiskunde gaan studeren?' vroeg ze plotseling.

'Omdat iedereen vond dat ik dat moest doen,' zei hij.

'Dat is het niet voor jou.'

'Ik ben er goed in.'

'Moet je doen waar je goed in bent?' vroeg ze.

'Waarom heb je anders talent gekregen?' zei hij.

'Maar gaat het niet vooral om wat je wílt doen?'

'Ik weet eigenlijk niet wat ik wil...' zei Stephan en hij besefte dat ze een klein kijkgaatje gemaakt had, recht zijn ziel in en dat ze kon zien wat daar nu woedde aan vuur.

'Dit is een verhaal, Stephan. En je vertelt het aan me.'

'Maar dat is geen beroep.'

'Nee?'

Er brandde in zijn binnenzak een klein schrijfboekje, een soort dat hij al bij zich droeg sinds de middelbare school, toen hem was gezegd dat hij geen talenknobbel had, maar dat alle bètavakken voor hem gesneden koek waren. De cijferlijsten en rapporten werden thuis met gejuich ontvangen, terwijl ze voor hem steeds weer een teleurstelling waren. Wat hij wilde, kon hij niet. Wat hij kon, wilde hij niet.

'Ik schrijf wel eens wat,' zei hij uiteindelijk tegen haar.

'Wat?'

'Zinnen. Wat ik zoal meemaak. Om er vat op te krijgen. Soms lukt het met woorden om mijn gedachten te stillen. Af en toe zoeken ze een toevallige volgorde en maken me iets duidelijk wat ik tot dan toe niet begreep,' zei hij, jeugdig en bang tegelijk, alsof wat hij deed – opschrijven in een boekje – een pril kuiken was, bevattelijk voor al het kwaad van de grote, boze wereld.

'Je bent geboren, vandaag,' zei ze spontaan. Ze schrok van haar eigen zin en hij hoorde die en was niet eens verbaasd dat ze dat zei.

'Dus ik bestond niet eerder?'

'Jawel, maar je was verborgen. In de buik van je ziel.'

Ze zei het, en ze verbaasde zich erover dat ze zo helder dacht op dit moment. Het was alsof iemand deze zinnen in haar oor fluisterde omdat ze tegen Stephan gezegd moesten worden. Eigenlijk wilde ze nog zeggen: 'Ga, ga!' Alsof hij achter iets aan moest rennen dat uiteindelijk naar zijn grote doel zou leiden. In plaats daarvan kuste ze hem en hij liet zich kussen. Het voelde goed, intiem, zacht en vol liefde en toch wisten ze allebei dat ze elkaar weer los moesten laten. Er moest nog zoveel gebeuren.

'Dank je wel,' zei hij ten slotte.

'Voor wat?'

'Voor het openen van mijn ogen.'

Ze knikte.

'Wat er ook gebeurt, ik hou je in de gaten,' beloofde ze.

5

Giurgiu, Roemenië, zomer 1947

Hij droeg een zwart pak, een zwart vest en een schmutzig overhemd. Zijn bril leek op twee aan elkaar gelijmde gordijnringen met daarin de bodems van borrelglaasjes. Hij zat aan de tafel in de huiskamer en daar keek hij nu al twee uur lang in alle papieren. Af en toe ging mama naar de keuken om daar iets te halen, maïskoeken en suikerbrood, of koffie en daarna thee uit de oude samovar. Al die tijd zweeg Alex Dekel, vertegenwoordiger van de Beitar in Zuid-Roemenië. En niemand stoorde hem, terwijl hij las en nadacht. Een revje was hij niet, al liet hij zich graag zo aanspreken. 'Revje Dekel, wat denkt u?' Dan hield hij zijn hand op, om de andere aanwezigen het zwijgen op te leggen en nam nog wat koek. De kruimels hingen in zijn baard. Af en toe veegde hij die een beetje weg, en soms keek hij onderzoekend naar de jonge Yitzhak, die naast zijn zenuwachtige vader zat.

'Hoe oud ben je, jongen?'

'Yitzhak is tien, bijna elf.'

'Ik wil het graag van de jongen zelf horen.'

'Ik ben tien, maar ik word elf,' zei Yitzhak en hij voelde hoe zijn stem oversloeg.

'Da's te oud,' zei Dekel streng. 'Tot en met tien.'

'Maar hij ís tien.'

'Hij wordt elf.'

'Pas in de winter.'

'We zoeken jonge kinderen. Zijn dit je cijfers?'

Alex Dekel hield een rapport op. Van de school in Giurgiu was niet veel meer over. De IJzeren Garde had al in 1941 al het meubilair eruit gehaald en zelfs de schoolborden van de muren gesloopt. Toch had de Joodse gemeenschap het gebouw open weten te houden, om de kinderen te leren lezen en rekenen, en alles wat ze maar voor hun toekomst nodig konden hebben. Wie tijd had, gaf les. Wie geen tijd had, ook. De kinderen waren de hoop van het volk van Giurgiu, van de Joden hier.

'Ja,' zei Yitzhak. Het waren goede cijfers.

'En wie zegt mij dat dit niet een staatje leugens is?'

'Wij hebben altijd gezorgd voor een zuivere school, zelfs in oorlogstijd,' verdedigde Yitzhaks vader de uitstekende rapporten.

'Er wordt geknoeid. Niet alleen in Giurgiu. Iedereen knoeit. Jullie zijn een volk van leugenaars geworden,' schreeuwde Alex Dekel.

Het was een onaardige man. Lelijk ook. Hij had een neus van een meter, dacht Yitzhak en daar zakte met enige regelmaat die bril van af. Die neus was net een van de heuvels hier, waar je van af kon sjezen als het gras lekker nat was. Hij grinnikte.

'Valt er iets te lachen?'

'Neu... ,' zei Yitzhak en schudde zijn hoofd, zodat het leek alsof hij 'nee' zei. Hij had een hekel aan Dekel, maar ook een beetje aan de onderdanigheid van zijn ouders.

'Het zou beter zijn als jij en je vrouw dood waren. Dan was hij een wees. Wezen krijgen voorrang. Het is jammer dat hij geen wees is.'

'Dat is hij nou eenmaal niet,' zei mama. Ze had zich mateloos geïrriteerd aan de vraatzucht van het heerschap in haar woonkamer en aan de kruimels van al haar koeken op de vloer onder zijn stoel. Dekel gunde haar geen blik waardig. Met vrouwen deed hij geen zaken.

'We zullen hem testen, want de cijfers vertrouw ik niet. Daar heb je mee geknoeid, Dimitraiu. Dat zie ik zo. En dat komt, omdat je een leugenaar bent. Al het volk hier. Ik kom alleen maar leugenaars tegen. In Palestina kunnen we die niet gebruiken. Dat zul je toch begrijpen, vriend. We hebben daar nieuw volk nodig, goed volk, het beste volk dat we maar kunnen vinden.'

'Iedereen zou naar Palestina moeten kunnen,' vond Yitzhaks moeder. De opmerking werd genegeerd, maar ze liet zich niet het zwijgen opleggen. 'De enige voorwaarde zou moeten zijn of je Jood bent of niet. Wat zou de rest ertoe moeten doen?'

Dekel hield zijn hand op, maar dat maakte haar niet stil. 'We zoeken wel een manier om met het hele gezin naar ons land daar te gaan. Dat lijkt me beter.'

'Kun jij hier dan weg, vrouw? Heb je geld voor de reis? Papieren? Wat ga je daar beginnen?'

En ook al leken het vragen die de zionist stelde, Dekel duldde geen antwoorden. 'Jullie weten, net zo goed als ik, dat jullie hier blijven. Voor je zoon heb ik misschien plek, maar hij is te oud.'

'Dat is niet waar.'

'En hij zakt voor zijn test. Dat weet ik zeker. Ik zie dat hij dom is.'

'Hij was de beste van zijn jaar.'

'Ik zie geen enkel bewijs.' Dekel keek de jongen aan, voor zover hij dat kon met die bril van hem. 'En kun je nog iets anders? Beter gezegd, kun je iets wél.'

Even schudde Yitzhak zijn hoofd. Hij wilde niet weg. Hij wist niet eens wat het was, dat Palestina, waar zijn ouders zo naar verlangden. Zijn vader zou het hem later die avond uitleggen.

'Een land voor Joden alleen.'

'Wat heeft het dan nog voor zin om een Jood te zijn?' had hij zijn vader gevraagd. Het antwoord was een hengst voor zijn kop. Zulke vragen stelde je niet. Wat wist die kleine Yitzhak van een woestenij van een land, waar de kogels je om de oren vlogen en waar geen regering was, geen grenzen, niets dat een land ook daadwerkelijk een land maakte? Tien jaar oud was hij en alleen als hij viool speelde, voelde hij zich nog kind.

De oorlog was voorbij en zat nu achter zijn ogen gekleefd. Vaak genoeg werd hij wakker van het geluid van brekende botten onder de rupsbanden van een Russische tank. Hij kon rekenen als de beste. Zo was 60 procent van 500.000 – uit het hoofd gerekend – 300.000. Zoveel Joden waren er gestorven in dit land, dat niet eens iets te vrezen had van een Duitse overheersing, omdat de soldaten bij de grens – zonder dat er één schot was gelost – waren binnengehaald als bevrijders. Er waren in dit land zoveel Roemeense antisemieten, dat je de Duitse gaskamers niet nodig had om het Joodse volksdeel in aantal te halveren.

Yitzhak wist niet waar hij naar verlangde. Hij verlangde eigenlijk nergens naar. Zelfs niet meer naar de boom op de heuvels, waar hij alleen was met zijn viool en waar hij kon wegdromen in een idylle van zon en groen. Het was allemaal gestorven – zo dacht hij – onder een Russische tank. Duitsers haatten de Joden, Roemenen haatten de Joden, Russen haatten de Joden en als hij naar deze Alex Dekel keek, haatten zelfs Joden de Joden… waar moest je zijn om nog geliefd te worden?

'Speel eens wat,' zei zijn vader.

En eigenlijk wilde hij dat niet. Niet voor deze neuzenman, die vol zat met beledigingen aan zijn goede ouders en al die mooie mensen van Giurgiu. Voor Dekel deed Yitzhak geen circusrucjes… of die vent moest ervoor betalen. Maar zijn vader drong aan en daarop zette Yitzhak de viool – met het gaatje in de kast – op zijn schouder. Hij legde zijn kin op het instrument, liet zijn hoofd even heen en weer gaan en speelde.

Muziek is onweerstaanbaar. Zelfs als je je ogen niet sluit, nemen klanken je mee over de grenzen van de werkelijkheid. Mama stond stil bij de keuken en ze wist dat zo meteen de tranen over haar wangen zouden stromen. Dat kon ze nooit tegenhouden als haar zoon de viool speelde. En de vingers, de handen, de armen van zijn vader trilden. In de klanken van Yitzhak zat niet alleen het verdriet van de laatste jaren, maar de verstrooiing van het Joodse volk over de hele planeet besloten. Wat zijn zoon daar speelde, was niet alleen maar de geschiedenis van dit gezin, het was muziek die van generatie op generatie was doorgegeven. Koning David speelde een harp, omdat er nog geen viool bestond. En toch moest dat ongeveer net als zijn eigen viool geklonken hebben. Honing kon je horen, en melk… en alles wat daar, in dat land – niet ver van hier, zo ver van huis – te vinden was.

En bij Yitzhak verdween elke vorm van ergernis, van wanhoop, van woede en verdriet. Hij speelde, en als hij speelde was er alleen maar de muziek. Zijn handen werden één met het instrument en hij voelde hoe hij zich daarmee boven de wereld uittrok en speelde alsof het hem was geleerd door de grootvaders van zijn grootvaders.

Zelfs de zionist kon niet ontkomen aan de wortels van deze

muziek. Ook hij kende het verlangen om Jood te zijn. Hoe heerlijk was het om te horen hoe de muziek uit het instrument leek weg te zwieren. De klanken vulden de ruimte en ze namen hen mee naar het Joodse verlangen van moeders, grootmoeders en overgrootmoeders. Waar ze ook waren terechtgekomen in die schier eindeloze diaspora, ze waren één in hun muziek. En dieper nog dan die muziek was er het gevoel, de tranen en de lach van de Jood. De witz met zijn wijsheid, met zijn verdriet en zijn hoop, zelfs daar waar geen hoop meer was. De zionist wilde naar dat land, rondom Jeruzalem waar de oude tempel had gestaan die de wijze koning Salomo daar gebouwd had. Naar Jericho, waar de muren verkruimelden toen het volk eromheen liep. Naar de woestijn, waar manna uit de hemel viel, om te bewijzen dat dit het uitverkoren volk was. Naar het water van de rivier de Jordaan, naar de Dode Zee, de Rode Zee... Waar ze ook waren, al die Joden, dáár was hun thuis.

Er was nog veel te doen in Europa. Palestina moest worden opgebouwd. Hij was streng in het uitzoeken van diegenen die mochten gaan. Wat er daar aan de rivier de Jordaan zou verrijzen, was de terugkeer naar het land waar ze allemaal geboren waren, ook al had hun wieg en kraambed hier of daar gestaan. Hij hoorde de hoop van de muziek, de klank van het land waarheen hij zou gaan als het werk erop zou zitten. Het was maar goed dat hij een bril droeg, anders zouden ze aan deze tafel wellicht de tranen kunnen zien die ook hij voelde opkomen.

'Ja, goed,' zei hij, want anders brak er iets. 'Ik heb het gehoord. Hij is te oud, maar ik zal hem testen.'

Het was een plan van acht zionistische organisaties. Uit alle landen van Europa zouden weeskinderen een nieuw bestaan krijgen in de staat Palestina. Elke geknechte staat, elk geknakt land, elke natie die gebukt was gegaan onder de Duitse over-heersing, mocht kinderen aandragen. En dan zouden ze een prachtige stoet vormen als toekomst van de Joodse natie. Alex Dekel was er al een jaar mee bezig, sinds de Beitar – een van de acht organisaties – hem de opdracht had gegeven een lijst samen te stellen van gegadigden. Al snel hoorde hij dat er weinig animo was in Europa… in feite was Roemenië het enige land dat van plan was kinderen aan te bieden voor het plan. Geen punt, vond Dekel. Geen enkel punt. Ze zouden de voorhoede vormen van het hedendaags zionisme, en dat zou uiteindelijk dan wel tot navolging leiden. De volgende tegen-valler was dat er opmerkelijk weinig Joodse weeskinderen waren in dit land. Een gruwelijke waarheid. Hun ouders had-den hun kroost meegenomen naar de doodskampen, omdat er zelfs voor en tijdens de treintochten naar de ellende toe hoop was geweest op een goede afloop. Daar aangekomen – in Treblinka, Sobibor, Neuengamme, Mauthausen, Auschwitz en Sachsenhausen – verdween de hoop, maar ook de moge-lijkheid om de kinderen te redden. Ze verloren hun leven uit-eindelijk aan moordenaarshanden en moordenaarsgas, en anderen aan de meest smerige ziektes, of anders wel aan de honger en ten slotte aan het venijnige sadisme dat tijdelijk een heel volk te grazen had genomen.

De koers was daarom veranderd en Alex Dekel had de in-structies gevolgd om een parel van kinderen samen te stellen. Deze parel zou het Joodse volk, door de diaspora verspreid over de hele wereld, aan Palestina schenken om daar in de kroon van een nieuwe staat gezet te worden. Met de oorlog zo vers in de herinnering dat je de geur van verbrand vlees nog kon ruiken, de as nog niet eens verwaaid over het Europese vasteland en de honger en dorst nauwelijks gestild, lag de uit-daging daar in het gebied rond de rivier de Jordaan, met Jeru-zalem als glanzend middelpunt.

'Ik wil niet weg,' zei Yitzhak toen hij 's avonds naar bed werd gebracht door zijn moeder. Ze streelde zijn lange haar uit zijn gezicht. En ze voelde hoe zijn wangen nat waren van de tranen die hij had laten vloeien.

'Het is zo goed voor je,' zei ze troostend, terwijl ze het verdriet dat ze had ver weg stopte.

'Waarom dan, mama?'

'Hier is niemand. Hier is niets. Een toekomst zal er nooit voor ons zijn. Maar daar kun je een mens worden.'

'Ik ben een mens, mama.'

'Je bent een kind. Maar straks dan zul je een man zijn. En wat dan, lieve Yitzhak?'

'Dan speel ik viool voor iedereen in de straat. En dan dansen we.'

'Maar het leven is meer dan dansen.'

'Niet voor mij.'

'Je hebt zo'n mooi hoofd, mijn jongen. En er zit een akker in. Een akker waarop het leven kan groeien. In Palestina wordt gezaaid en geoogst. Je kunt daar worden wat je maar wilt. Dokter, professor...'

'Violist.'

'Of violist.'

Yitzhak keek in de rimpels van het gezicht dat boven hem hing en hij zag dat hij niet alleen moest gaan voor zichzelf, maar ook voor haar en voor zijn vader. Dat hij wellicht weg moest gaan voor alle Joden in dit dorp en misschien voor iedereen van zijn volk die de oorlog had overleefd. En wellicht ook nog eens voor al die mensen die gesneuveld waren onder de vuist van de gruwelkoning uit Duitsland. Hij besefte plotseling dat hij Jood was, en wat dat inhield. Hij had daar nog nooit een gevoel bij gehad. Nu zag hij hoe hij een draadje was in de tijd, dat verleden met toekomst verbond. Een volk kan alleen maar bestaan uit dat soort draadjes, uit geschiedenis en dat wat de morgen ons zou kunnen brengen. Hij was niet alleen Yitzhak, hij was niet alleen Yitzhak Dimitraiu. Hij was vanavond een volk geworden en hij voelde het gewicht ervan. Het stemde hem niet vrolijk, door de zwaarte. Diep in hem zat de liefde voor deze gerimpelde vrouw en alleen voor haar zou hij al gaan. En voor zijn vader, en voor de neefjes en nichtjes van wie nu wel duidelijk was dat ze nooit meer terug zouden komen van achter de omheiningen in het verre, kwade land.

'Dan ga ik, mamenyu,' zei Yitzhak.

6

Amsterdam, winter 2012

Het werd een zware nacht, een ochtend van louter chaos. Met een kop die je alleen maar had als je de vorige avond te veel had gedronken, zat Stephan in de collegebanken en luisterde naar Gusta Marthés. Hij was slecht in het schatten van leeftijden, maar volgens hem was ze ergens in de veertig en zag ze er jonger uit dan haar leeftijd. Ze kleedde zich goed – een kokerrok – en ook die bril stond haar niet slecht. Ze was al jong hoogleraar geworden en verdeelde haar tijd tussen de Universiteit van Amsterdam en die van Los Angeles.

Stephan zat achteraan. Dat vond hij prettig. Hij zat daar altijd. Op die manier kon hij toch nog een beetje het gevoel houden dat hij weg kon gaan als hij daarvoor koos. Maar hij ging niet. Hij ging nooit. Hij was plichtsgetrouw tot op het bot. Dat zou je niet zeggen als je hem zo zag zitten, met zijn slordige haar, zijn afgedragen spijkerbroek, dat te vaak gewassen T-shirt en een paar gympen die ook hun beste tijd hadden gehad. 'Wie draagt er nou gympen in de winter,' had Ankie lachend gevraagd.

'Dus, als de computer inmiddels beter kan schaken dan de mens, moeten wij het schaken dan maar laten?' vroeg Gusta Marthés.

Er werd gezwegen in de collegezaal. En blikken gewisseld. Het kon van levensbelang zijn dat je nu iets slims zei. Een professor die het in je zag, betekende vrijwel zeker een stage op een plek met enorme carrièremogelijkheden. En vooral op dit soort momenten, wanneer er vragen werden gesteld die net buiten de randjes van het vakgebied vielen, kon je loopbaan gemaakt of gebroken worden.

'De mens is onvervangbaar,' zei een meisje. 'We zullen altijd beter blijven schaken. Een computer kan niets nieuws verzinnen.'

'Onzin,' zei Gusta. 'De computer combineert een enorm geheugen met een gigantische rekensnelheid. En leert ook sneller. De computer kan uiteindelijk beter schaken dan de mens. Hij zal ook nieuwe mogelijkheden uitdenken.'

'Maar hij vergist zich niet,' zei Stephan. Hij wilde het niet zeggen, maar deed het toch.

'Dat is toch juist goed?'

'Nee,' zei Stephan. Hij was aan het praten geslagen, hij kon nu maar beter in deze kuil vallen en tekenen voor een loopbaan op een of andere laag geklasseerde vmbo. 'Vergissen is kunst.'

'Ja, ga door,' moedigde Gusta hem aan.

'Schoonheid zit in blunders. Dat je je herstelt van een fout. Daar zit de echte briljantie.'

Hij zag dat ze wat opschreef. Het kon zijn doodvonnis zijn. Het kon hem vandaag niet schelen. Hij moest zo naar Nathan Mossel en hij zat zijn tijd hier wel uit. Hij verlangde naar de Nieuwmarkt, naar het Repelsteeltjeshok, naar het vlas en het elektronische spinnenwiel.

'Dus als we wiskunde leuk willen houden, moeten we ons af en toe vergissen.'

Er werd smakelijk gelachen door de studenten. Ze hadden allemaal het gevoel dat Stephan zojuist door de wiskundige guillotine was onthoofd.

Hij keek op. En zo keek hij recht in de ogen van de vrouw vooraan. Ze lachte niet, keek alleen maar. Hij wist niet wat ze dacht. Maar schamen deed hij zich niet.

Op de gang, terwijl hij zijn spullen klaarmaakte voor zijn baantje, schoot ze hem even later aan.

'Stephan,' zei ze.

Hij had nooit gedacht dat ze de naam zou kennen van die stille slordige student achter in het zaaltje, die zijn mond nooit opendeed – behalve nu.

Ze had een plaat in haar handen, een langspeelplaat. Hij kon niet precies zien van wie of van wat. Hij vond ook niet dat hij naar haar handen mocht kijken.

'Wil je hier eens naar luisteren?'

'Ik heb geen platenspeler.'

'Ik weet zeker dat je dat op kunt lossen,' glimlachte ze.

'En wat...'

'Niets. Ik wil dat je ernaar luistert.'

Hij keek naar wat ze hem gaf. De elpee heette 'An Evening At Home With The Bird', daarboven stond een tekst 'Jazz Immortals Volume One'. En verder een foto van een oude saxofonist. Hij knikte. Geen idee wat hij hiermee moest.

'Dank u wel. Wilt u hem terug?'

Ze schudde haar hoofd. En ze liep weg.

Stephan dacht: ze lijkt net een meisje. En haalde toen zijn schouders op. Hij stopte de plaat weg in zijn tas en ging naar Nathan.

Het werk was saai. Dat was het al dagen. In eerste instantie was er nog wel eer te behalen aan het duel met de computer die toch moest leren hoe Nathan schreef. Maar al snel werden de vergissingen spaarzamer. Nu kon een kind de was doen. Velletje voor velletje moest op de glasplaat, en tussen die handelingen door had Stephan genoeg tijd om te studeren. Hij had orde aangebracht. Alles wat gedaan was, ging op goede, stevige stapels en langzamerhand begon een van de muren schuil te gaan achter al het papier. Voortdurend kwam Mossel binnen met nieuwe stapels handgeschreven documenten. Stephan vroeg zich af of Nathan ooit wel iets anders had gedaan dan schrijven. Slapen bijvoorbeeld, of een leven leiden. Wanneer had die man eigenlijk nog tijd gehad om al die boeken in zijn woonkamer te lezen?

Het was vooral saai omdat het allemaal nog lang niet gebracht had wat Ankie hem op die avond in het café had beloofd. Dat dit was waar zijn ziel naar verlangde en dat hij achter zijn droom aan moest hollen. Van het scannen van deze woorden werd hij niet gelukkig en het leek ook in geen enkel opzicht op een levensdoel. Met schrijven had het al helemaal niets te maken. Met lezen een beetje, maar zelfs dat bracht hij nauwelijks op met al dat gepruttel van Nathan over belevenissen van lang geleden. Er was geen zin bij die hem wakker schudde of die hem tot een nieuw inzicht bracht. De saaiheid maakte hem onrustig. Zo kon het allemaal niet bedoeld zijn. Het moest hem verder brengen. Nu zette het werk hem alleen maar stil.

Verder had Stephan een schriftje aangelegd, waarin hij nauwkeurig bijhield welke documenten hij had gescand en ingevoerd en hoe ze gedateerd moesten worden. In eerste instantie had hij ook daarvan een digitaal document willen aanleggen, maar hij bedacht dat dit voor de oude man ontoegankelijk kon zijn. Mossel hield vol dat de dozen 'nogal chronologisch' waren gevuld, maar niets was minder waar. De man had al zijn schriften, notitieblokjes en halflege velletjes in dozen gegooid, bovendien bij voorkeur telkens in een doos die het dichtst bij was geweest.

Er werden verdraaid weinig versnaperingen bij dit baantje geleverd. Daarom ondernam Stephan af en toe een tocht naar de keuken om koffie voor zichzelf te zetten. Heet-water-filter-opgiet-koffie, dat kende hij nog wel van thuis.

In de woonkamer had hij een platenspeler zien staan, maar hij wist niet of het gepast was om daarop de elpee te leggen die hem in de tas brandde. Meestal was Nathan druk aan het schrijven, of anders deed de oude baas een dutje op een van de banken die er in de kamer stonden. Hij liet het daarom maar zo. Met zijn mok koffie ging hij maar weer aan het werk.

'Schiet het een beetje op?' zei de oude schrijver vanaf zijn doorleefde bank.

'Het is veel,' antwoordde Stephan.

'Ik heb zelfs nog meer.'

'Da's mooi,' zei de student en wilde weer naar boven gaan.

'Vind je?' vroeg de schrijver.

Stephan aarzelde.

'Ik lees het niet,' erkende hij.

'Waarom niet?'

'Waarom zou ik?'

'Het is een leven.'

'Er zullen vast een hoop mensen zijn die het allemaal tot zich gaan nemen.'

'Maar jij niet.'

Stephan voelde zich ondervraagd. Het beste zou zijn om nu iets te melden in de trant van 'U hebt gelijk, ik zal het allemaal doorploegen.' Maar dat kon hij niet. Het zou een leugen zijn. Het was een leven, dat wel. Maar het bestond vooral uit verleden. Kronieken over een Amsterdam dat al lang niet meer bestond. Het interesseerde hem niet.

'Het spijt me, meneer Mossel. Ik ben student wiskunde. Misschien had u iemand moeten vragen die Nederlands studeert. Ik weet alleen maar hoe die computer werkt en hoe die blaadjes van u daarin kunnen komen. Meer moet u van mij niet verwachten.'

Toen pas draaide Nathan Mossel zich op zijn zij. Keek even naar de jongen. Knikte dat hij weer aan zijn werk kon gaan. Daarop draaide Stephan zich om en ging naar het hok boven.

Wat hem wel bezighield, was het boekje waarin hij opschreef op welke data Nathan Mossel had geschreven. En hoe hij ook door de kisten en dozen heenging, er zat een opmerkelijk gat in het oeuvre tussen september 1947 en mei 1948. Het leek net alsof in die periode niets geschreven was, ook niets gepubliceerd, niets aan het papier toevertrouwd. Het schrijven was op een bepaalde dag gestopt en had op een andere weer zijn aanvang genomen. En het repertoire van verhaaltjes ging moeiteloos in elkaar over, alsof dat korte jaar – een jaar zonder de zomer – er niet was geweest. Hoewel hij niet van zijn structurele aanpak wilde afwijken, kon Stephan het niet laten om in het nog ongescande materiaal te zoeken of hij daar zelfs ook maar de kleinste snipper uit die tijd kon vinden. Maar nee.

Het liet hem niet los. Van studeren kwam steeds minder. In dat vlashok van Repelsteeltje hield deze puzzel hem bezig. Ook omdat hij een eerste verband begon te zien.

Die dag – de dag waarop Stephan had gezegd dat het werk van Mossel hem niet interesseerde – kwam de schrijver boven en bleef lange tijd in de deuropening staan. Stephan hield op met zoeken en veinsde dat hij rustig doorging met het inscannen van de papieren. Hij voelde Nathans ogen op zich branden en wist dat hij een grove belediging had uitgesproken door zijn geventileerde desinteresse.

'Meneer Mossel, het spijt me,' zei hij uiteindelijk. 'Het ligt niet aan uw werk. Het ligt aan mijn…'

'Aan jouw wát?'

'Ik lees gewoon niet.'

'Alsof het om 'lezen' gaat.'

'Daar gaat het om.'

'En daarmee verklaar jij je desinteresse? Jij mag je blind staren op getalletjes, maar van wat verder aan de hand is, hoef jij je niets aan te trekken?'

'Ik heb u beledigd en dat spijt me.'

'Door wat je zei? Nee, jongen, dat is te veel eer. Je hebt me niet beledigd met wat er uit je mond kwam. Wel met je hele wezen, je bestaan, je grondige afgeven op alles wat kunst is.'

'Ik doe mijn werk en…'

'… daarmee is de kous af?'

'U heeft mij niet gevraagd om uw werk te lezen.'

'Maar je leest het.'

'Nee.'

'Je corrigeert het. Je haalt alle spelfouten eruit.'

'Dat is geen lezen.'

'Ook nog ontkennen, zeg.'

Stephan wist niet waar het gesprek heenging. Hij voelde zich als een verslagen bokser in de touwen, die niet meer wist uit welke richting de volgende klappen zouden komen. Links, rechts vlogen de slagen. Hij kreeg zijn verdediging niet meer dekkend. Hij hoopte op de bel, het enige wat hem nog kon redden.

'Ik doe mijn best…'

'O, hij doet zijn best. Dat vind ik een waardeloze levenshouding. Je best doen. Dat zeggen we tegen kinderen met een enorme leerachterstand als we ons verwachtingspatroon naar nul komma nul hebben teruggebracht. Het maakt niet uit of je met drieën of vieren thuiskomt, als je je best maar doet. Dat is een ontkenning van talent. Dat is vreselijk.'

'U heeft ongetwijfeld heel veel talent, meneer Mossel, maar...'

'Niet mijn talent. Het jouwe... En wat is dat?'

Als een bliksemschicht leek Mossel naar de tas van Stephan te duiken en wist daaruit de elpee te vissen die de student nu al een week lang bij zich droeg.

'Dat is...'

'Draai jij dit?'

'Ik heb geen platenspeler.'

'Van wie heb je dit dan?'

'Van... mijn professor.'

Nathan hield de plaat vast, draaide zich om en vertrok. Schreeuwde op de gang nog wel 'Meekomen!' Stephan liep werktuigelijk achter hem aan. Hij ging de trap af en hoorde de eerste tonen.

In de kamer stond Nathan bij de platenspeler. Hij hield de hoes in zijn handen alsof hij een advocaat was die bewijsmateriaal aan het leveren was. Stephan voelde zich verschrikkelijk schuldig en wist niet hoe hij nog kon ontsnappen aan de veroordeling die zo meteen zou gaan volgen.

'Luisteren,' zei Nathan.

En Stephan deed het. Hij slikte. Eigenlijk kon hij niet luisteren. Hij vond het verschrikkelijk dat hij daarboven zo op zijn donder had gekregen. Oneerlijk was het, want hij probeerde dit allemaal zo goed mogelijk te doen.

Nathan liet hem de volledige tien minuten en vierenvijftig seconden horen van 'There's A Small Hotel' van Charlie 'Bird' Parker. Het voelde als een pure geseling. De eerste minuten kon Stephan zich nog staande houden, maar daarna moest hij gaan zitten. Hij vroeg niet of het mocht, hij deed het. Hij legde zijn hoofd tussen zijn handen en voelde hoe alle weerstand uit zijn lijf verdween. Hij wilde niet lezen, hij wilde niet kijken, hij wilde niet luisteren. Hij had geen behoefte aan al die verhaaltjes over het Amsterdam van de jaren veertig en vijftig die uit Nathan Mossels pen waren gevloeid. Hij wilde zich ook niet overgeven aan de saxofoon van een andere stokoude man – hij zag de foto hangen in de handen van Nathan die bij de grammofoon bleef staan.

Stephan wilde weg. Hij wilde naar de enige plek toe die hij nog als thuis kon zien: de ijskoude kamer, waar elke plant bevroor en waar hij zelfs op een dag zijn koffie uit een pannetje had moeten bikken, omdat het dak van zijn kamer niet bestand was tegen de winter die eroverheen gierde. Waar zou hij anders heen kunnen vluchten dan naar zijn hospita en haar stamppotten?

De muziek gaf niet op. Charlie Parker blies Stephans verzet aan flarden. Minutenlang kon hij nog weerstand bieden en toen stroomden de tranen over zijn wangen. Hij wilde niet weten waar dat verdriet vandaan kwam, al zag hij een seconde lang zijn moeder glimlachen door al het oogvocht heen. Hoe kon een oude man in een ver land op een plaat vertellen over al het verdriet dat hier in zijn eigen kop zat? Nathan keek al die tijd naar hem, de platenhoes in zijn handen. Pas op het einde vroeg hij: 'Waarom heb je die plaat?'

'Gekregen,' zei Stephan. 'Waarom? Om iets dat ik zei.'

'Wat zei je dan?'

'Ik… Schoonheid zit in blunders.'

'Goed zo. En wat voor blunders maakt Charlie Parker?'

'Geen idee.'

'Charlie Parker heeft je net tien minuten lang verteld dat hij ziek is. Dat hij kapotgaat aan de troep die hij slikt en spuit. Hier, kijk naar die foto. Hoe oud denk je dat hij erop is?'

'Tachtig.'

'Vijfentwintig.'

Stephan knipperde met zijn ogen. Hij keek naar de hoes.

Hij zag daar een oud wrak met een glimmende saxofoon, een zwart-wit foto. De huid was gerimpeld, en de kop had alle tekenen die tijd er maar op kon wegschrijven. Hij strekte zijn hand uit en nam de hoes over.

'Blunders.'

'Ik weet niet wat ik heb gezegd. Ik weet niet wat ik ermee bedoel.'

'Probeer het.'

'Ik weet het niet,' zei Stephan en zijn stem sloeg over. Er kwam zoveel verdriet los, dat hij niet wist waar hij moest beginnen. 'Ik maak fouten. Ik maak de hele dag door fouten. Al mijn studiegenoten zijn… exact… En ik maak alleen maar fouten.'

'Dus je bakt niks van je studie?'

'Ik haal hele goeie cijfers,' verweerde Stephan zich. Tegelijk voelde hij zich machteloos. Hij schudde zijn hoofd. 'Ik begrijp helemaal niks. Ik begrijp niet hoe de wereld in elkaar zit. Ik weet ook niks van wiskunde. En van muziek begrijp ik ook niets.'

'Maar wat hoorde je?' vroeg Nathan nu, en zijn stem werd minder dwingend. Hij vroeg het liefdevol en met alle begrip.

'Een man zet een sax aan zijn mond. En hij blaast maar wat. Het eerste wat hij doet, is een blunder maken. En vervolgens is hij tien minuten bezig om die blunder te herstellen,' zei Stephan.

Hij hoefde er niet over na te denken. Hij wist wat hij zei, maar hij hoorde het zichzelf zeggen en besefte toen pas wát hij zei.

'Ik ben zelf ook zo. Ik maak een blunder en daarna ga ik net zolang door, totdat ik die heb hersteld. Charlie Parker heeft dan een nummer van tien minuten en ik studiepunten die ik niet verdien.'

'Dat is het,' zei Nathan Mossel en ging tegenover hem zitten. 'Dat werk van mij stelt niks voor. Niet als je het naast Charlie Parker legt. Al dat werk dat jij daarboven doet, dat is allemaal zinloos.'

'Dat vindt uw uitgever niet.'

'Omdat die denkt dat er nog parels tussen mijn schrijfsels moeten zitten. En volgend jaar krijg ik een belangrijke literaire prijs. Alleen maar, omdat ik de moed heb om stokoud te worden. Dan wordt mijn hele werk opnieuw uitgegeven, de romans, de korte verhalen, de gedichten, de stukjes voor de krant. Wat jij daar boven aan het doen bent, is klinkklare onzin. En ik ben blij dat je dat recht in mijn gezicht hebt durven zeggen.'

'Dat heb ik niet gedaan.'

'Je zei dat het je niet interesseerde.'

'Dat ligt aan mij.'

'Natuurlijk niet. Dat komt door dat rotwerk.'

Het was even stil in de kamer. Er tikte een klok. Buiten trapte een automobilist vol op de rem. Stephan hoorde een fietser onverstaanbaar vloeken. Er werden portieren dichtgeslagen, iemand gaf gas en reed weg. De klok nam met zijn tikken de stilte weer over. Er was altijd wel ergens geluid.

'Misschien bent u briljant. Maar ik kan dat niet zien. Ik heb er geen verstand van.'

'Briljant, dat is enkel een pose. Net als doublé. Het ziet eruit als goud, maar het is gewoon oud roest. Misschien ben jij wel briljant, met je rekenwerk. Dat ik hier in één kamer met Einstein sta. Maar goed, dáár heb ik dan geen verstand van.'

Stephan keek naar de schrijver, en zag hem plotseling in al zijn twijfel. Daar had de oude man hem tot nu toe geen blik op gegund en nu liet Nathan Mossel zichzelf zien, in al zijn literaire naaktheid. De jonge student slikte en schudde even zijn hoofd.

'Er zit een gat in dat werk,' zei Stephan plotseling. 'Tussen september 1947 en mei 1948 heeft u niets geschreven.'

Nathan keek hem onderzoekend aan. Knikte toen.

'En ik denk dat het op de een of andere manier hiermee te maken heeft.' Stephan haalde een fotokopie van het krantenartikel uit *Trouw* uit zijn broekzak. Hij schoof het geplastificeerde duplicaat naar Nathan toe. 'Vijfhonderd kinderen. Ik wist daar helemaal niets van, ook al wil dat weer niets zeggen. Zijn ze ook hier geweest, die kinderen?'

'Ja,' zei Nathan bedachtzaam en vooral aangeslagen. 'En ze zijn na een jaar weer weggegaan.'

7

De jazzmuziek had Stephan onrustig gemaakt. De eerste ontmoeting met Nathan Mossel en de confrontatie met het oeuvre van een schrijver hadden hem uit zijn evenwicht gebracht.
Daarna leek alles zich hersteld te hebben. Het saaie leven van
een wiskundestudent, die geen enkele behoefte had het universum van getallen nader te bestuderen. Mathematiek was
geen optie... het was een manier om zijn bestaan te verant-
woorden. Maar hij wist zeker dat hij daar uiteindelijk niets
mee zou opschieten. Ongetwijfeld lag er schoonheid in kwa-
draten en algoritmes, maar hij was er klaar mee. Er was iets
dat grilliger was dan de kunst van wiskunde: de taal, on-
kneedbaar soms, een wild paard in een landschap vol rotsen,
ontembaar en furieus. Onvindbaar soms ook. Want sinds de
ontmoeting met Nathan tot deze dag hield ze zich verstopt.
Wat Stephan ook deed, schrijven of lezen, niks leek in de ver-
ste verte ook maar op een zin die tot ontroering of ontplooi-
ing kwam.

Hij was het kwijt. Hij was dat verdraaide gevoel kwijt, dat

vanbinnen kon zitten en dat sterker was dan de elektrische lading van een bliksemschicht. Hij vroeg zich af of het hem daarom te doen was. Om die opwinding. Om koortsachtig te zijn, om te kunnen ijlen, totdat de pen al die ijldromen neerschreef. Op kwaaie dagen kon hij rekenen tot hij erbij neerviel. Op kwaaie dagen kwam er geen zin op papier en las hij niets dat er toedeed. Dat was het verschil. Wiskunde kon altijd. Waar dan ook. Het had niets met inspiratie te maken. Het was alleen maar wit papier en een pen, een opgave en dan rekenen, om uiteindelijk tot een uitkomst te komen waarvoor collega's de vlag uithingen, maar waardoor de wereld geen haar beter werd. Soms – zo was het ook al op de middelbare school geweest – deed zijn pen iets dat hij zelf nauwelijks controleerde. Die zette woorden achter elkaar en maakte bij elkaar een gedachte die hij niet kende. Een schrijver rent achter de taal aan, niet andersom... Hij pende van alles neer in zijn agenda, en uiteindelijk in die schrijfboekjes, waarvan hij er regelmatig één kocht om er zijn gedachtespinsels in neer te kalken.

Hij was een bootje op een windstille dag op het water. Misschien dat de inzittenden – met broodjes en flesjes met van alles – geen bezwaar hadden dat de wind uitbleef. Het bootje voelde zich nutteloos en haatte zowel het water als de lucht. Varen wilde het. Varen wilde hij, Stephan. Varen, schrijven, zijn, reizen, gaan... de bagage zou 'werkwoorden' zijn, werkwoorden zonder stilstand.

De Tweede Wereldoorlog. Op 4 mei was je twee minuten stil, op 5 mei kon je van alles kopen op straat tegen belachelijke prijzen. Joden, concentratiekampen, nazi's, de invasie in Normandië. Zelfs jonge kinderen kende de geschiedenis in hoofdlijnen. Dat was onderzocht – wist Stephan. Op basisscholen wisten ze het allemaal. Kinderen van zeven, acht jaar oud wisten wie Hitler was en wie Anne Frank. Alleen, deze geschiedenis... die van vijfhonderd kinderen uit Roemenië, daarvan wist hij niets. Dat deel van de oorlog was ver weg. Hij wist niet of de Duitsers Roemenië waren binnengevallen of niet, wie de bondgenoten waren van Hitler, en waarom die oorlog eigenlijk vijf jaar had moeten duren. Hij had een getal gehoord van zes miljoen, maar hij wist niet meer of dat alleen maar de Joodse doden waren of alles wat was gesneuveld in die periode. De term 'zionisme' had hij wel eens horen vallen, maar hij wist niet dat er heel veel verschillende zionistische organisaties waren en dat het haat en nijd was tussen die verschillende clubjes. Stephan was een kind van de moderne tijd. Zijn krakkemikkige computer gaf hem een venster op de ideeën van Theodor Herzl aan het einde van de negentiende eeuw, die een praktisch plan ontwierp voor een staat van en voor Joden. Hij las over Nathan Birnbaum en Moses Hess, over Leon Pinsker en hoe de gedachte aan de Joodse staat postvatte in het Oosten van Europa. Stephan kon niet meer stoppen met lezen. Hij las hoe Lord Balfour al tijdens de Eerste Wereldoorlog sprak over een Joods nationaal thuis in Palestina. En hoe de Arabische leider Faisal I al tijdens de Vredesconferentie van Parijs in 1919 met de zionistische voorman Chaim Weizmann een overeenkomst sloot, waarin beiden elkaar steun toezegden voor hun nationale aspiraties.

De computer las de handschriften van Nathan Mossel en Stephan zette voor zichzelf een bak koffie in het keukentje van de schrijver. Die had zowaar gemberbolussen meegenomen van de Joodse bakker even verderop. 'Die moet je eens proberen; je wil nooit meer andere zoetigheid.' Stephan pakte er één uit het zakje en voelde hoe het 'gebak' aan zijn vingers kleefde.

'U zei dat ze naar Frankrijk gingen,' herinnerde Stephan zich.

'Ja,' knikte Nathan. 'Er was eerst sprake van dat er kinderen naar Frankrijk, België, Luxemburg, Engeland en zelfs naar Duitsland zouden gaan. Maar al die landen trokken zich terug. Alleen Nederland bleef over. De rest van de buren vond het toch wat lastig, met die Joden.'

Hij strekte zijn hand uit en Stephan gaf hem het krantenbericht. Even keek Nathan ernaar. Toen liep hij ermee naar een bureau, haalde een sleuteltje uit zijn vestzak, opende een lade en borg het op.

'Waarom vertelt u me het verhaal van... hoe heet die jongen eigenlijk?'

'Yitzhak,' prevelde Nathan.

'Yitzhak,' herhaalde de student.

'Het is het verhaal van vijfhonderd kinderen.'

'Maar u vertelde alleen dat van Yitzhak.'

'Nee, van vijfhonderd,' zei Nathan beslist. 'Pars pro toto. Het is een letterkundig principe. Een deel voor het geheel. Je vertelt iets kleins, zodat de lezer het grote vanzelf gaat zien.'

'U brengt het lekker,' lachte Stephan. 'Kende u ze alle vijfhonderd dan?'

Nathan lachte niet mee, keek onheilspellend scherp naar de werkstudent en leek plotseling in een andere versnelling te schieten.

'Gaat dat digitaliseren allemaal automatisch? Heb je daar je hersens niet bij nodig? Straks zit ik met troep. Betaal ik jou voor troep?'

'Ik stelde maar een vraag.'

'Ik heb je niet ingehuurd om vragen te stellen. Je krijgt geld om te werken. En je werkt niet. Je zit daar maar.'

Stephan haalde zijn schouders op. Nathan draaide zich om en liep weg. Twee seconden later hoorde de student ergens een deur hard dichtslaan. En daarom pakte hij maar een van de tientallen schrijfboekjes en legde het vel met het handschrift naar beneden op de glasplaat van de scanner. Zo ging de middag voorbij, en zelfs een stuk van de avond. Om een uur of zeven vond hij het welletjes en vertrok hij. Van Nathan geen spoor in het hele huis. Hij kon hem zelfs niet even groeten. Ook goed, dacht Stephan.

Hij at pizza. Goeie pizza op de Nieuwmarkt. Pizza met salade, dat leek hem nou eens gezond. Colaatje erbij. Het smaakte wel en vooral het idee dat hij dit nu gewoon kon betalen, maakte dat het water hem in de mond liep.

Het verhaal van dat jongetje in Roemenië liet hem niet los. De idiote bijwerking van een studie wiskunde was dat elke andere vorm van informatie nauwelijks in het hoofd bleef hangen. Zo had hij eigenlijk geen idee waar Roemenië precies lag op de landkaart. Hij had trouwens ook wel willen horen wat er daarna allemaal met Yitzhak was gebeurd. Hoe was hij uiteindelijk in Nederland terechtgekomen? Wat had hij daar eigenlijk te zoeken? Leefde hij nog? En hoe oud was hij nu? Waarom waren die kinderen niet rechtstreeks naar Israël gebracht? Als ze daar toch terecht moesten komen, leek Holland hem een omweg. Hij ging daarom – na het toetje, een huisgemaakte tiramisu – niet naar huis, maar naar de faculteit. Thuis had hij geen internet. Dat wilde zeggen, hij had wel een lijn, maar die leek nog op stoom te lopen. Je kon naar de bibliotheek lopen en terug, en dan nog was de pagina die je had opgevraagd niet geladen op die bouwval van een laptop van hem. De faculteit had hele lokalen vol met supersnelle machines. Die stonden allemaal, dag-in-dag-uit, berekeningen uit te voeren. Uiteindelijk zou iemand weten hoe veel pi precies was.

Er was niemand in het computerlokaal. Hij zocht 'zijn' computer op, eentje waaraan hij nogal wat had versleuteld. 'Roemenië' tikte hij in. Op de monitor werd de kaart van Roemenië meteen zichtbaar. Hij klikte het beeld door naar het elektronische schoolbord, een paneel van meer dan drie meter breed en anderhalve meter hoog. Stephan liep ernaartoe en bekeek het land. Hij zag hoe het in Europa lag. Hij bedacht dat hij toch te weinig had opgelet bij aardrijkskunde. Het land lag enigszins ingeklemd tussen Bulgarije, Moldavië, Hongarije en Servië. Als Yitzhak vanaf daar naar Nederland was gekomen, had hij via Hongarije, Oostenrijk en Duitsland moeten reizen. Misschien met de trein? Stephan had geen idee.

Hij kreeg te zien wat Wikipedia over Roemenië te melden had. Ceausescu... met zijn onafhankelijke koers ten opzichte van de Sovjet-Unie, bondgenoot van de Verenigde Staten, en tegelijkertijd een dictator die er een verschrikkelijke geheime dienst op nahield... de Securitate. Onderdrukking, tot die opstand in december 1989. Hij vond het beeld terug van het schijnproces tegen Ceausescu en zijn vrouw Elena.

Roemenië, Zwarte Zee, tweeëntwintig miljoen inwoners, 250.000 vierkante kilometers, ongerepte natuur, brede zandstranden, oerbossen. De taal was verwant aan het Italiaans, het Frans en het Spaans. Sinds 2004 lid van de NAVO, sinds 2007 lid van de Europese Unie. Stephan knikte, terwijl hij door de gegevens scrolde. Hij zag kleine filmpjes over het landschap. Het zag er allemaal lieflijk uit, pastoraal bijna.

Toen voerde Stephan nog een aantal andere zoektermen in. Zionisme, Kinderen, 1947, Palestina. En bij elk daarvan kreeg hij informatie die op zich interessant was, maar die hem niet verder hielp bij wat hij werkelijk wilde weten. Hij wist ook niet waarnaar hij op zoek was. Hij begreep zelfs niet waarom hij vanavond in dit rekenlokaal was gekomen, waar hij – niet anders dan zijn medestudenten – bezig was met het verwerken van symbolen tot logische modellen van abstracte algebra. Maar goed, hij was ook wel gewend geraakt aan het feit dat opwinding hier vaak wegbleef. Hij had ze wel zien juichen als er weer een machtsvergelijking in algoritme was gekraakt, zodat de oplossing uitzicht gaf op weer een ander wonder binnen de oneindigheid van wiskundige dimensies. Zelf had hij er nooit slingers voor op kunnen hangen, terwijl hij toch gezegend was met een aantal meer dan unieke onderzoeksresultaten. Hij bedacht dat geluk misschien helemaal niet te vinden was in een ruimte met computers. En het stemde hem somber dat hij wellicht nooit opwinding zou voelen in het licht van zijn enige talent, namelijk een logisch inzicht in een abstracte wereld. Het zou zo maar kunnen dat hij niet tot enige vorm van geluk in staat was. Dat had ongetwijfeld met zijn jeugd te maken, met de strijd met zijn vader, met dat leven in die bedompte atmosfeer van een boerderij in rouw. Het leven daar was tot volkomen stilstand gekomen. Het enige wat hij deed, was overleven in een wereld die hij als vijandig beschouwde. Vandaag had hij gehuild. Het vreemde was dat hij de tranen niet als onplezierig had ervaren. Het dwong hem zelfs te zoeken naar meer dat vlak bij zijn hart moest liggen. Naar ander gevoel, dat in de buurt van die tranen moest bestaan. Het portret van dat jongetje uit Roemenië, een krantenartikel, een oude man die met de hand zijn leven en dat van zijn woonplaats had beschreven. Hij kon er niet van weglopen. Het verhaal lokte hem in een val. Hij kon het niet weerstaan. Wat hij te zoeken had, zat ergens diep van binnen, misschien zelfs in zichzelf. Maar misschien ook in de geheimen van de geschiedenis.

Hij dacht dat allemaal niet in deze woorden. Zo helder was het hem allemaal nog niet. Toch was er iets nieuws aan zijn huidige gemoedstoestand. Er kwamen zinnen in hem op die hij niet eerder had gedacht. Het was allemaal nieuw en maagdelijk, het gevoel dat hem had vastgepakt. Alsof het hem dwong op zoek te gaan naar wat er in zijn eigen geest en hart huisde. Maar hij wist niet eens hoe je daarnaar moest zoeken. 'Als diep in mijn lichaam verdriet zit,' zei hij hardop, 'zou ik een kaart moeten kunnen vinden van mijn eigen geest. Anders verdwaal ik.'

Hij voerde een aantal zoektermen in.

Nathan Mossel Yitzhak Roemenië Zionisme Israël Nederland. Hij hoopte dat de zoekmachine een verband zou leggen.

Maar er gebeurde even helemaal niets. En dat minstens drie minuten lang, wat een eeuwigheid is voor een snelle computer.

'This program is not executed in the proper way. Your information is lost.'

Stephan keek op de monitor. Dat kon niet mogelijk zijn. Hij typte de zoektermen opnieuw in.

'This program is not executed in the proper way,' herhaalde de computer. Stephan keek naar het scherm en zag hoe de kaart van Roemenië veranderde in een chaos van nullen en enen die als een groene brei over het scherm leken te vallen. Er zat niets anders op dan de computer te herstarten. Maar dat wilde niet lukken. De nullen en enen bleven over het scherm druipen. Stephan liep terug van het grote scherm naar het toetsenbord en tikte een aantal codes in, die ervoor zouden moeten zorgen dat de boel werd gereset. Het leek net alsof de computer uit de handen van de student was getrokken en nu zijn eigen zin doordreef. Hij wist even niet wat hij moest doen en daarom gaf hij maar een harde klap op de computerkast. Niet dat het zou helpen. Het gebaar kwam voort uit een lichte vorm van paniek, omdat ook de andere machines mee leken te gaan in het vreemde informatielabyrint waarin de elektronica verdwaald scheen. Ook andere beeldschermen schoten op groen en braakten dezelfde klinische hoeveelheid enen en nullen uit als die ene waarachter hij zat liet zien. Stephan had dit nog nooit meegemaakt. Het kon toch niet zo zijn dat hij met zijn zoekopdracht een te groot probleem had gecreëerd voor de machine? De chaos hield meer dan zeven minuten aan. Toen hielden alle computers ermee op. Alleen de ventilatoren in de systeemkasten bleven doorrazen, alsof de processors allemaal oververhit waren geworden.

Hij bedacht dat hij zich maar beter uit de voeten kon maken. Wegwezen en tegenover iedereen ontkennen dat hij vanavond in dit lokaal was geweest. Dat zijn computer ermee was gekapt, was niet zo erg. Maar er waren ook zeker honderd andere opdrachten die midden in de processing waren gestopt. Maanden werk was wellicht verloren gegaan. Dat zou niet goed vallen bij zijn medestudenten en zeker ook niet bij de wetenschappelijke medewerkers die verantwoordelijk waren voor deze ruimte.

Toen hij zijn tas had gepakt, leek een van de computers weer op te starten. Hij wachtte nog even met zijn wanhopige vluchtpoging. Al snel was er een tweede die zichzelf ook weer herstartte. Op de een of andere magische manier leken nu ook alle andere computers weer de moed te hebben om aan de slag te gaan. Aan alle kanten sprongen beeldschermen weer aan. Het leek zelfs alsof ze hun oorspronkelijke processen hervatten, zonder enige schade van het incident geleden te hebben. Alleen de machine waarop hij had gewerkt bleef uit. Daarmee kon Stephan nog wel wegkomen. Kwestie van kortsluiting, een doorgebrande zekering, of wat dan ook. Hij keek naar wat de monitoren aan informatie prijsgaven en hij wist na een paar tellen zeker dat ze gewoon verdergingen waar ze gebleven waren.

Hij hield zijn adem in, omgeven door die wonderlijke machines waarvan het leven tijdelijk onderbroken had geleken. Hij raakte hier en daar een kast aan, een monitor, een toetsenbord, alsof het bizarre wezens waren, uit een ander universum. Maar als robots gingen ze verder. Geen ervan leek te reageren op wat er zojuist was gebeurd.

Langzaam ging hij terug naar zijn eigen computer en keek op het beeldscherm. Hij liet een virusscanner op het systeem los, maar deze rapporteerde geen infecties. Toch kon het niet anders dan dat Stephan met zijn zoekterm – of liever de combinatie daarvan – een virus in werking had gesteld. Zulke virussen konden zich venijnig, slapend ophouden in systemen en soms zelfs helemaal niet worden opgemerkt door de ingebouwde scanners. Alleen wist Stephan zeker dat hij niet gek was en dat hij wel degelijk zojuist een totale burndown van alle systemen had meegemaakt. Blijkbaar had het hele systeem zichzelf daarna gereset en was in het geheugen het hele incident verdwenen. Dat was mogelijk, maar het bleef mysterieus.

De vraag was nu hoe Stephan het virus kon lokaliseren. En vooral: wat was de trigger ervan? Welk woord dat hij had ingetoetst had het in werking gesteld? Hij had tientallen vragen over wat er zojuist was gebeurd. Hij voelde zijn huid trillen. Hij zag dat hij kippenvel had. Er brandden tranen van opwinding in zijn ogen. Hij voelde zich bedreigd en bespied. Wat was hier in vredesnaam aan de hand?

Hij opende de onderliggende files van het besturingssysteem van zijn computer. Stephan voerde driftig commando's in, om bij de mogelijk geïnfecteerde zones te komen. Toen hij inderdaad op een onbekende code stuitte, schakelde de computer zichzelf opnieuw uit. Stephan sloeg met zijn vuist op het toetsenbord, maar het apparaat begon uit zichzelf alweer te ratelen en startte opnieuw op.

Er verscheen een mededeling op het scherm: 'Your personal code is 12943584. Now type your email address. I will contact you.' Stephan typte zijn mailadres in. Hij drukte op de entertoets. 'The virus is removed from this computer. It will now work as usual. No harm was done.'

Stephan keek naar de tekst die daar nog een paar seconde bleef staan. Daarop schakelde de computer zich voor de zoveelste keer in. De jongen voelde aan zijn hals. De grote slagader klopte alsof hij minutenlang had gerend.

Het was al laat toen hij aankwam bij zijn kamer op de Haarlemmerdijk. Hij was in een staat van verwarring, alsof hij niet aanwezig was in zijn eigen lichaam. De gebeurtenissen in het lokaal met de computers herhaalden zich in zijn geest en leken vat te hebben gekregen op zijn hele wezen. Hij stootte tegen mensen aan op straat, alsof hij ze helemaal niet zag. Zijn ogen waren naar binnen gekeerd, en zijn mond stond een beetje open alsof hij de energie niet meer had hem te sluiten. Af en toe schudde hij zijn hoofd, alsof hij daardoor enige vorm van helderheid kon creëren in zijn kop. Maar niets van wat hij vandaag had meegemaakt, kon hij gemakkelijk op een plek schuiven waar het hoorde. Het was als bij een van die puzzels die hij ooit als klein jongetje aan de grote tafel thuis had gemaakt. Een eindeloos blauwe lucht waarvan je niet meer wist welk stukje nu waar moest komen.

Zijn hospita wachtte hem op. Ze stond boven aan de trap.

'Hij kwam het zelf brengen,' zei ze. En ze overhandigde hem een kleine envelop. 'Hij zei dat het niet aan je werk lag. Er waren persoonlijke redenen om je te ontslaan. Er zit wat geld in, zei hij. Hij hoopte dat hij je verder niets schuldig was.'

Stephan opende de envelop. Er zaten een paar biljetten van vijftig euro in. Het was een goed bedrag. Twee dagen geleden zou hij nog een gat in de lucht hebben gesprongen. Dit was weken eten, dit was huur, dit was leven, dit was eindelijk even geen zorg. Hij las het briefje dat in de envelop zat en waarin ongeveer stond wat zijn hospita hem net had gezegd.

'Welterusten, mevrouw Wegener,' zei Stephan. Ze keek hem na terwijl hij zich moeizaam naar zijn kamer begaf.

Hij kon alleen maar op bed gaan liggen. Zijn ogen dicht. Hij begreep het niet. Hij begreep niets. Hij wist niet wat er gebeurde. Niet alleen in de geschiedenis, niet alleen in de computers, maar ook in hemzelf. Hij kende dit gevoel niet. Het deed zeer en het was zoet. Hij wilde dat het wegging en dat het bij hem bleef. Het bracht hem in verwarring en hij wist dat hij de slaap niet zou kunnen vatten. Dat was het hem wel waard. Eindelijk klopte zijn hart. En eindelijk had het bloed in zijn lijf een functie.

Hij wist niet dat er op de Nieuwmarkt een oude man ook niet kon slapen. Die zat in spaarzaam licht en las in een met blokletters volgeschreven marmeren schrift:

Yitzhak vertrok op 8 september 1947 uit het dorpje Giurgiu in Roemenië. Het was een mooie zonnige dag en de trein was al sinds de ochtend onder stoom geweest. Overal waren kinderen en hun ouders. De trein vertrok op een sjabbes, wat niet anders kon. Het was te danken aan wat goedwillende rabbijnen dat de trein weg kon rijden. Op sjabbes rijd je niet met de trein, maar deze trein zou de kinderen van het oude volk naar hun eigen land brengen. Ook Yitzhak nam afscheid.

De oude schrijver plengde een traan.

8

Hij tikte op de deur van haar werkkamer en ze keek over haar bril in zijn richting. Ze glimlachte naar hem en maakte een uitnodigend gebaar. Of hij binnenkwam. Of hij ging zitten. Zelf stond ze op en ze zette daarna haar bril af. Ze liep om haar werktafel heen en keek hem aan. De jonge student en de hoogleraar.

'En?' vroeg Gusta Marthés.

'Ik weet het niet,' zei Stephan en dat beschreef zijn innerlijke staat nog het best.

'Want?'

'Omdat ik op dit moment niets weet,' zei hij.

Hij wilde opstaan, maar ze legde een hand op zijn schouder en met weinig druk zette ze hem terug in de stoel.

'Er is een stageplaats voorhanden,' vertelde ze. 'Peter Andreas van de UCLA zoekt iemand voor zijn 'Patterns In Pascal's Triangle'-werkgroep. Dicht bij het vuur. Ik weet zeker dat er een beurs voor te krijgen is. Los Angeles is een goede plek voor wetenschappelijk onderzoek.'

Hij keek haar aan. Ze was een ongekende schoonheid op de faculteit. Een sensuele vrouw, blond en met subtiele, charmante kraaienpootjes in haar gezicht. Zijn collega-studenten maakten besmuikte grapjes over haar en er werd door oudere professoren openlijk geflirt. Niemand wist of ze een echtgenoot had, of kinderen. Tegenover haar aantrekkelijkheid stond een zekere mate van kilte die ze volhield in de omgang met anderen. Over de elpee die ze hem had gegeven, had Stephan met niemand gesproken. Op een of andere manier vond hij het onbetamelijk om zo'n intiem moment te delen in de gangpaden van dit gebouw. Hij had zich afgevraagd waarom ze hem die plaat gegeven had. Wellicht was het een hint naar een nadere kennismaking. Vrijwel onmiddellijk had hij de gedachte ook weer verworpen. Gusta Marthés was minstens een kwart eeuw ouder dan hij.

De hand op zijn schouder leek een schok door zijn hele lichaam teweeg te brengen. Hij wist niet goed waarom.

Hij aarzelde om te reageren op de aangeboden stageplaats. Hij probeerde iets te zeggen, maar de woorden bleven in zijn keel steken.

'Mag ik daarover nadenken?'

'Nee,' zei Gusta Marthés. 'Niemand denkt over zo'n aanbod na. Iedereen neemt zo'n kans met beide handen aan en regelt vervolgens een dag later zijn zaken.'

'Ik kan niet weg,' zei Stephan en hij wist eigenlijk niet waarom niet.

Hij was ontslagen bij Nathan Mossel, met zijn vader had hij geen contact, met Ankie van het Studentenuitzendbureau had hij dat beloofde etentje gehad, met Freek kon hij mailen, de kamer waar hij woonde was een ijskast en in Los Angeles lag een beurs (en dat betekende geld), werk (want dat betekende een stageplaats) en waarschijnlijk een warm huis op hem te wachten.

'Waarom niet?'

'Ik kan eigenlijk geen tegenargument bedenken,' erkende hij.

'Ik ben van plan om in de zomer met Andreas een nieuwe researchgroep te starten. Het team moet nog worden samengesteld, maar we willen absoluut met mensen werken die zich nu al bezig houden met de betreffende thema's.'

'Ik ben geen wiskundige.'

'Jij bent een mathematicus, Stephan. Als er iemand op deze universiteit rondloopt bij wie de wiskunde door de aderen giert, dan ben jij het.'

'Ik voel het niet zo.'

'Wat voel je dan?'

'Verwarring. En steeds meer. De laatste dagen is het alsof ik in een wasmachine rondloop.'

'Dat is precies wat ik bedoel.'

'Ik weet niet waar ik heenga, waar ik vandaan kom en welke kant ik op moet.'

'Exact. Dat is het. Dat herken ik. Daarom heb ik je ook die plaat gegeven. De anderen in jouw jaar... iedereen in de afgelopen tien jaar was niet meer dan een rekenmeester. Boekhouders heb je niet nodig in de wiskunde. Je hebt mensen nodig, die abstract kunnen denken. Die zich durven begeven in onlogische wanorde. Ik heb je essay gelezen over de Amida-Kuji. Dat heb ik meteen doorgestuurd naar Peter Andreas. We waren het er ogenblikkelijk over eens: jij moet naar Los Angeles.'

'Maar ik ga niet.'

'Je moet.'

'Nee,' zei Stephan. 'En vraagt u me alstublieft niet waarom. Want ik heb op dit moment geen antwoorden. Ik kan niet weg.'

'Je wíl niet weg.'

'Ja,' knikte hij. 'Ik wil niet weg.'

Hij stond op, keek naar het gezicht waarop nu een lichte teleurstelling te zien was. Ze had zich waarschijnlijk verheugd op een avontuur rond diverse mysteries van de getallenkunde. Het eindigde hier.

'Het spijt me. Want u bent echt heel aardig voor mij. Niemand is zo aardig voor me. En dan wil je heel graag 'ja' zeggen, maar ik kan het even niet. Eerst moet er iets uit mijn kop. Geen idee wat er daarna gebeurt.'

Ze knikte en probeerde zo begripvol mogelijk te glimlachen. Het viel haar zichtbaar zwaar.

'Hou me op de hoogte,' zei ze.

'Waarvan?'

'Hoe het met je gaat.'

'Wilt u dat weten dan?'

'Ja,' zei ze. 'En nu moet jij op jouw beurt niet vragen waarom.'

Hij knikte. Het was ook beter om dat niet te weten. Hij draaide zich om en verliet haar kamer.

Hij zat op een bankje in de winterzon. De kou deed zijn huid rood opgloeien. Hij merkte dat hij helemaal nergens aan kon denken. Toen voelde hij dat er iemand naast hem ging zitten. Het was Freek, zijn beste vriend – voor zover Stephan beste vrienden had. En Freek studeerde Nederlands, hoewel dat niet helemaal zijn bedoeling was geweest. Hij wilde dichter zijn. En dan in de traditie van Simon Vinkenoog of Johnny van Doorn, de vermaarde Selfkicker. Met eigen voordrachten in liederlijke etablissementen, waarin te veel werd gerookt, te veel werd gedronken en waarbij je te weinig geld had om de week mee door te komen. Hij zou vier regels willen schrijven zonder dat ze rijmden. Deze zouden echter wel opgenomen worden in een bloemlezing van de Nederlandse poëzie. En op avonden met wijn en goede gesprekken zou iemand hem dan vragen: 'Doe nog eens dat ene gedicht.' Hij zou weigeren, maar omdat ze zo aandrongen, zou hij uiteindelijk een van zijn bundels ter hand nemen, zijn stem verheffen en de kamer tot stilte en ontroering weten te brengen. Hij had al drie bundels klaar. Die had hij uitgegeven in eigen beheer. Alle drie in een oplage van honderd stuks. Veel had hij er niet van verkocht. Van de eerste had hij er nog 73 over, van de tweede zelfs 87... maar van de laatste – let wel – slechts 65. Dat kwam alleen, omdat hij op een zonnige woensdagmiddag de bundels gratis had uitgedeeld in een winkelcentrum. Nee, de roem was niet aanstaande. Maar dat deerde Freek niet. Ooit zou het hem lukken een gedicht te schrijven dat de wereld op zijn grondvesten zou doen trillen.

'Je bent in één klap beroemd,' zei Freek, toch enigszins jaloers.

'Hoezo?'

'Geruchten doen de ronde dat je een stageplek in Los Angeles hebt geweigerd.'

'Aha.'

'Iedereen praat erover. Het nieuws is waarschijnlijk ook al geland bij andere faculteiten. Zelfs bij ons praat men erover. Ze maken je misschien wel erevoorzitter van de studentencarnavalsvereniging. Ik zeg: gefeliciteerd!'

'Ik kan niet weg, Freek. Ik ga niet weg. Ik moet Nathan Mossel helpen.'

'Nathan Mossel!' lachte zijn goede vriend, een tikkeltje cynisch. 'Die heeft een paar leuke boekjes geschreven. Een stel aardige anekdotes. Hij is misschien een jaar of tien belangrijk geweest voor het Nederlandse volk, maar we hoeven toch niet alles te lezen wat die vent ooit heeft geschreven!'

'Daar gaat het ook niet om.'

'Leuk, fotokopiëren. Daarvoor zou ik ook mijn carrière op het spel zetten.'

'Het is meer dan fotokopiëren.'

'Of hoe je het ook mag noemen.'

'Er zit daar een geschiedenis, die boven moet komen.'

En Stephan vertelde over vijfhonderd Joodse kinderen uit Roemenië en een tocht naar Palestina via Nederland in 1947. Hij vertelde over Yitzhak en het portret van de jongen in dat huis.

Freek hoorde hem aan, met alle aandacht die hij in deze zonnekou kon opbrengen.

'In de rest van dat huis is nergens een foto te zien. Nergens ook iets van dat jongetje in Israël. Alleen dat portret. En dan is er tussen september 1947 en mei 1948 een enorm gat in het oeuvre van Nathan Mossel. Alsof hij niets heeft geschreven, geen letter. Waar is die jongen gebleven, Freek?'

'Ik begrijp het,' zei Freek plotseling en stond op. Hij priemde zijn vinger in de richting van zijn vriend. 'Je bent detective geworden! En wie betaalt dat dan?'

Stephan zweeg.

'En wat gaat dat jou eigenlijk aan?'

'Het gaat mij aan!' schreeuwde Stephan.

'Je bent niet eens Joods!' zei Freek.

'Wat heeft dat er nou mee te maken?'

'Dat het jouw verhaal niet is.'

'Elk verhaal is van mij.'

'Natuurlijk niet,' zei Freek. 'Dit gaat over de Tweede Wereldoorlog, over de Joodse staat Israël, over Joodse kinderen in Roemenië. Wat héb jij daar dan mee?'

'Niets. Maar dat doet er niet toe.'

'Je bent geen Jood, Stephan!'

Het voelde als een diepe belediging. Het krenkte de werkstudent dat uitgerekend dit hem voor de voeten geworpen werd. Hij stond op en voelde nog maar één drang. Hij wilde weglopen. Met niemand praten. Gewoon doen wat hij moest doen. Weten wat hier aan de hand was. Hij verzweeg de gebeurtenissen van de vorige avond in het computerlokaal volkomen, ook omdat hij in een boze fantasie had bedacht dat het misschien allemaal niet waar was. Dat hij in slaap was gevallen en dat rare voorval bij elkaar had gedroomd.

'Het is niet jouw geschiedenis,' schreeuwde Freek hem achterna.

'Dat is het wél.'

Stephan stond stil, voelde dat zijn vriend naar hem keek. Hij zweeg even en vroeg zich af of hij het moest uitleggen. Of hij het kón uitleggen. Freek wachtte en hield hem in de gaten. Stephan dacht na, secondenlang. De afgelopen dagen had het verhaal van de vijfhonderd Joodse kinderen hem bij de keel gegrepen en weggesleurd uit zijn dagelijkse bestaan van studentikoos overleven en somberen over mathematische onregelmatigheden. De kwestie zorgde voor vragen in zijn kop. Het confronteerde hem vooral met onwetendheid en dat irriteerde hem mateloos. De Tweede Wereldoorlog en alles wat daarna was gebeurd, bleek een onbekend zwart gat in zijn waarneming te zijn. Hij wist van Duitsers, van Joden, van 1933 en 1945, maar daarmee hield het op. Hij kende Het Apeldoornsche Bosch niet. Hij zou op de kaart van Nederland Westerbork niet kunnen aanwijzen, en ook Vught niet. Hij wist niet waar Auschwitz lag. Hij wist van Israël, maar nauwelijks van de geschiedenis van dat land.

'Ik kan er niet meer omheen,' zei hij. 'En ik wíl er niet meer omheen.'

'Schrijf jij?' vroeg Freek, na een lange stilte. De vraag klonk alsof er een kist werd geopend die geheim had moeten blijven, verborgen op een zolder zonder dat iemand er ooit weet van zou hebben, verstopt onder een dik kleed in een donkere hoek.

Toen viel er een diepe stilte. Een hele lange, diepe stilte. Het leek zelfs alsof heel Amsterdam bevroor in de kou van die winter. Alles stond stil, niemand verroerde zich. Er werd gekeken naar de twee daar, bij dat bankje in de winterzon. Het water bewoog niet. De vogels – die de koude hadden getrotseerd, omdat ze hier wilden blijven, zelfs in de winter – hingen met stille vleugels in de lucht. De auto's bleven staan waar ze stonden en mensen hingen in het moment vast in de wandeling die ze aan het maken waren.

'Ik heb een scriptie...'

'Je weet best wat ik bedoel.'

'Het stelt niets voor.'

Tientallen, misschien wel honderden gedichten had Freek geschreven en er was er geen bij dat er toedeed. Dat wist hij zelf ook wel, maar hij probeerde zo lang mogelijk in zijn eigen droom te geloven. Nu keek hij in het gezicht van een jongen, van wie hij altijd had aangenomen dat literatuur ver van zijn bed lag. Was dat een schrijver? Zag die er zo uit? Dit was zijn vriend Stephan, wiskundig genie. Vriend die wars was van literatuur en van boeken.

En Stephan? Geconfronteerd met de onderzoekende blik van Freek, realiseerde hij zich dat er niemand was met wie hij sprak over de rivieren in zijn geest, de oceanen in zijn gedachten, over de stormvolle luchten in zijn hoofd. Sinds hij de boerderij had verlaten, kocht hij dunne schriftjes bij de kantoorboekhandel. En hij kon het niet laten om daar regels aan toe te vertrouwen. Het voelde als een diep verborgen geheim, niet alleen voor de wereld om hem heen, maar ook voor hemzelf. Waar anderen misschien stiekem dronken of drugs gebruikten, of een van de talloze andere zonden bedreven, die het daglicht niet konden verdragen, schreef Stephan. Hij kon het feit dat hij dat deed, makkelijk verdringen en vergeten. Niemand hoefde het ooit te weten. Het was ook niets. Het fungeerde als een goedkoop soort psychiater, om te genezen van de wond van thuis, van een vader die niet van hem hield en een moeder die hij te jong was kwijtgeraakt. Om die pijn te verzachten, schreef hij soms op wat hij voelde en het was prettig om er woorden voor te zoeken en die dan op papier te zetten. Onsamenhangend waren de schriften. Hooguit zou je het dagboeken kunnen noemen, maar er viel niet veel in te beleven. Het was ook nooit bedoeld geweest om gelezen te worden. Hij hoefde niet te reconstrueren wat er die dag was gebeurd. Hij was niet wat Nathan Mossel wel was. Mossel vertelde de wereld over de wereld. Stephan vertelde alleen zichzelf over zijn eigen pijn. Dat was het grote verschil. Waar Mossel een raam naar buiten was, was Stephan een deur naar binnen. Meer mocht het ook niet worden. En nooit had hij ook maar een seconde waarde gehecht aan die pen op dat papier. Het was niets, had geen bedoeling, was louter en alleen maar troost voor zichzelf.

Freek keek naar zijn vriend en zag in dat er niet langer gelogen kon worden. Toen deed hij een paar passen naar hem toe, langzaam en vol liefde. Hij had een dikke jas en wanten aan, een muts op en er kwam een grote dampwolk uit zijn mond toen hij Stephan omhelsde, zoals vrienden dat doen op de zwaarste momenten van hun bestaan.

'Ik ben al acht jaar bezig om me te verbijten op het werk van Perk, de strofes van Lodeizen, de rangschikking en het verlangen van Bloem, in de hoop dat het mijzelf ooit zal lukken. Dat er één regel uit mijn pen komt die er toedoet. Maar er gebeurt niets. En dan jij...'

'Je weet niet wat ik schrijf, Freek.'

'Ik wil het allemaal lezen.'

'Het hangt van narigheid aan elkaar.'

'Dat zal wel.'

'Wat moet ik nou?'

'Je moet naar Mossel toe,' zei Freek, die in een verlicht moment plotseling zag wat er aan het gebeuren was. Zijn vriend

Stephan was gegrepen door een verhaal. Het was een klein wonder, met gevolgen die op dit moment nog niet te overzien waren.

'Hij heeft me ontslagen.'

'Nou én?' Freek duwde hem weg. Stephan voelde de diepe vriendschap in het gebaar. De duw was het beste dat ooit iemand hem had gegeven.

'Ga nou,' zei Freek. En Stephan ging.

Er werd niet opengedaan op de Nieuwmarkt. Er waren intussen mensen, die hem zagen aanbellen, wachten, kijken naar het raam op de eerste verdieping. Een wanhopig kind dat thuis wil komen maar de toegang is ontzegd, zo moest het eruit zien. Hij durfde niet te roepen. Hij durfde niet te bonken op de deur. Hij wilde dat Nathan hem binnenliet. Niet alleen in dat huis, maar in de geschiedenis van zijn bestaan. Hij hield het bijna een half uur vol – tot twee politieagenten onderzoekend in zijn richting keken.

Wilden ze hem vragen wat hij daar te zoeken had? Ze zouden ongetwijfeld niet naar het hele verhaal willen luisteren. Ze zouden niet begrijpen dat hij hier binnen móest, dat Nathan hem toe moest laten, dat er gepraat moest worden over een oorlog en over wat er daarna was gebeurd. Ze zouden niet willen weten van dat portret op de gang, het jongetje met zijn viool.

Nathan liet hem nog steeds niet binnen. Stephan keek naar de dichte deur en besefte dat dit de wissel was die ieder mens ooit in zijn leven tegenkwam. Het overhalen ervan was de meest wezenlijke beslissing die over de toekomst genomen kon worden.

Hij liep weg. Eerst achteruit. Toen draaide hij zich om, tot ongeveer halverwege het plein. Daar bleef hij opnieuw staan en keek naar het huis, waarvan de gordijnen gesloten waren. Het was een burcht, een onneembare vesting en 'all the kings'

horses and all the kings' men' zouden niet genoeg zijn om erbinnen te dringen.

Hij moest zich afwenden. Van Nathan Mossel, van het huis, van de geschiedenis, en van het eerste dat hem inspireerde in zijn jonge leven. Even keek hij nog naar de gordijnen die niet bewogen.

Pas toen hij niet meer keek, durfde een oude man naar het raam te lopen. Nathan Mossel had zich in de donkere kamer tegen de muur gedrukt. Hij was naar buiten blijven kijken, maar vanaf deze plek kon hij het stukje straat pal voor zijn deur niet zien. Pas toen hij Stephan op het midden van de Nieuwmarkt zag, durfde hij zich los te maken van de muur.

Even sloot hij de ogen. Gelukkig. De knaap gaf het op. De geschiedenis kon blijven rusten, de stilte terugkeren. Hij wachtte de laatste blik van Stephan af, die nog één keer om-keek en daarna wegliep. Dat was het moment waarop Nathan naar het raam durfde te gaan om hem na te kijken. Het was een groot en verdrietig afscheid, maar Mossel hield vol dat dit het beste was. De kluis dicht en gesloten, begraven onder een dikke laag aarde om nooit meer bovengronds te komen.

De oude schrijver haalde opgelucht adem.

9

Amsterdam, winter 2012

Alle vluchtroutes waren afgesneden. Stephan kon niet naar huis. Wilde hij dat? Hij wist het niet meer. De gebeurtenissen hielden hem in een ijzeren greep en ze hadden hem door elkaar geschud, waardoor geen enkele gedachte meer recht op de andere stond. Een leven was – zo zag hij in – nauwelijks een goed voornemen. Het was wildwaterkanoën en zorgen dat je niet kopje onder ging in de turbulentie van het bestaan. Daarbij: naar huis gaan, was dat dan nog een optie? Zijn vader zou hem geen blik waardig gunnen. Het was trouwens niet eens een thuis. Er was geen thuis. Hij werd overvallen door een gevoel van diepe treurigheid, nu zijn enige zinvolle bezigheid was weggevallen. De leegte, een energieloze leegte maakte zich van hem meester. Lusteloosheid van het ergste soort. Zijn benen bewogen nog, maar brachten hem nergens heen. Hij was niet moe genoeg om te kunnen slapen, iets wat hij nu het liefst zou willen. Volledig in coma, graag. Hij wilde geen ander baantje van Ankie, hij wilde geen mathematische kwesties van Gusta Marthés, hij wilde niet in de ogen kijken van zijn beste vriend.

Hij liep door de Jodenbreestraat en stopte ergens om koffie te drinken, terwijl hij er eigenlijk helemaal geen trek in had. Hij wilde niet zitten, niet staan, niet lopen, niet denken, niet leven. Niet dat hij dood wilde. Dit was alleen het allergrootste niets dat hij in zijn jonge leven had meegemaakt. Hij wilde niet schrijven, er viel niets te schrijven en alles wat hij al geschreven had, kon hij net zo goed verbranden. De fik erin, weg ermee!

Hij dronk de koffie niet eens op, stuiterde een paar muntjes op de toonbank, trok de deur van het cafetaria weer open en ging de koude dag weer in. Hij zwierf verder, liep langs het huis waar Rembrandt een groot deel van zijn leven had doorgebracht en ook de Nachtwacht had geschilderd, om uiteindelijk op het Jonas Daniël Meijerplein terecht te komen. Daar, zo wist hij, was de Joodse Synagoge – de grote sjoel. Het bordje aan de muur vertelde dat het gebouw hier in 1671 was neergezet. Hij keek opzij en zag de vlaggen van het nabijgelegen Joods Historisch Museum, op nog geen honderd meter lopen. Tegelijk zag hij mensen zich op straat haasten, waarschijnlijk op weg naar de warmte van chocolademelk en huiselijk geluk. Niemand keek naar de gebouwen hier, of naar de Dokwerker, het beeld waarvan Stephan niet meer zo goed wist waarom het hier stond, behalve dat het ook weer iets met de Tweede Wereldoorlog te maken had. Even had hij de neiging om erheen te lopen en ook het bordje daarvan te bekijken. Maar het Museum had meer aantrekkingskracht.

Hij ging erbinnen en liep naar de receptie. Hij voelde zich aanvankelijk in een verkeerde omgeving, tot de oudere vrouw met grijze vleugen door het haar en een dikke bril hem vroeg of ze iets voor hem kon doen. Hij hakkelde een paar onsamenhangende zinnen over Joodse kinderen uit het Roemenië van 1947 en of iemand daar iets over wist. En of iemand dan ook tijd had om er met hem over te praten.

De vrouw informeerde wie hij was en waarom hij deze interesse aan de dag legde. Hij haalde zijn schouders op en vertelde dat hij student was. Gelukkig vroeg ze niet door. Wat had een mathematicus immers te zoeken in een gebouw vol Joodse historie?

Victor de Leeuw, assistent-conservator van het Joods Historisch Museum, schudde hem vriendelijk de hand. Ook was hij bereid om enige tijd in de bezoeker te investeren, nadat Stephan hem had uitgelegd dat hij de assistent was van Nathan Mossel. Een leugen was het niet. De waarheid echter evenmin. Maar als je een gids nodig hebt, omdat je in het hele leven verdwaald bent, mag je rekken aan het elastiek van wat juist is en wat niet.

'Het Apeldoornsche Bosch?' vroeg de assistent van de conservator.

'Daar werden ze ondergebracht.'

'Kent u die geschiedenis?'

'Nee,' zei Stephan. 'Ik weet dat het belachelijk klinkt, maar ik durf Nathan Mossel niet alles te vragen. Sommige zaken lijken hem persoonlijk te raken en ik vind dat ik mijn werk niet goed kan doen als ik niet alles weet.'

Dat maakte indruk. Niet alleen op de assistent, maar ook op Stephan zelf. Het klonk logisch en ook terecht.

Ze gingen het gebouw door, gangetjes, zalen, nog een gang, wat deuren. Het was een oud gebouw, maar goed gerenoveerd. Het had zijn eigenheid behouden. Ondanks het kruipdoor-sluip-door raakte je er de weg niet kwijt. Ten slotte kwamen ze in een van de leeszalen terecht. Hier konden ze praten. Er waren vandaag nauwelijks bezoekers. Degenen die er wel waren, namen geen aanstoot aan hun gesprek.

Het Apeldoornsche Bosch, zo vertelde de assistent, was een Joodse inrichting. Er werden psychiatrische patiënten in verpleegd. In 1943 besloten de Duitsers dat zij gedeporteerd moesten worden. En daarmee stond het personeel voor een groot dilemma.

'Men kon de patiënten meegeven en de eigen huid proberen te redden, of meegaan om nog zoveel mogelijk zorg te kunnen geven. Met dat laatste zouden ze, ondanks de Duitse garanties, een vrijwel zekere dood tegemoet gaan.'

'Wisten ze dat er vernietigingskampen bestonden?'

'Wat heet weten,' stelde de assistent.

'Met zekerheid vaststellen.'

'Jij bent geen Jood,' stelde Victor vast. Hij deed dat zonder enige vorm van kwaadaardigheid. Een lichte glimlach was er om zijn mond, alsof De Leeuw hem dit kleine gebrek vergaf.

'Nee, ik studeer wiskunde. Ik kom van het boerenland.'

'Weten koeien dat ze naar het abattoir gaan?'

'Ze weten niet eens wat een abattoir is.'

'Dus ze gaan gewoon.'

'Nee, er is altijd weerstand.'

Ondertussen had Victor een map geopend om Stephan een indruk te geven van hoe Het Apeldoornsche Bosch er destijds moest hebben uitgezien. Hij legde de foto's een voor een voor hem neer en de jongen bekeek ze zorgvuldig. Hij zag de barakken, de slaapgelegenheden, de tuinen, de bomen, de mensen, de verplegers, de stenen, de tegels en de poorten.

'Het personeel ging met de patiënten mee. En vanaf dat moment stond het complex leeg. Tot 1947. Toen kwam het bericht dat er vijfhonderd Roemeense weeskinderen naar Nederland zouden komen. De eerste gedachte was om ze daar onder te brengen.'

'U kent die geschiedenis?'

'Een beetje. Niet alle details.'

'Het waren geen weeskinderen. De meesten hadden nog ouders. Dat is wat Nathan Mossel me tenminste vertelde. Maar Roemenië, was dat bezet door de Duitsers?'

'Nee,' zei Victor. 'Het was een bondgenoot van de nazi's. Maar in de oorlogsjaren voelden de antisemitische geesten in Roemenië zich sterk. Joden hadden het er zwaar. Ze waren vogelvrij. Ze konden zomaar worden doodgeschoten op straat. Geen politieman die erom maalde. Ouders moeten hebben gedacht dat dit niet zou veranderen, onder de latere Russische overheersing. Vandaar die unieke samenwerking tussen acht zionistische organisaties. Ze zouden er met elkaar voor zorgen dat de jeugd een echte toekomst kreeg in Palestina.'

'Is er veel contact geweest tussen de Nederlandse bevolking en de kinderen?'

Victor haalde zijn schouders op. Hij was te jong om er destijds getuige van geweest te zijn. Alles wat hij wist, wist hij uit documenten. En er was zoveel te weten over Joden in Nederland, dat sommige details hem waren ontgaan.

'Je vroeg me of Nathan Mossel in Het Apeldoorsche Bosch woonde. Wist jij dat zijn vrouw een van de verpleegsters daar was?'

Stephan keek op. Er gebeurde met hem iets waarvan hij niet dacht dat het mogelijk was. Hij voelde hoe de woorden over zijn rug heen trokken en daar een rimpeling veroorzaakten, zoals de wind dat doet op een ijskoude zee. Zijn vingers tintelden alsof hij in een auto zat die maar net aan een botsing was ontkomen.

'Hij bleef achter,' ging Victor bedachtzaam verder. 'Dacht dat ze terug zou komen. Hij heeft er ooit een verhaal over geschreven. Ik heb het hier ergens.'

De assistent stond op, trok uit een van de vele kasten een map, sloeg die open, bladerde een paar tellen en had toen een krantenknipsel in zijn handen dat hij naar Stephan toe veegde. 'Uit *Het Parool*, januari 1948.'

'Januari? Weet je dat zeker?'

Victor schoof het artikel weer terug en keek naar de hand-geschreven datum. Knikte toen. Hier maakten ze geen fouten over dat soort dingen.

'Waarom ben je hier echt?' vroeg de assistent ten slotte.

'Ik weet het niet,' bekende Stephan ruiterlijk. 'Mag ik dit fotokopiëren?'

'Natuurlijk,' zei Victor. 'En als je iets vindt of iets nodig hebt…'

Hij haalde een visitekaartje uit zijn binnenzak en duwde het de jonge student in handen. 'Je mag me altijd bellen.'

De ijsbloemen stonden op de ramen van zijn kamer. De wind gierde over het dak heen. Gelukkig ploeterden de kachels wat warmte bij elkaar. Voor een paar tientjes had hij nog iets op butagas op de kop getikt, en dat ding loeide nu roodgloeiend tegen de winter in. Onbegonnen werk. Het geld dat hij van Nathan had gekregen, ging er iets te snel doorheen. Maar hij kon niet meer terug. Het werk moest worden gedaan.

Hij was begonnen om het verhaal van Nathan Mossel in kaart te brengen zoals hij ook wel eens deed met wiskundige problemen. Hij had grote witte kartonnen vellen gekocht en ook een aantal zwarte, rode, blauwe en groene viltstiften. Hij moest het voor zich kunnen zien. Hij moest ernaar kunnen kijken alsof het een landkaart was, een landkaart van de tijd.

Hij had een balk getekend, die begon in 1940, met het uitbreken van de Tweede Wereldoorlog en hij had een streep gezet bij 1943, het jaar van de deportatie van patiënten en personeel uit Het Apeldoornsche Bosch. Mei 1945, het einde van de Tweede Wereldoorlog, en dan september 1947, toen de kinderen – hoe, in vredesnaam? – uit Roemenië naar Nederland werden gebracht. En mei 1948, toen ze verscheept werden naar Palestina. Ergens stond ook een streep met betrekking tot het artikel uit *Het Parool* van januari van dat jaar

– over de vrouw van Nathan Mossel, die met haar patiënten was meegegaan en ongetwijfeld nooit meer was teruggekeerd. Het zag er bij elkaar uit als een vreselijke geschiedenis. Maar meer nog als een wiskundig probleem van de grootst mogelijke wanorde. Was het maar algebra geweest, dan had hij de formule ongetwijfeld al gekraakt. Maar dit was een verhaal, een verhaal van mensen. Geen enkele logica in te ontdekken.

Het waren intensieve uren van tekenen en schrijven en plakken. Hij prikte alles op de muur en af en toe trok hij een nieuwe lijn om bepaalde zaken met elkaar te verbinden. Ook de stilte in het oeuvre – waar dat artikel in *Het Parool* een breuk in vormde – tekende hij in op deze wandformule.

Het was een onoverzichtelijk geheel. Maar voor Stephan kreeg de geschiedenis van de kleine Yitzhak, pars pro toto of niet, een vorm. Hij wou dat hij foto's had – foto's van Nathan, van dat portretje, van alles wat hij de afgelopen dagen had gezien en meegemaakt. Had hij dat ene krantenartikel nog maar, dat Nathan in die map had zitten. Maar dat had hij achtergelaten. Het geheel leek sowieso op een puzzel, waaruit allerlei stukjes waren zoekgeraakt. Een irritant vergiet aan gegevens, meer gat dan wezenlijke materie.

Toen het verdriet – zo voelde het: oorlog, deportatie, kinderen, mishandeling, nazi's, antisemitisme – hem te veel aangreep, rukte hij uit een stapeltje dat op zijn bureau lag een schrift en schreef hij zes bladzijden over wat hij voelde. Toen de treurgang van zinnen uiteindelijk stopte, vervolgde hij met te vertellen wat hij meemaakte. Hij was zich er niet eens van bewust dat hij plotseling de neiging had om dit verhaal met iemand te delen. De taal werd onmiddellijk houterig. Hij wist niet hoe hij een ander moest informeren over alles wat hijzelf intussen wist. Het kwam allemaal tegelijk en de pagina raakte verstopt. Teruggaan naar de litanie van verdriet kon hij niet meer. Hij rukte de zes bladzijden uit het schriftje en begon opnieuw. Hij vertelde over wie hij was, waar hij vandaan kwam, en hoe hij nu plotseling zijn koers aan het veranderen was. Hij vertelde het verhaal van een wiskundestudent die de som niet meer kon maken, als hij niet zou oplossen wat er in zijn hoofd aan het gebeuren was.

Hij was een eind op streek met dat verhaal, toen er op de deur werd geklopt.

'Ja?'

'Freek!'

'Ik heb geen tijd,' zei Stephan tegen de dichte deur van triplex die alleen bezoek buitenhield. Kou, tocht en het geschreeuw van vrienden liet de deur moeiteloos door. Hij wilde de landkaart van de geschiedenis niet van zijn muur halen en hij schaamde zich voor wat hij aan het doen was.

'Je gaat me gewoon binnenlaten.'

'Nee,' zei Stephan. 'Het kan niet. Ik ben te druk.'

'Kom op. Ik weet heus wel dat het een bende bij je is.'

Stephan haalde diep adem. Freek was misschien wel de enige mens die op dit moment werkelijk van hem hield, die dieper in zijn ziel kon kijken dan hijzelf. Freek stond buiten, hij stond binnen. Bijna dezelfde situatie als op de Nieuwmarkt, toen de oude schrijver hem niet binnenliet. Nu was het Stephan die de deur dichthield. Hij realiseerde zich dat het zo niet mocht zijn. Beter je schamen en laten zien hoe krankzinnig het heden en het verleden je aan het maken waren, dan iemand weigeren je huis binnen te komen. Zo hoorde vriendschap te zijn. Hij wilde niet, maar ging naar de deur en deed hem open. Freek kwam verkleumd binnen.

'Ik ben voor je gaan bellen,' zei Freek en keek naar de gebeurtenissen op de muur. 'Dat ziet er geweldig uit.' Lichtelijk verbijsterd keek hij naar alles wat er was getekend en geschreven. 'Zo ziet dat er dus uit?'

'Wat?'

'Een verhaal.'

'Dat is geen verhaal,' zei Stephan.

'Geloof me, Stephan, dat ís een verhaal.'

'Wat heb je dan gevonden?'

'Dat kamp van destijds. Het Apeldoornsche Bosch. Dat jaar dat die kinderen in Nederland waren. Die kinderen moesten getraind worden, lessen krijgen... dat kan toch niet anders?'

'Ja, dat... denk ik,' knikte Stephan.

'We hebben een dienst Educatiegeschiedenis op de universiteit, wist je dat?'

'Nee.'

'Klopt, druk hebben ze het niet. Ze worden binnenkort dan ook compleet wegbezuinigd. Wie wil er nou iets weten over de historie van het lesgeven? Maar goed. Ze hebben een hele interessante collectie,' glimlachte Freek, trots op zijn eigen onderzoek.

'Oké,' zei Stephan, afwachtend wat er boven tafel zou komen.

Freek deed zijn muts af, trok zijn wanten uit en liep naar de kachel om wat leven in zijn rode handen te wrijven.

'Nathan Mossel heeft er lesgegeven, denk ik.'

Stephan fronste. Het leek hem zo logisch in dit hele verhaal dat Nathan – via zijn geschiedenis, zijn vrouw die verpleegster was geweest in ditzelfde instituut – betrokken was geweest bij de opvang van de kinderen.

'Weet je dat zeker?'

'Nathan kom ik nergens tegen. Maar ik heb wel iets anders voor je. Voor dat lesprogramma hebben ze Elize van Dillen ingehuurd.'

'Ken ik niet.'

'Ik wel. Elize van Dillen is de dochter van Floris van Dillen.'

'Ken ik evenmin.'

'Floris van Dillen is een belangrijk onderwijsvernieuwer.

We hebben het dan over de jaren na de Eerste Wereldoorlog, pakweg 1918. Van Dillen denkt dat er een slechte invloed uitgaat van al die socialistische jeugdbewegingen en het opkomende communisme. Daarom richt hij in Hilversum de Nieuwe Kindergemeenschap op. Er wordt zelfs een gebouw voor neergezet. Daar gaan ze heel anders met kinderen om. Taken en werkzaamheden, bijvoorbeeld onderhoud aan het gebouw, aan de materialen, de gereedschappen, het meubilair... Je kunt het zo gek niet verzinnen. Dat moest allemaal door de kinderen zelf gedaan worden. De scholieren werden betrokken bij de werkverdeling. Ze hadden zelfs zitting in de centrale leiding. Ze schreven een schoolkrant vol. Leerlingen werden aangeduid als 'werkers' en leerkrachten als 'medewerkers'. Deze school was één grote familie, als het ware.'

'Mag ik even weten wat dit...'

'Zonen en dochters van grote ondernemers, van politici, van allerlei invloedrijke personen hebben op die school gezeten. En de dochter van Floris van Dillen gaf er les. De Joodse organisaties moesten iemand hebben die het onderwijsprogramma zou opstellen voor het jaar dat de Roemeense kinderen in Nederland zouden zijn en zo kwamen ze bij Elize van Dillen terecht.'

Freek overhandigde Stephan een map vol documentatie. Het was een schat aan foto's, artikelen, prenten, leermiddelen zelfs, boekjes en schriften.

'Dit zijn geen kopieën.'

'Volgens mij waren ze al blij dat ik het meenam. Er zijn plannen om het allemaal weg te gooien.'

'Dat kan toch niet?'

'Niemand wil het bewaren,' zei Freek. Hij had een map vol originele stukken weten te bemachtigen en hij legde die neer op de tafel. Freek deed dat met zorg. Hij wist dat dit een rijke historie moest zijn, hij zag dat Stephan er zorgvuldig mee om zou gaan. 'Ze vroegen Elize van Dillen en zij bedacht zich geen seconde. Ze liet haar leerlingen in de werkplaats materialen maken en nam de hele organisatie van de opleiding in handen. Ze is een jaar lang bezig geweest met die kinderen.'

'Hoe oud zal ze zijn geweest?' Stephan vond een foto van haar in de map. Hij hield hem op. 'Vijfentwintig?'

'Jonger,' zei Freek. 'Ze leeft nog.'

'Wat?'

'En ze wil met je praten. Ze zei: 'Ik dacht dat er nooit meer iemand zou bellen over die vijfhonderd Joodse kinderen. Dat het vergeten zou worden.' Ik heb een afspraak voor je gemaakt. Maar één ding: ik ga mooi wel met je mee.'

Ankie wist wel iemand met een auto, alleen wilde ze wel weten waar het voor was. Toen Stephan het haar vertelde, wilde ze koste wat kost mee. Ook Freek liet zich niet uit de veldtocht weren. Hij had voor een vermogen aan telefoontjes gepleegd, maar uiteindelijk achterhaald dat de oude Elize van Dillen in verzorgingshuis De Horizon in Bussum woonde. Voor haar leeftijd – ze was ver in de tachtig – was ze nog zeer actief. Ze had zitting in de bewonersraad, de feestcommissie, en organiseerde regelmatig informatieavonden over ouderenzorg en aanverwante onderwerpen. Ze publiceerde met regelmaat artikelen in allerlei bladen en was zeer bedreven met computer, printer en fotokopieermachine. Een van de kantoorruimtes in het verzorgingshuis had ze min of meer geconfisqeerd. Ze leek onvermoeibaar en was – volgens de leiding van het huis – min of meer de drijvende kracht achter alle activiteiten in De Horizon, al leek ze de laatste maanden wel wat breekbaarder te worden.

Freek had contact met haar gezocht. Directrice Ans Westgoed van De Horizon was niet meteen enthousiast over het tochtje dat de studenten met haar bewoonster wilde maken.

Tegen Freek, die zich opwierp als de grote organisator, maakte ze allerlei bezwaren. Ze stond er eigenlijk op dat er een gediplomeerd verpleegster mee zou gaan. Totdat Elize van Dillen zelf ingreep. Volgens haar was het 'klinkklare nonsens en paternalistische prietpraat'. Daarop liet de directrice weten dat 'men nogal wat te stellen had met de oude dame'.

Freek had volgens zeggen een rijbewijs en ze gingen de volgende dag op weg.

Ankie hoorde Stephan uit over zijn zoektocht. De jonge student voelde dat hij de essentie van zijn zoektocht niet goed onder woorden kon brengen. Gelukkig vroegen zijn twee vrienden niet door naar zijn ware motieven. Hij voelde zich min of meer een gast in zijn eigen verhaal, zo met Freek achter het stuur en Ankie met die kaart van Nederland in haar handen. Het navigatiesysteem van de auto was volgens de eigenaar gestolen.

Mevrouw van Dillen zat al klaar in de gang van het zorgcentrum, haar jas aan en haar wandelstok stevig omklemd. Een verzorgster verzekerde haar dat ze met goed volk meeging. Elize van Dillen vond deze bemoeizucht vreselijk. 'U moet zich druk maken over de echte oudjes,' zei ze. Zelf had ze helemaal niet het gevoel dat ze de tachtig al gepasseerd was.

De jongens hielpen haar de wagen in. Ze stond erop naast de bestuurder te zitten. Achterin werd ze misselijk.

Stephan was onder de indruk van haar verschijning. Ze was klein en breekbaar, liep gebogen en leunde zwaar op de stok. Haar stem was fragiel. Tegelijk leek alles in haar weloverwogen en besluitvaardig. Haar oude, waterige ogen keken scherp naar mensen, de omgeving en trokken scherpe conclusies.

'Jij bent de baas van vandaag,' lachte ze tegen Freek.

'Reken maar,' lachte de chauffeur terug.

'En van wie ben jij het meissie?' vroeg ze aan Ankie.

'Van niemand.'

'Wat niet is kan nog komen.' Ze legde haar handen op het dashboard. 'Wat is dit er voor één?'

Ze wilde het merk weten, de kracht van de motor, hoeveel hij had gelopen en wat ervoor betaald was. Freek bekende dat het een leenauto was.

Ze reisden naar Apeldoorn. Onderweg kregen ze al een heel leven te horen. Elize van ergens in de tachtig werd – zo voorin de auto – een meisje dat het kind was van een vader die ze diep bewonderde. Volgens haar had hij een enorme verandering teweeggebracht in het denken over school en onderwijs.

'Mijn vader zag kinderen als mensen met verantwoordelijkheidsgevoel en talenten, waarmee ze soms volwassenen kunnen evenaren,' sprak ze bedachtzaam. 'Hij kon furieus reageren als er denigrerend over 'kleintjes' werd gesproken. Dan kon je geen goed meer doen. Hij zei: 'Wat heeft het voor zin om een hemel te hebben als er geen sterren in gloeien? Hij luisterde naar kinderen. En alles schreef hij op. Alles kon weer gevolgen hebben voor het voortdurend veranderende onderwijssysteem. Je kunt niet vroeg genoeg beginnen met het overdragen van ons rentmeesterschap aan de kinderen. Dan zullen ze zuinig op de aarde zijn en haar behandelen als een juweel. Kijk eens wat de mensen doen met onze wereld. En dat komt, omdat ze allemaal denken: na ons de zondvloed. Niemand maakt zich druk over de natuur en over de rijkdommen die God ons geschonken heeft. Dus wat doen we ermee? We vegen onze vette klauwen eraan af en we werpen het weg.'

Ze leek verbitterd, op een bepaalde manier. Stephan vroeg daarnaar. Ze ontkende het. 'Alleen zie ik zo weinig verbetering. Toen mijn vader begon aan zijn grote werk, dachten we dat de wereld een mooiere plek zou kunnen worden, voor de jeugd na de volgende jeugd. En kijk... de wereld is er alleen maar lelijker op geworden. De mensen doen lelijke dingen. Doen lelijke dingen tegen elkaar en met de aarde waar we op leven. En zo wordt de wereld lelijker en de mensen ook. En het allerergste vind ik dat we het leven zo vásthouden... dat we niks weggeven aan anderen. We graaien rijkdommen bij elkaar, terwijl we zouden moeten zeggen: 'hier heb je het bestaan, wij hebben het een tijdje gehad, nu is het voor jou.' Maar niks daarvan... we zijn egoïsten.' Verbitterd was ze niet, zei ze. Maar strijdbaar tot de laatste zucht. 'En dat zal ik blijven. Van opgeven wil ik niks weten.'

Van wat ooit Het Apeldoornsche Bosch moest zijn geweest, was niet veel over. Wellicht alleen het gevoel. Een groot aantal paviljoenen was in de loop der jaren afgebroken. Het groen was er nog en de rust ook. Maar ooit moest het een groot terrein zijn geweest, vol van zorg voor mensen met psychische aandoeningen. Op het hoogtepunt had Het Apeldoornsche Bosch maar liefst 1200 patiënten gehuisvest. Dat was net voor de ontruiming en deportatie in 1943. Toen mochten Joodse geesteszieken – of Joden die als zodanig waren bestempeld – nergens meer heen, behalve naar deze plek, waarvan het leek dat de Duitsers hen met rust zouden laten. Niets bleek minder waar. Het was een vluchtoord geworden in de jaren daarvoor en het was, aldus Elize van Dillen, ook volstrekt duidelijk dat er niet alleen maar 'krankzinnigen' woonden. 'Het was de Joodse hemel. Zo werd het genoemd. Hier was je veilig. Dus iedereen kwam hierheen, in de hoop dat de oorlog over zou drijven, alsof het een nare donderbui was.'

Ze reden het terrein op. Wat er ooit moest zijn geweest, was er niet meer. Nog wel wat paden tussen de gebouwen. Elize wilde uitstappen en vooral lopen, stok in haar kranige hand en de andere op de arm van een van de jongens. Ze liepen.

'Ik ben hier zo lang niet geweest,' zei ze.

Plotseling hield ze stil. Het was alsof ze de kinderstemmen van weleer weer kon horen. Alsof de vijfhonderd Joodse kinderen aan het spelen waren op de paden tussen de barakken, die nu allemaal verdwenen waren en vervangen door wanstaltige nieuwbouw.

'Is het pijnlijk?' vroeg Stephan.

'Pijnlijk is alleen maar dat wij ouder worden. En dat de wereld zo jong blijft. Laten we kijken of we de ingang kunnen vinden.'

Ze vonden een gedenksteen voor de weggevoerden. Het was Elize goed genoeg. Ze was stil en ze keek om zich heen. Ze kon het zich allemaal nog goed herinneren, maar de jongens en het meisje lieten haar even stil met haar gedachten. Zo liet ze de koude wind tegen haar wangen blazen, alsof die het verleden in haar wakker maakte. Ze glimlachte.

'Waar denkt u aan?'

'We hebben ze opgehaald van het station. En in een vrolijke optocht hebben we ze meegenomen naar hier. Kinderen waren het. De oudsten waren negen, misschien tien jaar oud. Ze zagen er niet uit. Volkomen verwaarloosd. Ze hadden veertien dagen in een trein gezeten.' Stephan keek haar aan. Veertien dagen in een trein. Een trein dwars door het Europa van net na de Tweede Wereldoorlog. Hij probeerde zich er een beeld van te maken. Hij zag het als een verkreukelde foto uit een verwaarloosd archief, een film die vooral uit krassen bestond. 'Alleen in Praag waren ze even uitgestapt voor het Joodse Nieuwjaar. Ze waren vies, ze zaten onder de luizen. Ze hadden zoveel meegemaakt.'

10

Een trein door Duitsland, 1947

Yitzhak had gekeken tot hij ze niet meer zag. Lange tijd hield hij vol dat ze daar nog altijd moesten staan, zijn papa, zijn mama en al die andere familieleden die hem naar het stationnetje van Giurgiu in Roemenië hadden gebracht. Veel kreeg hij niet mee. Er was geen ruimte voor in de trein. Ze moesten met te veel personen in een wagon. Hier, in deze coupé, zouden bij een gewone reis acht volwassenen kunnen zitten. Er zaten op deze reis wel twintig kinderen en misschien wel meer dan dat. Door de gangen liepen talloze begeleiders van wie sommige niet veel ouder dan Yitzhak waren. Hij had nog het geluk dat hij een plekje bij het raam had, zodat hij kon zwaaien toen de trein vertrok. Hij had het raam zo ver mogelijk naar beneden geschoven en drukte zijn hoofd door de kleine opening en nog heel lang zag hij een stipje, dat alsmaar kleiner werd.

Mama had in een zakdoek brood gedaan, een ui en wat kaas. En hij had zijn viool bij zich, een viool met een kogelgaatje. Van spelen zou onderweg niet veel komen. Hij mocht blij zijn als het instrument ongeschonden in Holland zou aankomen. Ze hadden wel verteld waar hij heenging, maar het zei hem verder niets. Het was een vlak land met veel koeien en ook veel water. Iemand beweerde dat het zelfs onder water lag, maar dat leek Yitzhak onzin. In dat geval zouden ze allemaal de hele dag aan het zwemmen zijn. Een van de jongens in zijn coupé hield vol dat ze er geen auto's, treinen en bussen hadden. Iedereen verplaatste zich per boot. Yitzhak haalde zijn schouders op. Hij zou vanzelf wel zien hoe of wat.

Yitzhak wist niet waar de trein zich bevond. Het landschap veranderde wel en soms zag hij een naam van een station of een stad, maar hij had geen idee waar dat dan wel was. De reis was lang en duurde dagen en nachten. Als je moest plassen, kon je dat maar het beste door het raampje doen. Dan behield je ten minste nog je plek. Maar moest je een grote boodschap kwijt, dan was je je zitplaats kwijt. Hij was al overal geweest, want je schoof steeds een plekje op. Dan stond je weer buiten op het gangpad, dan lag je weer in het bagagerek of kwam je gelukkig weer terecht op je bank bij het raam. Hongarije waren ze gepasseerd, en Tsjecho-Slowakije ook. Ze waren uitgestapt in Praag. Daar hadden ze rond het station mogen zwerven. Op het dak ervan hadden ze het beeld van een grote gouden vogel gezien. In de ronde hal hadden ze hun ogen uitgekeken. Er waren engelen aan de poort en de muren leken van goud. Misschien kon je hier zelfs wel blijven wonen. Praag leek hen een stad vol prinsen en prinsessen. Hier kon je in een droom blijven. Dat Theresienstadt, een van Hitlers kampen, zich op een steenworp afstand bevond, daar kwam Yitzhak pas jaren later achter. Zo dichtbij, zo onwetend was hij toen nog.

De kinderen stonken na twee dagen al. Er was geen tijd om te stoppen, behalve als de locomotief nieuwe brandstof moest laden. En zo vervuilden de wagons langzaam, werd hun kleding smerig, terwijl ze toch verzorgd aan de reis waren begonnen. Alles was vies. Hun handen waren zwart. Maar ze gingen naar het goede land toe. Er was van alles aan boord. Honger leden ze niet.

Van Duitsland wisten ze alleen maar dat het de vijand was. De moordenaar. Hier waren hun neefjes, hun nichtjes, soms hun broertjes, soms hun ouders, hun tantes, hun ooms achtergebleven en afgemaakt. Ze wisten wat dood was, en wat verdriet moest zijn. En ze voelden vooral haat. Er waren kinderen – vooral de jongsten in de trein – die ontroostbaar aan het huilen waren. Sommigen schreeuwden om hun moeder. Waren ze tóch in dat verdomde Duitsland. Paniek was er, verdriet. Dit was een volk dat alleen maar angst en ellende had uitgespreid over de Joden.

De trein leek trager te rijden door het Duitsland van 1947. In ieder geval ging het zo langzaam, dat Duitse jongetjes de locomotief konden bijhouden. Yitzhak zag ze, de uitgemergelde mensenlijfjes, die huilend met de wagon meeliepen en om iets smeekten – om eten, drinken, geld, alles wat hun buik of leven deze dag ook maar kon vullen. De haat was snel verdwenen. Deze kinderen waren er, net als zij, vreselijk aan toe, in het Duitsland van 1947. Er zat nauwelijks nog vlees aan hun botten en ze droegen lompen. Goed, de treinkinderen waren smerig, maar als er straks een kraan was, dan konden ze al die troep er zomaar weer afspoelen. Hier – naast de rails – liepen halfdode kinderen, verdoofd door de honger. Niemand die voor hen zorgde. Yitzhak wist niet waarom ze er zo slecht aan toe waren.

'Hun ouders zijn dood,' wist een van de jongens. 'Die zijn allemaal bevroren aan het Oostfront. En ze krijgen van niemand nog te vreten. Niet van de Russen, niet van de Amerikanen. En ook niet van mij.'

Het jochie spuugde in de richting van de meehollende knapen en raakte er één midden in het gezicht. Daar was hij verdraaid trots op. Yitzhak zag het en schaamde zich. Hij tastte naar wat hijzelf nog aan eten had. Het stuk brood van de ochtend. Kaas voor de middag. Hij brak de ui die hij bewaard had in tweeën en wreef die uit over het brood. Hij was vastbesloten het allemaal nu op te eten, maar het ging niet. Hij keek ernaar en het leek wel alsof het voedsel weigerde naar zijn mond te gaan. Wat hij ook deed, zijn armen gaven er de brui aan. Hij trok het raam open en wierp zijn voedsel naar de kinderen die erom hadden gesmeekt. Ze vielen aan, vochten erom, grepen alles wat ze maar grijpen konden.

De andere kinderen zagen wat Yitzhak deed. En ze zeiden niets. Ze pakten hun eigen eten en wierpen allemaal – zeven treinstellen lang, twintig tot dertig kinderen per coupé – alles wat ze voor die dag hadden aan voedsel naar buiten. Een enorme hagelwolk aan kaas, brood, uien en ander voedsel vloog door het raam. Zelfs het jongetje dat naar de Duitse kinderen had gespuugd, pakte zijn eten en wierp het naar buiten.

'Sjalom,' zei een van de kinderen. En vervolgens zeiden ze dat allemaal. 'Sjalom.' Daarna gingen ze op zoek naar het eten voor de volgende dagen. En ze wisten hun begeleiders zo ver te krijgen dat ook zij voedsel naar buiten wierpen. Ze zouden honger leiden tot ze in Apeldoorn zouden arriveren. 'Maar het is het waard,' had Yitzhak uiteindelijk gezegd.

De trein kwam aan in Apeldoorn en tot hun opluchting mochten ze er eindelijk uit. Er stonden Nederlanders klaar die allemaal schrokken toen ze naar de kinderen keken. Yitzhak wist niet waarom ze zulke grote ogen opzetten. Ze hadden toch geweten dat ze zouden komen. Hij hield zijn viool in zijn armen. Hij was bang dat iemand het instrument uit zijn vingers zou pakken en weer in de trein zou gooien.

Ze liepen mee in een optocht van enkele kilometers door het centrum van Apeldoorn. Ze waren een bezienswaardigheid geworden in het Hollandse stadje. Overal stonden mensen langs de weg om te kijken naar de kinderen die zelf geen idee hadden waarom ze zoveel bekijks trokken. Yitzhak liep naar een van de mensen toe, om een man beleefd een hand te geven. De laatste wendde zich af. Waren ze wel welkom in Nederland?

Ze kwamen aan bij het instituut. Midden op het terrein stonden tonnen met vuur. Een jonge vrouw zag hen aankomen. Zij had de leiding over deze onderneming en wist wat er stond te gebeuren. In de dagen voor de aankomst had ze stapels nieuwe kleren geregeld. De kinderen konden echt hun eigen kleding niet meer aan. Broeken, hemden, sokken vol met smerigheid en ziektes. Ze sprak Nederlands en dat werd vertaald door de begeleiders die er al niet beter uitzagen dan de kinderen. Ze zei dat iedereen zich moest uitkleden en dat ze hun kleren neer moesten leggen. Ze zei dat niemand zijn kleren meer terug zou zien maar dat er nieuwe kleding voor hen was. Yitzhak voelde aan zijn viool. Hij wist zeker dat ook die in een van die brandende tonnen geworpen zou worden en dat hij zijn instrument nooit meer terug zou zien. Hij bedacht zich geen seconde en als enige van de vijfhonderd kinderen rende hij naar de jonge vrouw daar in het midden en hield zijn viool omhoog. Zij kon hem niet verstaan en hij haar niet. Maar hij wist zeker dat zij de viool zou beschermen en ervoor zou zorgen dat die niet in het vuur terecht zou komen. Hij hield het instrument naar haar toe, alsof het een kind was dat zij tegen haar borst moest houden. Hij schreeuwde in het Roemeens: 'Nici un foc! Nici un foc! Geen vuur! Geen vuur!' Ze herhaalde de woorden. Ze wist wat hij zei. Ze nam de viool aan en hield hem tegen haar borst gedrukt. Haar glimlach vertrouwde hij en daarom ging hij terug naar de rijen van kinderen om zich uit te kleden.

Niet elk kind deed dat met overgave of groot vertrouwen. Een paar van de meisjes begonnen vreselijk te huilen, alsof hen het meest dierbare werd afgenomen. Alsof dit de allergrootste vernedering was die ze sinds jaren moesten ondergaan.

De kleding werd verzameld en in de tonnen geworpen om te worden verbrand. Dat kon niet anders. Alleen zo konden ze die smerige luizen de baas worden. Vervolgens werden de kinderen naar de doucheruimtes gebracht. Water uit de kraan. Warm water. En er was zeep. Goede Nederlandse zeep, waar je schoon van werd.

En zo droop de smerigheid van een veel te lange reis van hen af. Langzaam maar zeker werden ze weer mens en waren ze niet langer de beesten in de wagons vol pislucht. Ze kregen kleren aan. Niet nieuw, maar goed genoeg. Gedragen door Hollandse kinderen, hersteld door Hollandse huisvrouwen. De meisjes, de jongens, net nog uit die smerige trein, ze roken fris, zoals ze lang niet hadden geroken. In de eetzaal werden gamellen met gloeiend heet andijviestamppot rondgereden, koosjer eten onder toezicht van rabbijnen in de keukens bereid. Goed eten, voedzaam, Hollands, gezond.

De jonge vrouw kwam naar Yitzhak toe en gaf hem zijn viool terug. Hij had er geen seconde aan getwijfeld dat het instrument weer bij hem zou komen. De vrouw had mooie, groene ogen, ogen waaruit liefde sprak. Hij kon haar woorden niet verstaan, maar iemand met zulke ogen zou jou niet belazeren – dat wist de jongen zeker. Hij wilde wel voor haar spelen, maar ze wees op zijn eten. En hij had ook honger. Ze vond het goed dat hij eerst at.

Hij was in Holland. En het was hier goed.

11

Het Apeldoornsche Bosch, winter 2012

Stephan keek niet meer naar de omgeving. Daar zag hij toch niets van wat er ooit geweest moest zijn. De tijd heelt niet alleen alle wonden, ze neemt ook weg wat er ooit geweest was. Het enige dat hier nog was, waren haar verhalen. Hij kon zijn ogen niet van de oude vrouw afhouden. In haar blik lag de geschiedenis beklonken. Terwijl ze met haar dunne stem beschreef hoe de kinderen waren aangekomen in het voormalige psychiatrische instituut, zag hij voor zich hoe Yitzhak zijn viool op zijn schouder legde en voor haar speelde. Ze sloot haar ogen even en liet haar handen dansen alsof ze opnieuw de klanken uit het instrument hoorde. Als vanzelf gingen zijn handen mee.

Elize had het in haar verhaal niet over Yitzhak gehad. Ze had gesproken over de kinderen als geheel, over vijfhonderd kinderen. Over hun tocht naar hier, over hun noodgedwongen wandeling van het station naar dit terrein, over hun verblijf in dit instituut. Maar bij elke zin uit het afgelopen uur had Stephan alleen maar het gezicht gezien van dat jochie op dat portret. Jochie met viool. Jochie van Nathan. Jochie Yitzhak. Zo werkt dat met goede verhalenvertellers. Hun woorden zijn volstrekt onbelangrijk, hun taal doet er niet toe, maar op de een of andere manier weten ze je als toehoorder ín het verhaal te zetten. En daar ben je dan, met alle zintuigen die je hebt, met je ogen en je handen, je oren. Je ruikt hoe het was, je proeft de smaken van de voltooid verleden tijd. Dat was de manier waarop Elize vertelde. Haar taal was simpel, rechttoe, rechtaan. Zo moest ze ooit ook kinderen hebben meegetrokken in de verbeelding van verhalen.

'Ze vertrouwden ons,' zei ze. 'Ze wisten dat we van hen zouden houden. En dat we voor hen zouden zorgen. De periode tussen september 1947 en mei 1948 herinner ik me als een van de gelukkigste uit mijn leven.'

De rimpels in haar huid waren de getuigen van eindeloos lachen en veel te veel verdriet. Ze waren de voren van wat het leven in je legt. Sporen hadden de gebeurtenissen van toen, van eerder dan toen, en van later dan toen, achtergelaten en hij zag aan haar ogen de keren dat ze gehuild had, aan de mond het schateren. Ze was een meisje van hoepels geweest, een jonge vrouw met een wereld die weer opgebouwd moest worden, ze had liefdes gekend en verloren, een oorlog van dichtbij meegemaakt en mensen haast zien krijgen, totdat ze uiteindelijk elkaar voorbij holden in de urgentie van de nieuwe tijd. Dat alles had ze meegemaakt, en vanzelfsprekend was het vat met herinneringen veel voller dan dat waar haar verwachtingen in zaten. En nu bepaalde ze – op dit ijkpunt van haar eigen leven – wanneer ze ooit het gelukkigst was geweest. Dat dat hier was geweest, tussen kinderen die maar een kort jaar in Nederland waren, voordat ze de nieuwe burgers van een nieuwe staat zouden worden.

'Gaat het wel?' vroeg Stephan bezorgd.

'Ik ben jullie zo dankbaar. Herinneringen zijn als boeken in een kast, mijn jongen. Ze liggen daar maar en je kijkt naar de rug, je weet de titels nog. Maar hoe vaak zul je een gelezen boek van de plank halen om het opnieuw te beleven? Deze dag mag in een lijstje.'

'Wilt u weer naar huis?'

'Wat ik wil, doet niet ter zake. Wat ik wil, is dat ik weer zo jong was als toen en dat de dagen opnieuw begonnen. Wat ik kan en wat ik niet kan, is wat belangrijk is. En om je de waarheid te zeggen... Ik kán niet meer,' glimlachte ze. Het was een zware dag geweest, zelfs voor zo'n tanige bejaarde dame als Elize.

'Dank u wel voor alles,' zei Stephan.

Freek zweeg en Ankie keek naar de jongen die haar een paar dagen geleden nog gesmeekt had om een baantje. Hij was veranderd. De hopeloosheid was verdwenen, hij leek niet meer zo verloren in de chaos van zijn gebrekkige bestaan. Er lag een doel in zijn ogen. Ook Freek besefte dat ze hem aan het kwijtraken waren. Ze konden nu nog even met hem meegaan, maar dit verhaal zou hem van hen wegvoeren. Stephan was bezig met een tocht die hem volwassen ging maken en die reis moest hij alleen voltrekken.

'Nathan Mossel. Was hij hier ook, toen?' vroeg Freek.

Ze keek op.

'Nathan Mossel. Zou die nog leven?' Ze schudde haar hoofd. 'Nee, Nathan kwam hier niet. Die had hier zoveel verdrietige gevoelens liggen, zoveel wanhoop.

Stephan keek haar aan.

'Hij móet hier geweest zijn.'

'Nee. Ik heb een van de jongens bij hem gebracht.'

'Yitzhak,' zei Stephan.

'Ja, Yitzhak,' zei ze. En pas toen keek ze hem doordringend aan, alsof ze door zijn ogen heen wilde zien wat zijn motieven waren. 'Ken je hem?'

'Ik wou dat het zo was,' erkende Stephan.

'Ik heb het zo koud,' zei ze. 'Maar ik zou graag nog even kijken bij het spoor.'

Ze gingen naar het station en zochten een bankje op het perron. Daar ging Elize zitten en ze keek lang naar de rails. Ze zweeg en ze pakte een zakdoek, want haar ogen traanden een beetje.

'Da's van de kou,' zei ze. 'Je denkt: nou rijdt zo die trein uit Roemenië binnen,' zei ze en ze keek in de richting van het spoor. 'Niet bang zijn. Ik ben wel oud, maar daarboven gaat het allemaal nog goed, hoor.'

'Daar twijfel ik niet aan,' zei Stephan. 'De jongen, die u naar Nathan Mossel heeft gebracht. Die heette Yitzhak?'

'Yitzhak Dimitrescu... maar vergeef me als ik zijn achternaam niet meer helemaal goed weet. Kleine Yitzhak met zijn viool. Wat speelde hij prachtig. Ik heb Nathan gevraagd om hem les te geven.'

'Want Nathan...'

'... speelde viool,' knikte Elize.

12

'Ik heb hier geen tijd voor, Elize,' zei Nathan Mossel strak en norsig. Hij had het joch bekeken dat ze had meegenomen en dat met zijn gewonde viool in de deuropening was blijven staan. Geen woord kon dat kind verstaan van wat er in de kamer werd besproken, maar de toon was duidelijk. Mossel wilde er niets van weten.

'Waar heb je dan wel tijd voor,' zei de jonge vrouw bits. Ze keek hem aan alsof haar ogen de geweren van een vuurpeloton waren.

'Alle Joden spelen viool. Vraag me niet waarom, waarschijnlijk omdat het jankkasten zijn en wij niets liever doen dan janken. Je struikelt over de leraren... je vindt er vast wel één.'

'Ik wil dat jij het doet,' zei ze streng. Ze had er een lange treinrit van Apeldoorn naar Amsterdam voor over gehad. Onderweg had ze geprobeerd om Yitzhak te vertellen wat haar plan was. Maar het joch sprak alleen Roemeens en zelfs met haar beste Frans wist ze hem nauwelijks aan het verstand te brengen wat er te gebeuren stond. Hij had wel iets begrepen van 'viool' en van 'leraar'. Hij had ook nauwelijks tijd om iets te willen begrijpen. De trein reed door het mooie Hollandse landschap en toen die uiteindelijk Amsterdam binnenreed, zag Yitzhak een stad zoals hij die nog nooit had gezien. Al die torentjes van al die kerken, al die kleine huizen, al dat water dat hem beloofd was met de bootjes erin. Hij drukte zijn gezicht tegen de ruit en probeerde het allemaal in zich op te nemen, waarbij hij het gevoel had van alles over het hoofd te zien. Honderd keer wilde hij Amsterdam inrijden en er weer uit. En elke keer – zo wist hij nu al – zou hij meer zien dat mooi was. Hij had Praag gezien toen ze er even waren gestopt. Andere steden waren aan hem voorbijgetrokken, maar daar had hij geen aandacht voor gehad. Vanaf de allereerste seconde al was hij verslaafd aan Amsterdam. Oud was het, mooi. De groene bomen bij het water werden weerspiegeld in de grachten. De lucht was blauwer dan thuis. De mensen leken te dansen op straat. En nu stond hij in de bedompte woning van een Joodse meneer met een keppeltje op en een zware mantel om de schouders. Het leek een oude man, maar zijn haar was niet grijs. Zijn ouderdom zat in de blik en in de houding, en ook in de duisternis van dit huis, waarvan Yitzhak voelde dat het licht er al een paar jaar geleden was uitgegaan, zonder dat iemand het weer kon aandoen.

'Jij bent een chagrijn, toch?' hield Elize hem voor.

'Met dat soort jongens heb ik binnen de kortste keren problemen. Die willen nooit wat ik wil. En wat moet ik trouwens met hem spreken? Spreekt hij Jiddisch?'

'We gaan je ervoor betalen, Nathan. Twee gulden per les. En hij moet twee lessen in de week. Daarbij leer je hem Nederlands.'

'En dat allemaal voor vier gulden?'

'O, gaat het over geld?' zei Elize, plotseling nogal beledigd. Ze liep om hem heen.

'Het gaat om principes,' verdedigde Nathan Mossel zich. 'Vier gulden is een belediging. En dat is dan een belediging van mijn principes. Daarbij, ik ben aan het schrijven en dat moet af.'

'Wat schrijf je dan?'

'Van alles,' zei Nathan. Hij loog. Je hoorde aan de onzekere klank in zijn stem dat hij niet gewend was te liegen.

'Je schrijft niets.'

'Dat weet jij niet.'

Ze siste. Dat kon ze op sommige momenten. Bijna zoals slangen dat kunnen doen. Alleen siste ze niet gemeen, maar doeltreffend en rechtvaardig. Ze wist wel waarom Nathan niet schreef. Hij had de pen weer opgepakt in de jaren na de oorlog en hij hield zich in leven met stukjes over het dage-lijkse bestaan in het naoorlogse Amsterdam. In de herfst van 1945 schreef hij elke dag. In 1946 nog maar drie keer per week. En in de eerste maanden van 1947 was zijn productie langzaam maar zeker tot stilstand gekomen.

'Je zit te wachten tot Rosey terugkomt. Nou, ik kan je zeg-gen, Nathan Mossel, Rosey komt niet meer terug.'

'Dat hoef ik van jou niet te pikken!' schreeuwde de schrij-ver die niet meer schreef, omdat de werkelijkheid zijn hoofd in beslag had genomen.

In de eerste tijd na de bevrijding doopte hij zijn pen nog in de hoop van haar terugkeer. Elke maand, elke week, elke dag werd hij hopelozer. Hij zocht naar Rosey. Hij was naar het Rode Kruis geweest en had gevraagd of ze wisten wat er met haar was gebeurd. Ze kwam niet voor in de boeken. Haar naam was niet opgetekend door die meedogenloos accurate moffen die elk lijk hadden genoteerd. Alleen de hare waren ze vergeten neer te schrijven. Er werd steeds meer bekend over massagraven, grote vreselijke kuilen waar lijken in geduwd waren met draglines. Van menselijke waardigheid had de oorlog niets overgelaten. Voor zijn geliefde kon hij geen graf graven. Hij kon haar naam niet laten graveren in marmer of ander steen, hij kon haar niet eren met een geboorte- en overlijdensdatum, omdat ze nooit gestorven was volgens de boeken. Hij had met haar mee moeten gaan, zo hield hij zichzelf voor. Hij had ook in die trein moeten stappen. Dan was hij nu gestorven, maar dan wist hij ten minste waar zij dood was gegaan.

Hij was toen niet meegegaan. Omdat Rosey dat niet had gewild.

'Ik kom terug, Nathan. Over een paar weken ben ik terug. Ik wil alleen maar zien waar ze heen worden gebracht.'

Hij had aangedrongen.

'Laten we samen gaan.' Ze had haar hoofd geschud.

'Ik kan niet zonder jou,' zei hij met een stem die brak.

'Je zou me alleen maar tot last zijn,' glimlachte Rosey toen ze haar jas aandeed en haar koffertje bij het hengsel pakte. 'Je bent traag. Je kunt niet rennen, niet snel denken, je hele doen en laten is te langzaam. Dat kan ik niet gebruiken.'

Hij zei dat hij zijn best zou doen.

'Als ik nou precies doe wat jij me zegt, Rosey. En als ik aan niks anders denk, dan kan ik best sneller. Ik hoef de komende tijd ook niet te schrijven. Dat scheelt. Dan kan ik me helemaal concentreren op wat jij wilt.'

'Je bent ballast. Je bent heel lieve ballast. Ballast waarvan ik niet zou weten wat ik zou moeten, als die er niet meer was. Maar het is wat je bent. En je gaat niet mee. Ik wil het niet hebben. Niet nog een patiënt.'

'Ik ben geen patiënt,' zei hij gekwetst.

'Je weet wat ik bedoel, lieve Nathan.'

Ze gaf hem nog een kus. Als hij zijn ogen sloot, voelde hij nog haar lippen. God had nooit een zachtere mond geschapen dan die van zijn Rosey. Daar ging ze, de deur van de woning aan de Nieuwmarkt uit, en ze liep de straat op. Hij wist dat hij zich elke stap die ze nu zette voor de rest van zijn leven zou herinneren. Hij zag haar kuiten onder de rok, de kous met het streepje, het hoedje dat ze het liefst droeg, de kleine koffer met het allernoodzakelijkste in haar hand. Ze was dapper. Zo dapper waren duizenden, misschien wel tienduizenden met haar. Ze namen de oorlog als een opdracht en hielden zich vastberaden aan dat wat ze te doen hadden. Nathan voelde hoe zijn hand steun zocht bij het kozijn, het geverfde gladde hout. Hij merkte hoe zijn adem een wasemende plek achterliet op het raam. Zijn ogen waren niet droog en hij was bang. Het was de angst losgeslagen te zijn. Zij deed wat ze moest doen en hij bleef waar hij moest blijven. Het was niet goed. Hij schudde zijn hoofd. Het was niet goed, maar het was zoals zij het wilde. Welke pen zou hij nog vast moeten houden, welke theedoek zou hij nog kunnen grijpen om zijn glazen te drogen, welke dag zou er nog komen dat hij niet aan dit beeld zou denken – de vrouw en het plein, de duiven die wegvlogen omdat ze niets van oorlog wisten?

Ze liep de Geldersekade op, op weg naar het Centraal Station. Hij keek tot hij haar niet meer zag. Toen pakte ook hij een koffer. Hij was veilig geweest, zolang zijn vrouw bij Het Apeldoornsche Bosch had gewerkt. Die veiligheid was nu weg. Hij moest onderduiken.

De herinnering had niet meer dan een tel geduurd. En toch, in die flard van een seconde had Nathan het allemaal weer voor zich gezien, zoals het toen was geweest. Het was het medaillon van zijn bestaan geworden. Hij droeg de herinnering om zijn hals en kuste die elke dag opnieuw om Rosey Mossel op die manier levend te houden. Dat ze gestorven was, leek hem helder en klaar. Het was een afschuwelijke gedachte dat ze had geleden zonder dat hij voor haar had kunnen zorgen. Hij vroeg zich soms af of ze om hem geschreeuwd of geroepen had, in het uur van haar levensafscheid. Of de ellende en de marteling uiteindelijk ondraaglijk waren geworden en ze spijt had gehad van dat moment toen ze naar het station was gegaan om mee te reizen met haar patiënten.

'Dit is de realiteit, Nathan Mossel,' ging Elize van Dillen door. 'Dit is vlees en bloed. Het is jouw vlees, jouw bloed, het is jouw volk.'

Hij schudde het hoofd.

'Er is niets van mij bij.'

'Dat kind heeft de oorlog overleefd. En nou ga jij er voor zorgen dat dát ook nog zin heeft gehad.'

'Ik ben jou niets schuldig,' verweerde hij zich.

'En Rosey? Ben jij Rosey dan niks schuldig, Nathan? Wat zou zij hebben gezegd als ik hier stond? Nathan Mossel, zou ze zeggen, Nathan Mossel, ik spreek geen woord meer met je als jij deze jongen geen les geeft.'

Hij zonk in de stoel bij het raam. De stoel die daar ook al stond toen Rosey vertrok en hij onderdook. Aan het huis was niets veranderd sinds het belangrijkste afscheid uit zijn bestaan.

'Jij weet niet wat Rosey zou hebben gezegd.'

'Zij was mijn beste vriendin, Nathan. En ze was er altijd. En ze stond voor precies hetzelfde als ik, en als mijn vader, en misschien voor hetzelfde als waar jij nu voor staat.'

Plotseling stond hij op. Hij liep naar een kabinet en opende het. Hij trok een map te voorschijn en begon driftig te bladeren. Al snel had hij een velletje. Hij trok het uit de map en liep naar de jongen die angstig zijn viool vasthield.

'Wat is dit?' schreeuwde hij tegen Yitzhak. Hij duwde hem een stuk bladmuziek in het gezicht. 'Kun je dit lezen?'

Yitzhak keek ernaar. En zette de viool aan zijn hals. Liszt

was het. Hij kende het stuk niet, maar hij had geleerd om van noten te spelen. Hij liet de strijkstok over de snaren gaan. Nathan luisterde.

Het jongetje volgde de zwarte stipjes niet trouw. Hij gebruikte de compositie als een uitnodiging om te fantaseren in muziek. En zo zocht hij naar het gevoel dat Liszt bijna honderd jaar eerder had willen vastleggen op die lijntjes.

Nathan hoorde de klank en de grip op het papier dat hij vasthield werd zwakker. Muziek wrikte het verdriet los dat zich nu al vijf jaar lang had vastgezet op zijn ziel. Hij huilde niet. Het was eerder dat zijn ogen de tranen loslieten die er toch al hadden gezeten.

Elize deed een stap achteruit. Al haar argumenten verbleekten bij het spel van Yitzhak. Ze wist dat ze haar gelijk nu kreeg. Dat dit goed zou zijn voor de jongen met de viool. Dat het goed zou zijn voor die duistere man, in deze donkere kamer. Dat het goed was voor Rosey, waar ze zich ook mocht bevinden en hoe ze ook naar dit tafereel keek.

13

Het Gooi en de Nieuwmarkt, Amsterdam, winter 2012

'Meer kan ik je niet vertellen,' zei Elize op het station. Het begon licht te sneeuwen. 'Yitzhak is al die maanden trouw gegaan, twee keer in de week. Hij heeft Nederlands geleerd van Nathan. En toen Yitzhak vertrok, huilde Nathan al het verdriet van elk afscheid dat hij al die jaren had genomen. Dat huilde hij.'

'Yitzhak was als een zoon voor hem,' stelde Freek vast.

'Rosey en Nathan hebben zelf nooit kinderen gekregen,' knikte Elize.

Een rit vol beladen stilte. Elize was moe en op een bepaalde manier gelukkig. Ze keek naar de jonge mensen in de wagen en zag dat ze bezig waren een herinnering levend te houden. Met zulke kinderen in de buurt kon je gerust oud worden, want er zou niets vergeten worden. Dat was mooi, vond ze. Alsof je het leven nooit helemaal kwijt zou raken, ook al kwam het einde steeds maar dichterbij. Ze brachten Elize naar haar verzorgingshuis en buiten stond de directrice klaar om haar naar haar kamer te brengen. Er volgde een reprimande, want het was veel te laat geworden. 'Onverantwoord!' Elize zei: 'Mevrouw, u moet zich er niet zo mee bemoeien!' en glimlachte ietwat ondeugend naar de drie die haar deze mooie dag hadden bezorgd. De directrice gaf Elize een arm en samen gingen ze langzaam het huis in.

Stephan zat achter in de auto en keek naar het winterse landschap dat aan hem voorbijtrok. Voorin zwegen Ankie en Freek. Ze lieten hun vriend even in het web van overpeinzingen waarin hij zich moest bevinden. Ze konden hem verder niet helpen.

'Zullen we jou eerst even naar huis brengen?' vroeg Freek.

'Ik wil naar de Nieuwmarkt.'

Freek knikte. Zei verder niets. En reed de stad in.

Het was niet druk, die avond op het plein. Er waren wat kinderen, die in het licht van een straatlantaarn met een sleetje in de weer waren. De sneeuwval had stug aangehouden en het wit liet zich niet zomaar wegsmelten. Op het Amsterdamse wegdek was het weliswaar modder geworden, op de stoep lag een flinke laag sneeuw. En op de fietspaden niet minder. Af en toe ging er iemand onderuit, kragen werden opgestoken en mensen waren op weg naar stamppot met worst, snert met roggebrood en kaas. In het licht van een straatlantaarn stond Stephan en hij keek het tweeduister in, het laatste licht van de dag. Af en toe spatte een van die vlokjes tegen zijn oog en moest hij knipperen. Het proefde zout wanneer hij de sneeuw van zijn eigen lippen likte. Taxi's reden af en aan, omdat iedereen weg wilde uit de kou. Alleen Stephan stond daar en op zijn schouders vormden zich witte epauletten als op het uniform van een landwachter.

Wat Stephan niet wist, was dat zich achter het raam, achter een gordijn, een oude man schuilhield, die bang was dat de jongen zich in beweging zou zetten en dan naar zijn huis zou komen, om daar aan te bellen om opnieuw zijn leven binnen te dringen. Meer dan vijfenzestig jaar geleden had Nathan Mossel zo'n jong iemand toegelaten in zijn dagelijkse bestaan en dat had dramatische gevolgen gehad, omdat het een ontmoeting mét een afscheid was geweest. Hij had zich voorgenomen om nooit meer 'vaarwel' te hoeven zeggen. Maar Stephan liep naar het huis, want hij kon niet anders.

Hij hoefde niet aan te bellen, de deur was al open. Als het dan toch moest gebeuren, dan was het ook zinloos – zo vond Nathan Mossel – om er nog fysieke blokkades voor op te werpen.

Stephan duwde tegen de deur en ging het trappenhuis in, de trap op. Hij liep naar boven, kwam in de woonkamer en zag dat daar niemand was. Hij riep Nathans naam niet, maar liep naar boven, naar de kamer waar de computer stond met de scanner en al dat vlas, dat tot goud verweven moest worden. Hij zag de man daar zitten, aan het toetsenbord met de onwillige computer voor zich.

'Ik probeer al dagen dit schrift erin te krijgen. Maar dat kreng kan het niet lezen,' zei Nathan Mossel.

'Hij kan niks dat jij hem niet leert,' zei Stephan. Hij pakte een willekeurig schrift.

'Ik ben blij dat computers dom zijn. Is er tenminste nog een reden waarom er mensen bestaan.'

'Waar is het werk tussen september 1947 en mei 1948, Nathan?'

De oude schrijver keek naar de jonge student en maakte een achteloos hoofdgebaar naar een doos die er eerder niet had gestaan.

'Ik krijg telefoontjes van oude kennissen. Je bent in het Joods Historisch Museum geweest en hebt met mijn goede vriend Victor de Leeuw gepraat. Je hebt Elize van Dillen ontmoet. Ik weet niet of je de term 'ontslagen' begrijpt?'

'Ik heb mezelf weer aangenomen.'

'Ik had het kunnen weten,' zei Nathan bedachtzaam. 'Toen je binnenkwam. Ik had een domme student verwacht. Krijg ik een bijthondje waar ik niet vanaf kom.'

'Waarom heb je geen foto's van Yitzhak? Waarom heb je alleen dat schilderij? Heb je hem nooit meer opgezocht in Israël?'

'Nee,' zei Nathan. En het klonk als de dreun van een heipaal in de grond. 'Hoe kan dat nou?'

'Die jongen had al een keer afscheid genomen. Die had al wortels. Dat hoef je zo'n kind niet een tweede keer aan te doen,' maakte hij zichzelf alsnog wijs.

'Kom op, Nathan. Hij was als een zoon voor je.'

'Dat was hij niet!' schreeuwde Nathan en stond op. Furieus stond hij tegenover Stephan. Hun nieuwe ontmoeting had precies de heftigheid die hij verwachtte, maar hij was er klaar voor... en Stephan was dat ook. De messen waren geslepen. Dit was erop of eronder, de dood of de gladiolen zoals wielrenners dat noemen. 'Hij was gewoon een jongen die ik viool-les heb gegeven! En wat Nederlands! Gewoon een paar uurtjes in de week die ik toch overhad.'

'Hij hangt in je gang!'

'Hij hoeft niet te weten dat hij daar hangt. Hij hoeft niet te weten dat ik van hem gehouden heb! Laat hem met rust. Dat heb ik vijfenzestig jaar lang ook gedaan.'

Stephan hoorde de bekentenis, maar het was hem niet genoeg. Hij moest door de zure appel heen bijten. Hij kon niet wegvluchten van dit duel. Hij moest de strijd aangaan en doorzetten, wat de gevolgen ook zouden zijn.

'Dat is dan vijfenzestig jaar te lang,' beet hij Nathan Mossel toe. 'Verder geloof ik niet dat je hem met rust hebt gelaten. Je moet er een keer geweest zijn.'

'Ga toch weg! Hij zat niet op mij te wachten!'

'Maar jij wacht wel op hem!'

'Hij is mij vergeten. Een jochie van een jaar of tien. Een jaar was hij hier, nog niet eens. Op een mensenleven stelt het niks voor. Hij moet geen last van mij hebben.'

'Hoe vaak,' zei Stephan en het was een beschuldiging. Hij stak zijn vinger naar Nathan uit zoals een detective doet naar de verdachte. 'Hoe vaak, denk je, heeft hij gedacht: die Nathan heeft me ook in de steek gelaten? Hoe vaak heeft hij dat gedacht? En erger: héb je hem in de steek gelaten?'

'Het is, na Rosey, het grootste afscheid uit mijn leven!'

'Rosey komt nooit meer terug. Hij misschien wel. Hij leeft. Zou best kunnen. Heb je hem teruggezien of niet?'

'Ga weg!' schreeuwde Nathan Mossel ten einde raad. 'Ga weg. Dit is mijn verhaal. Mijn verhaal, hoor je. Jij hebt je er niet mee te bemoeien. Ik wist het wel. Het moment dat je daar stond, hier in die gang... Verregend... toen dacht ik al: die krijg ik nooit meer weg.'

'Weet je waar hij is?' vroeg Stephan dwingend.

'Nee. Ga weg! Ga weg!'

'Ik ga hem zoeken, Nathan. Ik ga hem zoeken. Ik haal hem naar Nederland. Dat is wat ik ga doen. Of je het nou leuk vindt of niet.'

'Waarom, in Godsnaam?'

'Omdat ik het wil begrijpen!'

'Maar dit is niet jouw verhaal. Je bent niet eens een Jood. Wat heb jij te zoeken in mijn leven? Dit is mijn leven, er is niets van jou bij.'

'Ik ga Yitzhak zoeken. Met of zonder je zegen.'

Nathan keek hem aan. Een ondragelijke stilte lang.

'Mijn zegen?' zei hij uiteindelijk. 'Mijn zegen heb je.'

Stephan knikte. Hij draaide zich om en vertrok. Zonder enig voornemen was hij de woning binnengegaan. Met een taak, met een gedachte, met een opdracht vertrok hij. Er werd geen gedag gezegd, geen afspraak gemaakt voor een volgende ontmoeting.

Het sneeuwde hevig die avond. En het bleef allemaal liggen.

14

Amsterdam, winter 2012

Hij ging niet naar huis, maar naar het computerlokaal. Mail
checken. Kon ook op de smartphone, maar hij zat hier graag.
Vieze koffie, slechte stoel, smerige monitor. De computer had
een bericht voor hem. Stephan keek er niet van op.

'*What about Nathan Mossel?*'

Het bericht kwam van ene Moro. Gmail-adres...

'*What about Yitzhak Dimitraiu?*'

Stephan drukte op verzenden. Hij wachtte. Toen verscheen er
een plaatje van een gebouw in de Russische wijk van Jeruzalem. Adres 11 Monbaz Street, Jeruzalem 95150, Israël. Verder
kwam er niets. Het was genoeg voor vandaag.

15

Met haar gebroken nagel probeerde ze het hamertje van het papier te trekken, maar er moest een schroevendraaier aan te pas komen om de typemachine weer aan de praat te krijgen. Dorit Rozen vloekte nooit, maar vandaag was een uitzondering.

Over haar schouder keek Ze'ev Sharef mee. Hij had een klein flesje machineolie in zijn hand. Het deed wonderen bij naaimachines, maar volgens Dorit was het dodelijk voor haar werk: maanden later had je nog steeds vetvlekken op het papier. Vooral vandaag zou het een ramp betekenen. Op vet papier hield inkt niet. Het zou elke letter volstrekt onleesbaar maken.

Naast haar op het tafeltje in de hotelkamer lagen de slordige handgeschreven aantekeningen, met chaotisch pijlen over wat precies waar moest komen. Niemand kon hier chocola van maken behalve Dorit Rozen, de koningin onder de secretaresses van Tel Aviv. In de zweterige hotelkamer stonden verder alleen maar mannen in witte overhemden en zwarte broeken, met sigaretten in hun mondhoeken, zodat er een voortdurende blauwe walm in de ruimtes hing. Ze moest nog een halve pagina en probeerde niet nerveus te worden van alle blikken die op haar waren gericht. Geen fouten, nu. Dat zou betekenen dat het hele vel opnieuw getypt moest worden.

Ze sloeg op de toetsen; het klonk als een mitrailleur, afgeschoten in een kale betonnen kamer. Het geluid van de hamers ketste meedogenloos tegen de muren. Koppijn kreeg ze ervan, maar het moest af. En af en toe vernielde ze een nagel omdat het kreng weer vast sloeg. De verlossing kwam, toen ze met haar hand de bovenkant van het papier greep, de klem lostrok en haar werk uit de machine trok. Ze deed het laatste vel in een map, trok de elastiekjes eromheen en duwde het in de handen van Ze'ev. Zwijgend draaide hij zich om en begon te rennen.

Buiten was er geen taxi meer te krijgen. Ze'ev zwaaide naar alle auto's die hij in het zicht kreeg, maar niemand scheen hem mee te willen nemen. Er stopte een taxi bij het stoplicht. Ze'ev trok de deur open en ging op de achterbank zitten.

'Geen klanten! Uitstappen,' sneerde de taxichauffeur.

'Rijden, man!' schreeuwde Ze'ev.

'Ik moet naar huis. Ik wil naar de onafhankelijkheidsverklaring op de radio luisteren.'

'Als jij nu niet gaat rijden, krijg je die Verklaring nooit te horen.'

'Gaan we dreigen?' De chauffeur draaide zich om, nogal agressief. Als die gast niet wilde luisteren, dan wilde hij wellicht voelen. Ze'ev hield de map omhoog en de taxichauffeur had een seconde nodig om van de schok te bekomen. Wat zijn klant in zijn handen had, was toch niet... Nog voordat hij zijn blik weer op de weg had, gaf hij gas. Hij vloog een trottoir over en bezorgde een paar ouwetjes de schrik van hun leven.

Het Museum van Tel Aviv was niet echt een indrukwekkend gebouw. Het leek op drie witte dominostenen die heel lelijk naast elkaar waren gezet. Het was het huis van Meir Dizengoff geweest die het begin jaren dertig – na de dood van zijn vrouw Zina – aan de stad had geschonken, zodat er een museum in gevestigd kon worden. Het bevatte weinig ramen, smalle stroken glas die nauwelijks licht doorlieten, maar was wel mooi gelegen aan de historische Rothschild Boulevard in de stad. In het gebouwtje waren op dat moment tweehonderdvijftig mensen verzameld. Meer kon het zaaltje, waar David Ben-Gurion de wereld zou laten weten dat Israël met onmiddellijke ingang een onafhankelijke staat zou zijn, niet herbergen. Er was een tafel neergezet, waarachter de dertien mannen van het eerste kabinet zouden zitten. Achter hen hing een enorm portret van Theodor Herzl, grondlegger van het zionisme, die ooit de Britse Minister van Koloniën ertoe had weten te bewegen Oeganda ter beschikking te stellen aan het oude volk. Zoals ook Mozes niet terugkeerde naar zijn land, maakte ook Herzl niet meer mee dat zijn Zionistisch Congres uiteindelijk in 1905 besloot om officieus Palestina te kiezen als de plek voor hun land. Hij stierf een jaar eerder – 44 jaar jong – aan een hartaanval. Alleen vanaf de muur kon hij nog toekijken hoe een droom bewaarheid zou gaan worden.

Het orkest was niet verschenen. Dat was een bittere teleurstelling voor David Ben-Gurion. Bij de stichting van een staat zou je toch op zijn minst het volkslied ten gehore moeten kunnen brengen. Wel stonden er microfoons klaar om heel Palestina, samen met de rest van de wereld, mee te laten genieten van zowel dit heugelijke feit als dit historische moment.

'Dan zíngen we het Hatikvah gewoon!' zei hij tegen een medewerker. Het zou niet de laatste tegenslag zijn die de jonge natie te verstouwen zou krijgen, maar er was slechts één manier om ermee om te gaan: doorgaan, niet omkijken, verder trekken en vooruit denken.

Ben-Gurion stond op. 'Dan zal ik nu de Rol van Onafhankelijkheid voorlezen.' En in zijn hand lagen de papieren die vanochtend nog door Dorit Rozen waren getypt en daarna in allerijl door Ze'ev Sharef naar het museum waren gebracht.

De wereld had er een natie bij. Overal werd in ontelbare Joodse huishoudens feestgevierd, ook al wisten velen dat ze nooit in het nieuwe Israël zouden gaan wonen.

16

Amsterdam en Apeldoorn, 14 mei 1948

Nathan Mossel luisterde op dat moment in 1948 ook naar de radio. Hij zat bij het raam in de stoel tegenover de fauteuil waarin Rosey zo graag zat. Hij hoorde hoe de nieuwslezer het hem vertelde. Er maakte zich een opwinding van hem meester. Hij voelde hoe zijn wang vochtig werd van een onwillekeurige traan, die uit zijn ooghoek rolde. Warme vreugde die aan het verdriet grensde.

Hier volgt een speciaal bericht van de Radionieuwsdienst van het Algemeen Nederlands Persbureau. Het is nu 14 mei 1948. In het museum van Tel Aviv is zojuist de staat Israël uitgeroepen. In een redevoering die slechts een kwartier duurde, las David Ben-Gurion de verklaring van onafhankelijkheid voor.

Vijfhonderd kinderen, samengebracht in de grote ruimte van Het Apeldoornsche Bosch, luisterden naar hetzelfde bericht zoals het uit de grote luidsprekers kwam, die aangebracht waren boven de ramen aan de zuidkant.

'Met vertrouwen in de Rots van Israël ondertekenen wij deze verklaring, bij sessie van de voorlopige regering, op de aarde van het thuisland in de stad Tel Aviv, op de vooravond van de sabbat, de vijfde van Iyar 5708, de veertiende mei 1948.' Aldus David Ben-Gurion, de tweeënzestigjarige socialist en voorlopige premier van de jonge staat. Aansluitend werd het volkslied HaTikvah gezongen.

Een van de kinderen stond op. En met heldere stem zong het:

Zolang als in het hart, daarbinnen,
de Joodse ziel nog steeds verlangt
en verder, naar de uiteinden van het Oosten
een oog nog steeds kijkt naar Sion...

Onze hoop is niet verloren,
de hoop van tweeduizend jaar,
om een vrij volk in ons land,
het land van Sion en Jeruzalem.

De jonge Elize van Dillen zag hoe ze zong. En hoe de andere kinderen meezongen, de een na de ander, tot zich een natuurlijk koor vormde, vol hoop, geluk en verlangen. Ze keek naar de jonge Yitzhak die uit volle borst meezong.

'Ik wil naar Nathan toe,' sprak hij in goed verstaanbaar Nederlands.

Ze knikte. Hij pakte een fiets, reed zo hard als hij kon naar het station van Apeldoorn, kon van ongeduld bijna niet wachten tot de volgende trein er was, en rende uiteindelijk van het Centraal Station naar de Nieuwmarkt in de Amsterdamse lente. Daar rende hij de trappen op en vond Nathan er in tranen.

'Je gaat naar huis, jongen. Je gaat naar huis.'

Er was een jaar voorbijgegaan. Eigenlijk nog minder dan een jaar. Tijd, vervlogen als ether in een schaaltje. Aanvankelijk was het voor een paar uur in de week dat Yitzhak naar Amsterdam kwam en dan les kreeg in het verbeteren van zijn spel. Hij leerde woorden van Nathan, en de manier om van die woorden zinnen te maken. Sneller dan zijn leermeester had verwacht, kon Yitzhak zich in die ingewikkelde nieuwe taal uitdrukken. De uren werden lange dagen en vaak bleef het nieuwe kind in het huis van Nathan, om te leren over alles wat men in Giurgiu niet kende. Hij zag de schilderijen van Rembrandt en hoorde over de Gouden Eeuw in wat Yitzhak al vanaf het eerste moment de mooiste stad van de wereld had gevonden. Hij wandelde met Nathan langs de grachten en hoorde over elk huis weer een ander verhaal. Ze aten gemberbolussen bij Theeboom. In eerste instantie vond Yitzhak het maar smerige zoetigheid, totdat hij doorkreeg dat je, als deelgenoot van het Joodse volk, gemberbolussen moest koesteren als een cultureel erfgoed van de allerhoogste orde.

Zo leerde hij de geschiedenis kennen van het oude volk in Amsterdam. Hoe het was gestrand op de vlucht voor het antisemitisme, zoals dat heerste in het Zuiden van Europa, Portugal en Antwerpen, maar ook in het Oosten. Hij hoorde van de deportaties, hoe hele gezinnen werden verzameld in de Hollandsche Schouwburg die zich op maar een paar minuten loopafstand van Nathans huis bevond.

De schrijver begon de ontmoetingen te koesteren, omdat hij niet alleen zijn eigen leven en persoonlijke historie, maar ook het bestaan van de identiteit waartoe hij behoorde opnieuw als zand door zijn vingers kon laten glijden. Ze luisterden naar de muziek van violen, naar het opzwepende geluid van de klezmer zoals deze nog steeds te horen was in bepaalde theaterhuizen in de binnenstad. Yitzhak begon ook het Amsterdamse Jiddisch te herkennen, met zijn woorden als mazzel en broge, sjoege en penoze, togus en gok. Hoewel er veel verdriet lag over de schamele restanten van het Joodse volk in Amsterdam, merkte hij ook dat het plezier – de gein – niet was uitgeroeid door de Mof. Er werd nog altijd gelachen. De witz, zo legde Nathan hem uit, was niet alleen een mop. Zij bevatte bovenal altijd een wijsheid.

'Er bidt een Joodse man en hij zegt: 'Mijn zoon gaat zich bekeren tot het christendom. Wat moet ik doen?' Waarop Hij antwoordt: 'Jouw zoon bekeert zich tot het christendom? Wat denk je dat Mijn Zoon gedaan heeft?' De man zegt: 'Maar goed... maar goed... wat staat mij te doen?' God haalt zijn schouders op en zegt: 'Hetzelfde als ik. Schrijf een Nieuw Testament!"

Yitzhak sloeg het allemaal op. Hij wilde alles onthouden wat Nathan hem vertelde en wat de man hem liet zien. Hij ging met hem mee naar de Joodse begraafplaats bij Diemen en keek naar de graven van mensen die de oorlog niet eens gehaald hadden. De lessen werden intensiever. Hij begreep dat de oorlog maar een speldenprik was geweest in zijn Giurgiu en hoe die als een storm van vernieling had rondgewaard in de rest van Europa. Hij zag in wat het getal 'zes miljoen' inhield, hoewel hij wist dat hij nooit zou kunnen beseffen hoe groot de massamoord in feite was geweest. Ze raakten gesteld op elkaar, als een nieuwe vader en een nieuwe zoon. Yitzhak schreef niet naar huis, hoewel hij dagelijks verlangde naar iets, een kort bericht of een ander teken van leven uit zijn geboortedorp. Het was hem voorgehouden dat het beter was om maar geen contact meer te hebben. Nathan wist niet of het een wijze aanpak was. Helaas was het nu eenmaal per decreet bepaald door de acht samenwerkende zionistische organisaties. De vijfhonderd kinderen die uit Roemenië waren weggegaan, zouden er nooit meer terugkeren. Ze zouden nooit meer contact hebben met hun ouders en familieleden.

Ze vormden de nieuwe burgers van wat de Joodse staat in de nabije toekomst moest worden.

En zo gebeurde het dat Nathan een tweede keer afscheid-nam van iemand die hem dierbaar was. Misschien deed dat van Yitzhak hem iets minder zeer, omdat deze leefde in een land van hoop. (Hoewel, op kwade dagen bedacht Nathan later dat Israël ook een land van vrees was en dat 'zijn jongen' wellicht allang het slachtoffer was geworden van de wreed-heid in dat gebied.) Afscheid was een open wond. De schrij-ver zou nooit meer wat horen van zijn Rosey, die ergens in de aarde van het fascistische Europa begraven lag, zonder dat ie-mand ooit 'kaddisj' voor haar had kunnen zeggen, nadat ze was gestorven. Hij miste haar enorm. En hoewel hij twijfelde aan een hemel en het terugzien van dierbaren – hij kon zich er domweg geen voorstelling van maken – hield hij zich vast aan de illusie dat ze ooit in de dood toch weer herenigd zou-den worden, ongeacht hoe lang dat nog op zich zou laten wachten.

Hij nam Yitzhak mee naar het stadion De Meer. De jongen schreeuwde zijn longen uit zijn lijf om er de spits Rinus Mi-chels aan te moedigen voor nog een doelpuntje tegen het Haagse ADO. Uiteindelijk werd er met 3-0 gewonnen en kreeg Yitzhak na afloop 'warme appelie', een appel met een suikerlaagje, uit de oven. Ze huurden een bootje en voeren door alle grachten van de stad, tot het bijna te donker was om terug te gaan.

Nathan genoot met volle teugen. De jongen wist Nathans verdriet weg te schuren en ook het laatste beetje chagrijn te polijsten, totdat het leven weer een beetje begon te glimmen. Yitzhak zelf leefde ook op, al kwam de herinnering aan die Duitser wiens botten tot moes werden gereden door een Rus-sische tank, af en toe nog naar boven. Vaak in het holst van de nacht. Op die momenten drukte een vreemde kracht op zijn borst en schreeuwde hij het zo hard uit, dat de buren er de volgende dag naar vroegen.

'Stil maar,' zei Nathan in de nacht tegen het schreeuwende jongetje en zat dan urenlang bij hem aan het bed. Hij trok de jongen dicht tegen zich aan en hield hem daar, totdat het snikken verdween. Slechts één keer vertelde Yitzhak over wat hij had meegemaakt. En hoewel Nathan er eigenlijk niet naar kon luisteren – de verschrikkingen van de Tweede Wereldoorlog kreeg hij maar niet opgeborgen in de krochten van zijn ziel – onderbrak de schrijver hem niet. Hij probeerde zich geen voorstelling te maken van het gruwelbeeld dat het jongetje (zo jong nog, zo onbedorven) had moeten gadeslaan bij de strijd tussen soldaten van het ene volk tegen vijanden van het andere. Hij raakte het kleine kogelgat op de vioolkast aan, alsof het een oorkonde van het verdriet was. Hij was trots dat Yitzhak zich staande had gehouden te midden van dat vreselijke geweld en dat het niets had vernietigd van de hoop en het plezier dat bij jonge mensen hoorde, wanneer ze de wereld nog aan het verkennen waren.

Elke dag ging voorbij vol geluk en het verlangen naar nog meer geluk. Als ze niet samen waren, misten ze elkaar. Als ze samen waren, keken ze op tegen het moment dat ze afscheid moesten nemen. Ze gaven elkaar leven in het jaar dat Yitzhak in Nederland was. Dit moest nooit meer voorbij gaan. Deze vriendschap mocht nooit eindigen. Maar op een dag, op een mooie dag in mei 1948, kwam het einde in zicht.

17

Amsterdam, winter 2012

De gewonde viool lag op zijn schoot. Soms deed hij dat. Dan pakte hij het instrument met het kogelgaatje en legde er gewoon zijn handen op. Hij voelde aan de strijkstok en streelde de paardenharen. Hij speelde niet. Eigenlijk nooit meer. Was ook niet nodig. Hij kon de muziek horen als hij zijn ogen sloot. Het leek wel alsof die snaren en die hals, die kast hem de herinneringen aan dat prachtige jaar levendig terug bezorgden. Hij koesterde het instrument als een juweel uit zijn persoonlijke geschiedenis. Spelen, nee, al was hij ervan overtuigd dat de klank nog altijd voortreffelijk zou zijn. Zo zitten, in deze stoel bij het raam, de viool op schoot, de handen op de viool... dan dacht hij aan al die dagen die hij met de jonge Yitzhak had doorgebracht. De beelden waren levendig. Ze hadden niet de verbleekte kleuren of het grauwe zwart-wit van fotoalbumplaatjes. Wat er op het netvlies van zijn verbeelding brandde, was alsof het gisteren was. Daarnet. Het was nieuw, fris en vol levenslust. Het jaar met Yitzhak was de batterij van zijn levensmoed. Hij zou niet weten wat zijn hart anders nog deed kloppen. Dat en de hoop dat de liefde van zijn leven, de vrouw die een gat in zijn hart had achtergelaten nadat ze was vertrokken, dat het allermooiste schepsel ooit nog vanaf het station zou terugkeren, vanaf de Gelderse Kade zou zwaaien en schreeuwen: 'Nathan, ik ben weer thuis! Ik ben weer thuis!'

De bel van de voordeur ging. Hij stond op, keek door het raam en zag wie het was. Hij schoof het raam een stukje open, zei dat hij zou opendoen en borg toen de viool op in de kist en legde deze, samen met de strijkstok, op de grote kast aan de muur, op een plek waar niemand hem zou zien en niemand hem zou wegnemen.

Het was zijn uitgever die kwam kijken hoe het ging. Dat deed hij met enige regelmaat. Niet bij alle auteurs in zijn fonds. Maar Nathan was oud genoeg om wat extra persoonlijke aandacht te ontvangen. Henry du Chatinier vond het overigens nooit een straf om bij Nathan Mossel langs te gaan. De koffie was niet buitengewoon en zelden had de schrijver 'er wat bij'. Dat werd echter ruimschoots vergoed door de hoeveelheid verhalen die hij over zich uitgestort kreeg in de paar uur dat hij er mocht zitten. Natuurlijk, Henry kende zijn plek. Nam nooit plaats in de fauteuil bij het raam. Die was bestemd voor Rosey, mocht ze ooit nog terugkomen. Hij trok er een eetkamerstoel bij, zat naast Nathan en keek dan uit over het plein waar kinderen een sneeuwpop bij elkaar probeerden te rollen.

'Een minuut geleden zat ik nog in een droom, Henry.'

'Opgeschreven?'

'Ik schrijf niet meer. Dat weet je. Ik droom nu alleen nog maar voor de lol. Niet meer als een bladvulling.'

'Ik kwam kijken hoe het werk vlot. Bevalt de computer? State of the art!'

'Je kwam niet kijken of we aan het werk waren,' glimlachte

Nathan. 'Je kwam dankbaarheid oogsten. Ik moet nog een keer zeggen: wat een mooie computer, meneer de uitgever.'

'Ik hoor het al. Het gaat goed met je,' kaatste Henry terug. 'Bezig met je tweede jeugd, Nathan?'

'Wie weet ga ik nogmaals debuteren. Doe ik een novelle. Die heb je zo klaar.'

'Af,' zei Henry. 'Het is: die heb je zo af!'

'Vol,' zei Nathan en stond op. Hij liep een stukje door de kamer, meer om de bloedsomloop op gang te houden. 'Je begint met een leeg boek en dat maak je vol. Een mens kan een droom hebben. Jij wil er meteen een bladzijde van hebben. Jij bent eigenlijk een vraatzuchtig mens, met honger naar papier. Wist je dat?'

'Ga door. Ik luister,' zei Henry die een stootje kon hebben.

'Wil je de computer zien?'

'Moet dat?'

'Waarom niet?'

Nathan ging hem voor naar boven. Hij opende de deur alsof hij Henry toeliet tot het Heilige der Heiligen. Er stond inderdaad een prachtige computer en allerlei randapparaten. Alleen verwonderde het Henry dat alles uit stond.

'Ik dacht dat ik je er een werkstudent bij had gegeven.'

'Die heeft zichzelf geautomatiseerd.'

'Ik betaal geen tientje per uur voor zijn afwezigheid.'

'Hij is niet afwezig. Je ziet hem niet, maar hij doet zijn werk.'

En daar moest Henry het dan maar mee doen. Hij kwam niet voor de apparaten, hij kwam zelfs niet om een werkstudent bezig te zien. Diep in hem was er een andere hoop...

'Ik vroeg me af, Nathan...'

'Niet doen,' waarschuwde de schrijver.

'Stel dat dit goed gaat. Met die student. En dat je op die manier toch vrij eenvoudig een manuscript in de computer kunt krijgen.'

'Daar gaat het niet om.'

'Wat ik wil, is alle belemmeringen weghalen om toch te kijken of...'

'... ik een boek zou gaan schrijven.'

'Dat zou fantastisch zijn.'

'Zullen we ons allebei die teleurstelling besparen?'

'Er moet nog één verhaal verteld worden, Nathan.'

'Maar dat vertel ik niet.'

'Er is één verhaal...'

'Nee, Henry. En nu ophouden, of ik schop je mijn huis uit. Er komt geen boek over het verdriet. Dat kan ik niet schrijven. Ik wil het niet schrijven. Het kan er niet zijn, want dan moet die hele vervloekte oorlog nog een keer plaatsvinden. En voor de echte oorlog kon ik allebei mijn ogen dichthouden. Ik dook onder, las boeken en deed net alsof de Moffen niet bestonden. Maar als ik erover moet schrijven, kan dat alleen maar met mijn volle verstand, met mijn ogen open en in het besef van elke vorm van pijn, verdriet, woede, ellende, haat en alle andere verschrikkelijke gevoelens die ik verdring. Er komt geen oorlog meer, Henry, althans niet meer de mijne. Ik heb hem uit mijn systeem gebannen. We voeren mijn oudere werk nog automatisch in en daarna ga ik dood. God mag weten wat er dan komt. Voor mijn part is er niets meer na de dood. Ook nog eens een eeuwigheid de allerliefste missen die ik heb gekend, kan ik niet verdragen.'

Henry keek naar de man die de woorden bijna had uitgebraakt. In een golf waren ze uit zijn mond gekomen, alsof zijn maag de tekst letterlijk naar boven had gestuwd. Nathan keek hem aan, trillende onderlip, bevende hand, woede en verdriet samengebald in een oude man die alles niet meer wilde voelen. Niet nogmaals wilde beleven dat zij er niet meer was. Zijn Rosey. Om over Yitzhak maar te zwijgen. Vrouw verloren, kind kwijtgeraakt, doel in het leven uit het zicht. Welke God laat je dan toch nog zo oud worden? Nathan vroeg zich dat dagelijks af. Het voelde als een meedogenloze straf.

'Ik ga,' zei Henry zacht en legde een liefdevolle hand op de schouder van zijn auteur. 'Of je het nu wel opschrijft of niet, het maakt niet uit. Ik weet in ieder geval dat het verhaal bestaat. Geen probleem als het er niet meer van zou komen. Lukt het toch, dan vier ik feest.'

'Waarom?'

'Uit egoïstische motieven.' Hij keek de schrijver met een glimlach aan. 'En omdat ik vind dat niets vergeten mag worden.'

Ondertussen was Nathan naar de computertafel gewankeld. Hij hoorde de stem van Henry wel, maar hij luisterde niet meer naar diens woorden. Hij zag naast het toetsenbord een briefje liggen. Adres van de Faculteit Wiskunde. De naam van een hoogleraar, Gusta Marthés. Hij pakte het op.

18

Noordoostpolder, winter 2012

Stephan wist niet eens waarom hij deze reis ondernam. Alles wees op voorhand al op onbegonnen werk. Bovendien was het een martelgang met de verbindingen in het openbaar vervoer. Met de trein kon je niet in het dorp komen. Dan moest je een bus nemen, nog één en als klap op de vuurpijl nog een heel eind lopen. Ook wist hij niet goed wat hij precies moest of wilde zeggen. Spijt had hij niet. Een leven als boer had hij niet aangekund. Hoe weids het landschap hier ook was, je begroef jezelf hier in één grote deken van eenzaamheid.

De busrit, de laatste die hij moest ondernemen om thuis te komen, duurde lang. De sneeuw zorgde voor eindeloos oponthoud. Wel stelde het hem in staat om langer na te denken over wat hij moest zeggen, wanneer hij zo meteen weer tegenover zijn vader stond. Maar hij kwam er niet uit. Hij had geen idee.

De laatste dagen hadden wel een bombardement geleken. Hij voelde zich een vluchteling tussen de granaatscherven. Hij was bang. Een diep gewortelde angst had hem in de greep.

Het was niet zozeer concrete angst voor het een of het ander. Het was die volkomen stuurloosheid. Die onwetendheid waar de wind je zou brengen, als de wind daar al enig idee over zou hebben. Hij voelde zich verloren. Hij had geen enkel idee van wat hij zelf wilde en wat goed zou zijn voor de wereld waarin hij leefde – als het al een functie zou hebben in het grote ondoorzichtige geheel van het bestaan. Was ieder mens niet als een zandkorrel op het strand, zo nutteloos en zo nietig? Deed hij er wel toe, evenals Nathan, Yitzhak, Elize, Ankie, Freek en al die andere narren?

Met deze drift in zijn hele lijf – het zat niet alleen tussen zijn oren – kon hij niets anders dan de confrontatie aangaan.

'Dag,' zei hij.

Zijn vader stond bij de tractor met een sleutel in zijn hand omdat het ouwe kreng het weer eens niet deed. Vader keek om. En vader ging weer verder met zijn werk. Er kwam geen woord over zijn lippen.

Het laatste wat de man ooit tegen hem had gezegd, was: 'Je gaat niet.' Daarop had Stephan gezegd: 'Ik ga wél.' Geen stuiver had hij van de man voor zijn studie of levensonderhoud gekregen. Hoewel een decaan aan de universiteit had gezegd dat zijn vader het wettelijk verplicht was, had Stephan het niet willen afdwingen. Juridisch stond hij in zijn gelijk. De vakbond had hem wel willen helpen. Tot zijn verbazing had er ook nog zoiets als een studentenvakbond bestaan. Maar nee, hij had het niet gewild.

Stephan bleef staan. Ik kan net zo goed een uur of twee blijven, bedacht hij, om me ervan te vergewissen dat het inderdaad een gelopen koers is. Dat mijn vader en ik nooit met elkaar zullen praten.

Het geluid van metaal tegen metaal weerklonk. Vijf minuten lang keek Stephan zwijgend toe hoe zijn vader het landbouwvoertuig aan de praat probeerde te krijgen. En dat terwijl de man niet eens wist hoe hij zelf moest spreken om echt iets te kunnen zeggen. Stephan vroeg zich af of er na die laatste woorden ooit nog wel een zin over de lippen van de oude man was gekomen. Hij had toch af en toe een boodschap moeten doen. Varkens leverden geen melk, geen brood, geen kaas en geen eieren.

Na enige tijd besloot Stephan de koe toch bij de horens te vatten.

'Ik wil geld van je lenen, pa. Ik ga namelijk naar Israël om een kind te zoeken. Dat wil zeggen, het is inmiddels een volwassen man.'

Er kwam geen beweging in zijn vader. Niets verraadde ook maar enige reactie. Het leek wel een doveman, daar bij die tractor.

'Ik zal je het hele verhaal vertellen,' vervolgde Stephan. 'En als je daarna niks tegen me zegt, weet ik dat je me niet gaat helpen, papa. Dat is dan ook goed. Ik neem het je niet kwalijk. Alleen zou ik het vreselijk vinden als ik het niet had geprobeerd. Daarom is wat ik zeggen ga belangrijk. Misschien niet voor jou, maar wel voor mij.'

Na zijn ervaringen met Nathan en het jonge leven van Yitzhak te hebben toegelicht, slikte Stephan. Hij hoorde opnieuw de sleutel tegen een gedeelte van de motor tikken. Hij zag hoe zijn vader een klep losdraaide en deze naast de tractor legde. Het ging allemaal met een bloedeloze zorgvuldigheid, onderdeel na onderdeel. Uiteindelijk zou die machine vast wel weer werken.

Het deed Stephan pijn om te praten tegen iemand die niet antwoordde. Ten slotte ondernam hij nog één poging.

'Papa, ik móet die man zoeken. Ik denk niet dat ik het mezelf ooit vergeef als ik die twee niet weer samenbreng. Het is misschien zelfs het enige betekenisvolle wat ik ooit in dit leven zal doen. Maar doen zál ik het. Ik heb alleen geen geld om naar Israël te gaan. En ik moet opschieten, want Nathan Mossel is oud. Misschien leeft hij morgen al niet meer, Je hoeft me het geld niet te geven. Ik betaal alles tegen de geldende rente terug. En je weet dat ik me altijd aan mijn woord hou.'

Zelfs nu Stephan bijna smeekte, kwam er geen enkele reactie.

Hij had gehoopt alles met de rede te kunnen doen, met het verstand. Alsof het een rekensom was met een uitkomst. Hij had zich voorgenomen om met argumenten te komen, een betoog te houden en uit te leggen wat er allemaal in zijn leven speelde. Waarom hij moest doen wat hij van plan was. Maar de emoties namen het over.

Stephan voelde zijn ogen branden. Hij begon te huilen. Hij voelde hoe zijn adem stokte. Hoe het bloed in zijn aderen kolkte. Het verdriet doortrok zijn hele wezen. Alles wat jaren had zitten broeien en gisten, zocht nu wanhopig naar een uitweg. Hij wilde weglopen, maar deed het niet. Hij wilde zich op de grond laten vallen, maar bleef staan. Hij wilde iets kapot schoppen, maar liet alles heel. Het enige wat hij niet kon tegenhouden, waren zijn tranen.

'Ik ben niet schuldig aan de dood van mama!' gooide hij er snikkend uit. 'Ik ben niet schuldig aan jouw verdriet. Ik had het volste recht om hier weg te gaan en mijn eigen leven op te bouwen. Ik heb je om hulp gevraagd. Alles wat ik ben of heb, heb ik zelf bewerkstelligd. Ik leef en het gaat me goed, tot op zekere hoogte. Ik kan mezelf recht in de ogen kijken en voel me nergens schuldig over. Ik kom dus ook geen excuses aanbieden, als je dat soms had verwacht. Ik kan niet zeggen dat ook maar iets van de afgelopen jaren me spijt, omdat ik er niet de oorzaak van was. Het enige wat ik verschrikkelijk vind, is dat mama niet meer leeft. En dat vind ik misschien nog wel erger voor jou dan voor mezelf.'

Geen reactie. Geen enkele. Het enige was de aanblik van een doorwerkende rug. Op dat moment besefte Stephan dat het inderdaad zinloos was. Zonder gedag te zeggen, draaide hij zich om en verwijderde zich van zijn ouderlijk huis.

Het was een bus, nog een bus en uiteindelijk een trein die hem ten slotte terugbracht naar Amsterdam.

19

Amsterdam, winter 2012

Hij wist niet goed waar de faculteit Wiskunde zich nu precies bevond. De Universiteit van Amsterdam was over de stad verspreid zoals Joden over de aardbol. Hier een gebouwtje, daar een zaaltje. Er was geen kaart van te maken. Uiteindelijk ontdekte hij dat de collegezalen en een deel van de kantoren waren gevestigd in een mooi oud gebouw in de buurt van het Haarlemmermeerstation. Hij moest door de Rosse Buurt heenlopen om op lijn 16 te stappen, wilde hij er komen. Een hele onderneming, vond Nathan Mossel, maar een noodzakelijke. Want hij wilde iets weten. Iets over Stephan. Iets wat de knaap hem nooit zou vertellen.

Nathan stapte uit bij de halte na de Emmastraat zodat hij nog een stukje over De Lairessestraat kon lopen. Wandelen deed hij niet veel meer. Hij kwam vaak niet verder dan het Waterlooplein of de Hortus Botanicus bij het Wertheimpark, waar zich ook het Auschwitz-monument van Jan Wolkers bevond. Boodschappen haalde hij op de Nieuwmarkt waar zich alle winkels bevonden die een mens nodig had, van slager tot groenteboer, van bank tot slijterij. Je kon in de zomer prima koffie krijgen op een stuk of tien terrassen. En had hij geen zin om te koken, dan bracht men de meest exotische gerechten bij hem thuis, heet van de keukens op het plein. Soms ging hij naar Café Bern waar ze de beste kaasfondue serveerden en waar niemand opkeek als je daar in je eentje aan een tafeltje ging zitten. Hij was weliswaar op leeftijd, maar niet zo oud dat zijn verlangens waren verschrompeld. En hij was niet rijk, maar had genoeg geld om comfortabel van te kunnen leven.

De Lairessestraat was ooit het pronkjuweel van de stad geweest. Die tijd was nu voorbij. Zo gaat dat met trends. Ze trekken over het land als het weer. Nu eens schijnt de zon hier, dan breekt zij daar weer door.

Hij duwde een deur open van het statige universiteitsgebouw en hoorde hoe deze met een zware echo achter hem dichtviel. Een portier zat achterover in een stoel en was met iets bezig waarvan Nathan vermoedde dat het weinig met werken van doen had. Het maakte in ieder geval speelse computergeluiden en vergde blijkbaar opperste concentratie.

'Goeiendag. Ik wil graag even praten met Gusta Marthés.'

'Naam.'

'Nathan Mossel.'

'Daar opschrijven. Tijd van aankomst. Tijd van vertrek.'

'Tijd van vertrek weet ik nog niet. Misschien blijf ik hier wel,' probeerde Nathan de boel op te fleuren.

'Geschatte tijd van vertrek, dan,' zei de jongen zonder opkijken. Blijkbaar was het nu echt even crisis op diens spelcomputer.

Nathan schreef een paar dingen op.

'Wachten. U wordt geroepen.'

Nathan wachtte. Op een bankje. Hij zag jongelui voorbij lopen, pand in, pand uit. Ze waren vrolijk en levenslustig. Ze hielden boeken in hun armen en ze waren mooi, omdat ze nog zo jong waren. Hij vond het eigenlijk een fijn gezicht, al die bewegelijke jeugd.

Het wachten duurde een half uur. Hij moest de portier tot twee keer toe uit zijn concentratie halen om te informeren of hij wellicht niet vergeten was. 'Ik zal zo voor u bellen,' zei de man dan, zonder de daad bij het woord te voegen.

Pas nadat Nathan met zijn stok een keer hard op de balie sloeg, pakte de jongen de telefoon.

Gusta Marthés had het druk. Maar hoewel ze niet wist wie Nathan Mossel was, liet ze hem toch boven komen. Het moest dan maar tussen twee vergaderingen door.

Hij schudde haar de hand en keek naar de mooie blauwe ogen die ze had.

'Stephan is het onderwerp van ons gesprek,' kondigde hij aan. Ze vroeg niet 'Stephan wie?' dus ze moest weten over wie hij het had.

'Wat wilt u van hem?'

'Hij werkt bij mij. Hij digitaliseert mijn oeuvre. Ik ben schrijver.'

'O, ik ben niet zo op de hoogte van de literatuur.'

'Dat is treurig, maar dat kan ik u wel vergeven,' glimlachte Nathan zuinig.

'Ik kan u natuurlijk geen inlichtingen geven over onze studenten. Dat is – zo begrijpt u – vertrouwelijke informatie.'

'Hij gaat voor mij naar Israël.'

Onmiddellijk had hij haar aandacht. 'En ik weet niet of hij wiskunde blijft studeren, mevrouw. Alles wijst erop dat hij de brui aan die studie van u gaat geven.'

De uitwerking van de laatste opmerking was, zo mogelijk, nog groter. Gusta Marthés begon te trillen. Ze pakte een pen en maakte ogenschijnlijk een notitie. Nathan zag dat ze het veinsde om haar emoties te verbloemen.

'Dat zou een ramp zijn,' erkende ze ten slotte.

'Want?'

'Stephan de Vos is waarschijnlijk mijn beste student. Ik heb hem als een belangrijke toevoeging aan mijn wetenschappelijke staf op het oog.'

'Hij staat op het punt een mens te worden, mevrouw,' zei Nathan. 'En ik zal eerlijk zijn: ik vind dat een angstig vooruitzicht. Waren mensen maar van steen, dan kon er niets met hen gebeuren. Zette je ze in de tuin of op een plein. Regen, oorlog, sneeuw of relletjes, het zou hen niet deren. Maar zodra het echte mensen worden, kunnen ze beschadigd raken. Vooral Stephan heeft een enorme kwetsbaarheid.'

'Ik kan een stage in Los Angeles voor hem regelen.'

'Amerika klinkt altijd bijzonder. Maar waarom zou u dat voor hem willen?'

'Omdat het zelden gebeurt dat iemand intuïtie aan mathematisch inzicht koppelt. Ikzelf bijvoorbeeld ben daartoe niet in staat. Ook veel van mijn collega's in het veld hebben vooral een klinische aanpak.'

'En Stephan heeft een hart.'

'Ja, een mooi hart,' erkende ze.

'U houdt blijkbaar van jazz.'

'Sorry?'

'U gaf Stephan een elpee van Charlie Parker. Hij heeft die bij mij thuis beluisterd. En hij huilde – terecht. Schitterende plaat. Parker is onmiskenbaar het beste wat ons op muziekgebied is overkomen.'

'Er zijn anderen.'

'Stuk voor stuk Parkers, ook al heten ze anders: Janis Joplin, Jim Morrison of – hoe heette ze ook alweer – ja, Amy Winehouse.'

'Ja,' zei Gusta Marthés.

'Wat ziet u?'

'Ik weet niet wat u bedoelt,' zei de wiskundige.

'Zal ik zeggen wat u ziet? U ziet een arrogante man tegenover u zitten, die in zijn woordgebruik en houding doet alsof hij de wijsheid in pacht heeft en waarvan u denkt: die komt mij op mijn nummer zetten.'

'Dat is niet...'

'Dat is precies wat u denkt. U durft het niet toe te geven, maar als we allebei in uw binnenste zouden kunnen kijken, zouden we dat zien. Het probleem is: ik zou u ook wel een blik in mijn ziel willen gunnen, alleen zou u daar een man met angst zien. Ik ben in de negentig, maar niet bang voor de dood. Op sommige uren van de dag verlang ik zelfs naar het einde. Maar weet u waarvoor ik echt bang ben?'

'Nee,' zei ze.

'Dat ik de verkeerde beslissing neem. Want kijk: ik kan twee dingen doen. Ik kan tegen dat joch zeggen: 'Schoenmaker, hou je bij je leest. Ga naar Los Angeles, reken uit hoe geluk in een formule te vangen is en laat de mensheid juichen om de uitkomst.' U en ik weten dat hij het zou kunnen, met die intuïtie en dat wiskundig inzicht van hem. Briljant of gek, hij zou ergens uitkomen.'

'Dat is wat ik probeer te zeggen. Ik zou hem dolgraag naar Los Angeles sturen.'

'Hij gaat naar Israël om een jongen te zoeken die ik uit het oog ben verloren. Tegelijk zal hij het verdriet ervaren van een volk en een land dat nog nooit vrede heeft gekend. Daarna zal hij nooit meer één rekensom maken. Hij zal nooit meer echt thuiskomen, als u begrijpt wat ik bedoel. Niet bij u, mij of wie of wat dan ook. U zult hem kwijt zijn. De vraag rijst of hij ooit nog wel iets zinnigs uit zijn handen zal krijgen. Waarschijnlijk verdwijnt hij in volstrekte armoede volledig in de anonimiteit.'

'Dat weet u niet.'

'Dat weet ik. Hij gaat misschien kindertjes les geven in een duister Afrikaans land. Of waterputten boren in het droge Kenia. Of hij komt op een eiland terecht met andere gekken die alleen nog maar kokosnoten eten.'

'Er zijn nog zoveel andere mogelijkheden.'

'Ik chargeer, mevrouw. Omdat ik u wil uitleggen wat mijn keuze is.'

'En wat wilt u van mij?' vroeg Gusta Marthés.

'Als u mij weet te overtuigen dat het goed voor hem is als hij naar Los Angeles gaat, zweer ik dat ik het hem zal uitleggen. Alleen moet ik zeker weten dat hij er gelukkiger en alles er beter door wordt. Ik vraag u om in zijn hart te kijken en mij dan te vertellen wat hij nu echt wil.'

'Maar dat weet ik niet.'

'Zegt u dat nu uit angst? Omdat u het niet aandurft zo'n grote wissel op iemands leven te trekken?'

'Ik zeg het,' zei Gusta Marthés met volle overtuiging en ogen die glommen als de zee op een zomerse dag, 'omdat ik het niet weet. Ik kan hem geen geluk garanderen.'

'Wat moet ik dan doen, mevrouw Marthés?'

'Dat vraagt u aan mij?'

Geen antwoord kreeg Nathan. Hij zag dat de vrouwelijke hoogleraar eerlijk was. Zij kende het geheim van Stephans hart niet. Ze had gehoopt dat wiskunde het doel, het middel en het uiteindelijke geluk voor de jongen zou zijn, maar daar duidde niets op.

Iets later vond Nathan zijn werkstudent terug in het computerlokaal. Daar was hij, na zijn wanhopige en vergeefse reis naar de Noordoostpolder, neergestreken in de hoop dat er meer berichten zouden zijn van die mysterieuze Moro uit Israël. Maar die waren er niet.

Hij keek naar het scherm en vergeleek prijzen van vliegtickets en hotels. Nathan had koffie gehaald uit de automaat en zette een van de bekertjes naast hem neer.

'Nathan?'

Het was een bizarre schok om de oude man hier te zien. Niet alleen volkomen onverwacht, maar het leek vooral een anachronisme. Nathan hoorde hier niet. Stephan keek naar de schrijver en haalde zijn schouders op. De laatste dagen waren zo bizar, dit kon er ook nog wel bij.

'Tja,' zei Nathan en bekeek de wiskundige biotoop waar Stephan zich had genesteld. De jongen haalde diep adem.

'Vijfhonderd kinderen worden in september 1947 naar Nederland gehaald. Om uiteindelijk naar Palestina te gaan. Tijdelijk worden ze in Nederland ondergebracht.'

'Die kinderen moesten eerst wat bijkomen. De oorlog had zijn tol geëist.'

'De Staat Israël wordt uitgeroepen in mei 1948. Compleet onverwacht. Het Britse mandaat loopt af. De Verenigde Naties zoeken naar een oplossing, maar die is er niet. Er is geen Joods leger, er zijn verzetsgroepen... dat is alles. Het uitroepen van de Staat Israël – mei 1948 – komt voor de hele wereld als een complete verrassing.'

'Het zat er aan te komen.'

'Nee, Nathan, nee. Niet als je de stukken erop naslaat. Ja, er wonen daar Joden. En zij zijn erheen gegaan, omdat ze van een Jodenstaat droomden.'

'Jodenstaat...' herhaalde Nathan met enige aarzeling. Stephan keek naar de vochtige gebroken lippen van de oude man. Het klonk als een vreselijk woord, als een term die uit de Nederlandse taal moest worden geschrapt omdat het een antisemitische klank had. Nathan knikte.

'Je hebt gelijk, jongen. De Jodenstaat, dat was de droom. Zo noemde Theodor Herzl het. 'Der Judenstaat'. Maar toen was er nog geen oorlog geweest, geen Shoah en geen Endlösung.

We kunnen niet meer horen hoe het toen geklonken moest hebben,' mijmerde Nathan Mossel. 'Toch twijfel ik of ze droomden van Israël, zoals het nu is.'

'Ben jij eigenlijk zionist, Nathan?'

'Elke Jood is in zijn diepste wezen behept met het verlangen terug te keren naar dat land. Niet dat ik zou gaan. Ik drink geen melk en ik vind honing te zoet, dus heb ik er niets te zoeken.'

'Wat is dat eigenlijk, een Jood?' vroeg Stephan.

'Vertel het mij!' lachte Nathan. 'Een 'ras' is het niet. Een 'geloof' ook al niet, want ik ken talloze atheïstische Joden. Een 'volk'? Maar dan toch een 'volk' zonder land.' Hij schudde zijn hoofd. 'Het is een identiteit. Iets wat ik ben en jij niet.' Hij dacht terug aan het tweede vredesjaar. 'Een wereld zonder dat internet van jou, zonder televisie, zelfs de radio was een beroerd massief medium, dat zich nauwelijks kon verplaatsen. Maar we lazen kranten. En die gaven elke dag berichten over wat er zich in Palestina aan het voltrekken was. Ik trok elke ochtend de krant uit de brievenbus en ik las hem aan flarden. En 's avonds kocht ik in de kiosk het *Handelsblad*, want wellicht was er meer nieuws.'

Hij vertelde over Palestina, en de gebeurtenissen in 1947 en 1948. Stephan zag hoe de oude man terug leek te keren in de tijd, hoe zijn blik naar binnen gericht werd in de beelden en herinneringen van dat verre, maar zo dierbare verleden. Nathan prevelde, alsof zijn geheugen van perkament was geworden en dat wat hij nog terug kon halen breekbaar was.

Stephan stond op en liep wat heen en weer, alsof hij van plan was een korte samenvatting te geven van alles dat Nathan hem vertelde.

'Het gebied werd gecontroleerd door de Britten, toch?' stelde Stephan vast. 'En die trekken zich op een gegeven moment terug. Dat was wél bekend. Maar het was absoluut niet te verwachten dat David Ben-Gurion de Joodse Onafhankelijkheid zou uitroepen. Tenminste, dat lees ik hier in al die artikelen.'

De oude Nathan Mossel kneep zijn ogen even samen.

'Goed, maar wat wil je daarmee zeggen.'

'Dat die kinderen al in 1947 naar Nederland werden gebracht,' benadrukte Stephan. Hij zette zijn vinger op het formica tafeltje om zijn betoog kracht bij te zetten.

'Ja,' knikte Nathan. 'Om naar Palestina gebracht te worden.'

'Om het kader te vormen van de Joodse staat,' zei Stephan dwingend.

'Luister. Je kunt de geschiedenisboekjes er op naslaan, Stephan. Het uitroepen van de Joodse Staat Israël was een spontane actie van David Ben-Gurion en een aantal getrouwen.'

'Als je naar Palestina wilde, hoe ging je dan?'

'Wat wil je nou zeggen, jongen?' vroeg Nathan. Er was nog geen woord gesproken over zijn eigen plotseling aanwezigheid op de faculteit. Stephan zat te geconcentreerd in zijn eigen betoog.

'Hoe ging je naar Palestina, Nathan? Na de oorlog, bedoel ik.'

'Met de trein naar Marseille en daar nam je de boot.'

'Deden ze dat ook al zo voor de oorlog?'

'Dat was de route, ja.'

'Een paar dagen na de stichting van de Staat Israël koopt het land een schip. Of liever het staatsbedrijf Zim-lines doet dat, de eerste officiële Israëlische rederij. En weet je wat de allereerste tocht was van dat schip – de Negbah?'

'Ja, dat was...'

'Dat schip werd naar Nederland gestuurd. Het was in oktober al hier, vier maanden na de Onafhankelijkheidsverklaring. Vier maanden!'

'Wat wil je daarmee zeggen?'

'Een rederij stichten. Een boot kopen. Inrichten. Naar Nederland sturen. En dat alles in een paar weken tijd.'

'Ik begrijp je niet.'

'Hoe belangrijk waren die kinderen voor Israël?'

'Het waren kinderen, Stephan!' zei Nathan die het gesprek als een ondervraging ervoer.

'Wat voor kinderen?'

'Gewoon kinderen. Het waren kinderen uit Roemenië. Israël was een land waar wij Joden altijd op gehoopt hadden.'

'Je geeft geen antwoord, Nathan.'

'Het zouden weeskinderen zijn.'

'Maar waren dat niet.'

'Nee.'

'Waren ze geselecteerd?'

'Hoe bedoel je?'

'Jouw Yitzhak leerde in een paar maanden vloeiend Nederlands. Hoe zat dat met de andere kinderen?'

'Geen idee, ik had... gaf Yitzhak les.'

'Hoe goed speelde hij viool?'

'Virtuoos.'

'En zijn andere lessen?'

'Hij kon goed leren.'

'Opmerkelijk goed?'

'Wat bedoel je, jongen!'

'Wat waren dit voor kinderen, Nathan?'

20

Nieuwmarkt, eind 1947

Het leven in Amsterdam herstelde zich mondjesmaat van de zware oorlogsjaren. Voedsel was voor een deel weer zonder bon verkrijgbaar en fietsen kregen weer luchtbanden. Er reden auto's door de stad en op het Leidseplein waren de lichtjes weer gaan branden, zoals Willy Walden een oorlog lang hoopvol had gezongen. De stad zocht eindelijk weer het vrije vertier, er waren weer Amerikaanse films in de bioscopen bij het Rembrandtplein. Tuschinski hoefde geen Tivoli meer te heten. Dansen was plezier voor twee en de lucht leek blauwer dan hij een hele oorlog geweest was. In de schouwburgen kwamen de acteurs terug die een oorlog lang geweigerd hadden om lid te worden van de Kulturkammer. Het leven werd gevierd.

Nathan kwam tot leven. Zijn gewonde ziel herstelde langzaam van de enorme verwondingen die er door de oorlogsvuist in waren geslagen. De reden was een joch dat de dagen opfleurde en gretig de stad in zich opnam, omdat deze bloeide in een vredeslente. Zo had Mossel bijvoorbeeld ook weer contact gekregen met andere kunstenaars van zijn generatie, mannen en vrouwen die schreven, acteerden, musiceerden of beelden hieuwen en goten. De tijd was levend geworden, de toekomst zag er rooskleurig uit. Er was nog armoede in Amsterdam, maar rijkdom lag in het verschiet. Er waaide een nieuwe wind, een nieuwe tijd over het land. Kwasten werden weer in verf gedoopt en uitgestreken op hongerige, witte doeken, drukpersen konden het aanbod van letters en woorden nauwelijks aan, parken werden volgepakt met beelden in de meest potsierlijke houdingen. Kunst was altijd al ongrijpbaar geweest, maar had zich de afgelopen jaren toch angstig schuilgehouden onder de grond, die platgetreden was door de bezetter. Maar nu was er vrijheid. De wereld van de kunst strekte zich als een zonnebloem naar de hemel uit.

Nathan kende de eerste violist van het Concertgebouworkest. Deze Henryk Szeryng, geboren in het Poolse Zelazowa Wola, had Schubert en Brahms als favoriete componisten. Hij speelde hen zoals niemand ze kon spelen. Op zijn instrument werden het meer verhalen dan muziekstukken. Hij bezat de Guarneri De Gesùviool en de King David van Stradivarius. Maar hij speelde het liefst op de Le Duc. Op een enkele zondagmiddag kwam hij naar het huis van Nathan Mossel op de Nieuwmarkt en daar kreeg hij wat te drinken, wat te eten en dan gaf hij op zulke momenten zomaar een klein huiskamerconcert. Van betaling was geen sprake. Nathan liet gemberbolussen komen, de buren brachten andere gerechten uit de Joodse keuken en dat alles vond Henryk meer dan genoeg honorarium.

Yitzhak kende Szeryng niet, maar vond het een vriendelijke meneer die hij graag Liszt zou willen voorspelen. Elize van Dillen was er die middag ook bij. Het concert vond plaats in de woonkamer van Nathan Mossel. Het publiek – die drie mensen, soms wat buren, een enkele huisvriend – keek tegen het licht in, zodat Yitzhak min of meer een silhouet werd tegen de achtergrond van het raam naar de Nieuwmarkt. Nathan schoof dan de stoelen zoals hij ze op mooie avonden voor de vreselijke oorlog ook wel had neergezet. Muziek was zijn kloppend hart. Ook dat van Rosey en vele andere Joden uit de Jodenbreestraat en omstreken. Muziek en eten, mazzel en broge. Hoewel Amsterdam de vrede vierde, was de oorlog niet helemaal weggeëbd uit de straten hier in de buurt. Dat kon ook niet. Alles herinnerde aan die afschuwelijke tijd, waarin alles wat Joods was, verboden was, ondergedoken zat of was weggevoerd. Talloze huizen stonden leeg, alsof de kamers aan het wachten waren op de terugkeer van hun bewoners. Meubilair stond er vaak niet meer, want dat was weg geroofd, en niet alleen door Duitsers of foute Nederlanders. Rondom de Nieuwmarkt werden de Joden gemist; en hun afwezigheid was bijna tastbaar. Ze waren er niet meer. Hun lichamen waren achtergebleven in concentratiekampen en hun geest, hun verhalen, hun aanwezigheid waren nu alleen nog maar een snel vervagende herinnering.

Nathan voelde het gat dat in de stad was geslagen door de deportatie van de Joden als een wond die maar niet kon herstellen. Ook hij genoot van de vrede; eindelijk weer de vrijheid om te kunnen zeggen en schrijven wat gezegd en geschreven moest worden. Maar al dat woog niet op tegen het gemis.

Hij probeerde soms aan mensen van buiten de stad uit te leggen dat de Jodenvervolging nog veel meer inhield dan de massale vernietiging van een ras. De cultuur die zo uitbundig in Amsterdam te zien en te horen was geweest en de zintuigen had doen tintelen, was uitgegumd als potloodlijnen op een vel papier. De geur van gefillte fisch, broodsjalet en aardappellatkes, de zang van een Jiddische memme, het Bargoense 'adenoi' aan het einde van een zin, zelfs van de Joodse humor was niets of nauwelijks iets meer over. 'Eerst m'n witz terug,' was het eerste wat Nathan na de bevrijding had gezegd. En, bloedserieus. Hij kon er zelf niet eens om lachen.

Nathan genoot van het moment waarop de huiskamer weer een salon mocht worden, zoals in de beste tijd met zijn mooiste en liefste. Hoe Rosey dan dagenlang in de keuken stond, met de geur van roomboter en meel, melk en honing door het hele huis. En de stoelen dan naar het licht gericht, in vrolijke afwachting van de muziek. Hij zag hoe het zonlicht door het raam viel en hoe de glanzende stralen met de opwaaiende stofdeeltjes uit de stoelen speelden. Wat de zon betrof, was er geen oorlog geweest en was deze ook niet geëindigd. Voor de zon bestond er geen vrede of oorlog.

'Ik wil dat je even luistert, Henryk.'

'Naar wat?' vroeg de violist geïnteresseerd.

'Naar een jongen.' Hij wenkte Yitzhak en wees hem naar een plekje bij het raam. Henryk was nieuwsgierig. Wat had Nathan voor hem in petto. De schrijver glimlachte, enigszins mysterieus en maakte een gebaar van 'wacht maar af'. Toen knikte Nathan naar de jongen. Hij zag hoe Yitzhak zorgzaam het instrument onder zijn kin legde. Hoe de paardenharen op de stok werden aangespannen. Hij luisterde naar de kleine geluidjes. En alles leek zich te voltrekken in een prachtige stilte, onbedreigd omdat er geen laarzen meer marcheerden.

Yitzhak keek even naar de muziek, maar hij wilde het stuk toch het allerliefste uit het hoofd spelen. Szeryng nam nog een koekje voordat de eerste toon gespeeld werd. Hij nam er één hap van en toen niet meer, want hij móest luisteren naar het spel van de knaap bij het raam.

'Mensenlief,' zei Henryk Szeryng alsof hij zelden zoiets had gehoord. 'Hoe oud ben je?'

'Elf, meneer,' zei Yitzhak. 'Wilt u nog iets horen?'

Uit het hoofd speelde de jongen daarna nog zes stukken.

Hij keek voor geen van die composities ook maar een moment op het blad.

'Alles geleerd van meneer Mossel, meneer,' zei de jongen trots.

Henryk Szeryng moest diezelfde middag optreden en hij vroeg of Nathan even met hem mee wilde lopen. Ze stonden buiten. Het was frisjes. De adem kwam in damp uit hun mond.

'Wat is dit voor een jongen?' vroeg Szeryng.

'Een goed mens.'

'Een genie,' zei de violist. 'Dat zijn stukken die een elfjarige niet uit zijn hoofd kan spelen. En dan nog parafraseren ook. Die interpretatie! Hoe slaat hij dat op? Hoeveel oefent hij?'

'Niet buitensporig veel.'

'Dat kan niet. Dat is niet gewoon, Nathan.' Henryk beet op zijn lip. 'En ik laat je er ook verder niet nog meer aan verprutsen. Ik ga hem lesgeven. Vijf keer in de week als het moet.'

Nathan glimlachte. Dit was precies zijn bedoeling geweest.

Henryk groette de Joodse schrijver en vertrok richting Concertgebouw. Elize kwam naar Nathan toe.

'Een genie noemt hij hem.'

'Het zijn allemaal opmerkelijke leerlingen,' vertrouwde Elize hem toe.

'Er zijn heus wel domme Joodse kinderen, hoor,' lachte Nathan. Maar Elize fronste.

'Wat nou?'

'In ieder geval zitten ze dan niet bij de vijfhonderd die we in Het Apeldoornsche Bosch huisvesten. De één leert nog beter dan de ander.'

'Wat bedoel je?'

'Het zouden vijfhonderd kinderen zijn die er slecht aan toe waren.'

'Ja.'

'Wat wij hier in Nederland hebben, is de fine fleur van de Joodse jeugd uit Roemenië, Nathan. Sion zal ze koesteren als kroonjuwelen, maar het is uiterst spijtig voor de kinderen die achter zijn gebleven.'

Nathan knikte, een stuk minder vrolijk dan hij een paar tellen eerder was geweest.

21

Nathan liep rond door het computerlokaal en Stephan volgde hem met zijn ogen. Hij was aandachtig, omdat hij elk woord dat uit de oude schrijver kwam wilde opslaan.

'Israël heeft alle Joden altijd welkom geheten,' hield Nathan Mossel vol. 'Dat is wat het land daar moest zijn. Een nieuw en een oud thuis. We waren er, we komen er, we zijn er, we gaan er weg en we komen er weer terug. Een land voor alle Joden.'

'Wat in Roemenië gebeurde...' zei Stephan. '... heeft alles weg van selectie.'

'Het land moest zichzelf opbouwen. Hoe vaak was dat in de wereldgeschiedenis gebeurd? En kom niet aan met de Verenigde Staten van Amerika, dat is een compleet andere historie. Daar gingen verloren boeren naartoe na de zoveelste mislukte oogst in hun eigen land. De USA is geboren uit wanhoop... Israël uit een droom die ons door de diaspora is overkomen.'

'Dat maakt niet uit.'

'Dat maakt wel uit,' beet Nathan hem toe. 'Daar in Israël kon je een nieuw thuis vinden.'

'En daarvoor zochten acht zionistische organisatie vijfhonderd briljante kinderen uit.'

'Wie zou ons dat hebben moeten verbieden?'

'Ons?'

'Ja, ons,' zei Nathan Mossel bitter. 'Israël is mijn thuis. Ik woon er niet en toch woont mijn ziel daar, omdat die daar geboren is.'

Stephan knikte en liet een lange stilte vallen. Het was gevoelig terrein, dat bleek. De felheid van de oude man had hij niet eerder zo meegemaakt. Bedachtzaam prevelde Stephan de theorie die hij in de laatste uren had opgebouwd. 'Nathan, het is een operatie die tot in het laatste detail zorgvuldig is georganiseerd. Niets is aan het toeval overgelaten. Dit was niet zomaar een emotionele daad, niet een impuls. Het was niet: we redden kinderen uit de hel en we brengen ze naar het paradijs.'

'Wat is daar mis mee?'

'Wat stond hen voor ogen?' Stephan keek hem dwingend aan. 'Of moet ik zeggen: wat stond júllie voor ogen? Een soort überjood creëren?'

'Dat neem je terug!'

'Dit is jouw verhaal, Nathan. En als ik goed naar je luister, heb je het zelf over selectie. De dommen mochten in Roemenië blijven en alleen de briljante kinderen gingen naar Israël.'

'Het was een nieuw land!'

'Ja, en? Het was de hoop voor een heleboel mensen die verschrikkelijke tijden hadden meegemaakt in Europa.'

'Iedereen die wilde, kon naar Israël.'

'Maar een hele hoop mensen wilde niet.'

'Ik weet niet wat je daarmee wil zeggen,' zei Nathan en draaide zich van Stephan af.

'Dan leg ik het je uit. Ik zit hier al een paar uur. En ik probeer een logica te zien in wat ik tot nu toe heb ontdekt of vermoed. Maar ik kom er niet uit, Nathan. Ik kan het niet begrijpen. Nee, dat is niet waar. Dat lieg ik. Ik kan wel een model maken waar alles in past.'

'O, en hoe voelt dat? Ben je dan gelukkig?' vroeg Nathan bits.

'Ja. Want ik ben wiskundige, Nathan. Ik maak modellen. Ik prop er allemaal cijfertjes in en die lijken daar, in eerste instantie, allemaal toevallig in rond te draaien... totdat ik er plotseling een orde in ontdek. Dat is wat ik doe. Dat is wat ik kan.'

'Nou, geluk ermee, dan!' Nathan pakte zijn jas. Hij was vastbesloten om te vertrekken.

'Wie emigreren er? Wie emigreerden er in de jaren vijftig uit Nederland? Wat was de oorspronkelijke bevolking van Amerika en Australië? Ik zal het je zeggen, Nathan: uitschot. Criminelen werden verscheept naar Down Under. En naar Amerika: tuig uit Italië, boeren uit het Ierland dat hongersnood na hongersnood had meegemaakt. Ze hadden in Europa niets te verliezen.'

'En ze bouwden in den vreemde weer wat op,' zei Nathan, bijna vermoeid.

'Maar Israël had de tijd niet,' wist Stephan en ging verder met zijn betoog: '1948. Meteen waren de kanonnen op dat land gericht. Het moest bouwen. In een recordtijd. Het had een kader nodig. En snel ook. Intellectuelen. Mensen die wat konden, met hun handen, met hun hoofd. Doctoren, professoren, onderzoekers, noem maar op.'

'Die kwamen ook.'

'Die kwamen niet,' sprak Stephan de oude schrijver tegen. 'Lees het er maar op na. Amerikaanse Joden gaven – en geven trouwens – massaal geld aan Israël. Hele musea hebben ze geschonken. Ze wilden fors betalen, als ze zelf maar niet naar dat land toe hoefden. Het kader ging niet. De top van de Joodse samenleving – zeker die in Amerika, maar ook in Europa, voor zover daar nog wat van over was – was helemaal niet geïnteresseerd in jouw zionisme.'

'Daar is niets van mij bij! Niks. Ik wilde niet dat hij ging!'

Er viel een stilte. En toen hoorde Stephan een snik. Hij keek in de richting van de oude man die schokschouderde bij de bekentenis van wat er diep in hem huisde. Stephan beet op zijn lip. Hij wist dat hij te ver was gegaan in zijn beschuldiging.

'Nathan...'

'Ik heb hem gezocht. Mijn kleine Yitzhak. Maar het was beter om hem niet te vinden. Dat was beter voor Yitzhak.'

'Wat?'

'Ik heb hem elke dag gemist. Elke dag, Stephan. Maar het is beter dat je niet zoekt. Je weet alles nu. Wat zou je nog meer willen weten? Niks toch. Geef het op, jongen. Het is mooi geweest. Misschien moet ik iemand anders zoeken voor dat klusje. En jij... jij kunt naar Los Angeles. Dat is een kans. Daar kun je gelukkig worden.'

'Ik wil hem nog steeds vinden.'

'Ik verbied het je.'

'Dat kun je me niet verbieden.'

'Het spijt me, Stephan.' De oude schrijver bleef even staan en keek de jonge werkstudent aan. Er stonden tranen in de ogen van die gegroefde kop. Alles deed pijn; zelfs zijn strot na al dat schreeuwen. Zijn ogen waren aan het schrijnen, zoals ze dat lang niet hadden gedaan. Hij keek naar dat joch daar en had respect voor de felheid van al zijn onderzoek, de gedrevenheid waarmee hij op jacht was gegaan naar de geschiedenis van vijfhonderd Roemeense kinderen waarvan die ene een plek had veroverd in Nathans hart. Maar hoeveel bewondering Nathan daar ook voor had, hij kon niet toestaan dat er nog meer gewroet werd in het graf van de geschiedenis die aan hen voorbij was gegaan. De striemen van de tijd waren genezen en nu deden ze weer zo zeer. De pijn moest overgaan. Hoe kon hij ervoor zorgen dat er eindelijk rust kwam in dat verdomde verleden? Zo keek hij Stephan aan, lange tijd, alsof hij zijn ogen liet smeken: laat het gaan, Stephan. De jongen schudde zijn hoofd, want hij kon zich niet meer omkeren van het doel dat hem nu zo helder voor ogen stond.

Toen ging Nathan weg. Teleurgesteld en wanhopig, bang ook voor wat komen ging en uit het veld geslagen door de gebeurtenissen van de laatste dagen. Stephan bleef over in het lokaal. Hij keek naar het plaatje van Café Strudel in Jeruzalem. Zo ver weg. Tickets die hij niet kon betalen... De reis was sowieso een totale onmogelijkheid. Misschien had Nathan gelijk. Misschien was het beter om het vanaf hier te laten rusten. Wat zouden er verder nog voor antwoorden zijn... en erger nog: waren de vragen zo belangrijk?

Hij klikte de computer uit. En wat er was aan beeld, verdween in een diepe punt.

Lange uren van een lange avond zwierf hij door Amsterdam en probeerde in die doldwaze schitterende stad te ordenen wat er in zijn geest ronddwaalde. Dat was nog best lastig. Er was veel gebeurd de laatste dagen en niets daarvan leek te passen op de plek waar de puzzel nog gaten vertoonde.

Hij zocht een café op en vond daar Freek en Ankie, die het intussen heel goed met elkaar konden vinden, maar die best wel even met hem wilden praten. Het lukte niet om een echt gesprek aan te gaan. Verder dan wat vragen over Elize van Dillen en over Nathan Mossel kwamen ze niet... ze waren te diep geïnteresseerd geraakt in elkaar. Daar hoorde Stephan niet.

De stad is geen vijand van eenzame mensen. Amsterdam in

ieder geval niet. Het laat de eenling gewoon zitten op een winters terras, waar de rokers zich warm proberen te houden met wat terrasverwarming en meegebrachte dekens. Er is overal licht, waardoor je nooit verloren bent in het straatbeeld. De grachten hebben vriendelijk ogend water en als je naar boven kijkt, word je lekker nat. Hij had geen richting, alleen wilde hij niet naar huis. Hij maakte praatjes met mensen die hij niet kende over onderwerpen waar hij niets van wist. Op zijn telefoon stond een berichtje van Gusta Marthés, dat hij haar moest bellen, maar hij belde haar niet. Het was te voor de hand liggend, zo vond hij, om nu te zeggen: Ik heb me bedacht, ik ga naar Amerika. Het was vreemd, want eigenlijk waren alle wegen afgesloten. Zijn beste vrienden hadden elkaar gevonden. Ja, dat beviel hem wel. Thuis was voorgoed voorbij. Op de Nieuwmarkt bij Nathan Mossel had hij niets te zoeken. En wiskunde leek nu een ventiel naar een veilig soort eenzaamheid die waarschijnlijk de beste optie was die het leven nog voor hem in petto had. Toch voelde hij zich niet bedrukt door het ontbreken van mogelijkheden tot vooruitgang. Het viel hem verbazingwekkend licht hoe het lot hem nu in zijn greep hield.

'Maar wat wil je?' vroeg de zwerver met de kapotte regenjas, die zijn alcohol dronk uit een fles in een bruine papieren zak.

'Geen idee,' zei Stephan.

'Als je miljonair was. Geld als water. Wat dan?'

Stephan keek naar de tandeloze vriendelijkheid naast hem. Er zaten gaten in de broek van de man en van de schoenen was ook niet veel over. Hij had een smerige hoed over zijn vettige haar gedrukt en zich in weken al niet geschoren. De baard was roze; vreemd, want de plukken haar die onder zijn hoed vandaan kwamen waren toch echt helemaal grijs.

'Ik zou geen miljonair willen zijn.'

'Ik wel, hoor.'

'Echt?'

'Dan bleef ik van de alcohol af,' lispelde man. 'Als je rijk bent, hoef je niet meer te drinken.'

'Dat begrijp ik niet,' glimlachte Stephan.

'Waarom zou je zuipen als je zuipen kan? Ik vind er alleen maar wat aan als ik 's ochtends nog niet weet waar de druppel van de avond vandaan komt. Dat moet ik niet kwijtraken. Ik moet niet weten waar ik slaap. Dan heb ik niks meer om voor te leven.'

'Dan moet je vooral géén miljonair worden, vriend.'

'Ja, daar heb je gelijk in,' zei de alcoholist en nam nog een slok. 'Maar jij hebt geen antwoord gegeven.'

En dat kwam, omdat er geen antwoord was. Stephan wist niets. Hij voelde zich een luchtballon die je wel eens ziet zweven in de herfst. Bijna zonder plan of vooropgezet doel in een lucht van winden die zelf ook besluiteloos zijn. Hij duwde de zwerver een paar euro in de hand en besefte dat het geld van Nathan Mossel nu bijna op was. Als de portemonnee morgen ook leeg bleef, dan dwong dat hem tot een beslissing. En er was geen enkel uitzicht dat die zich als vanzelf zou vullen. Misschien moest dat dan toch maar Los Angeles worden. Of stoppen met die verschrikkelijke studie en ergens een baantje zoeken. Een echte baan. Iets met kinderen, dacht hij. Een school, lesgeven, trouwen met de juf van groep zes en dan een huis met een vlinderstruik.

Vanaf het dronken bankje liep hij een half uur door de stad en kwam bij de Haarlemmerdijk. Hij stak de sleutel in het slot van de voordeur en hoorde zijn naam.

'Stephan.'

Hij draaide zich niet om. Hij hoorde de stem en herkende die. En de tranen sprongen in zijn ogen, omdat hij niet wist of hij zich ooit zou durven omdraaien. Het beste was om de deur open te duwen, naar boven te gaan en te huilen in bed.

Hij stond daar, verlamd en niet in staat om wat dan ook te doen. De deur was groen geschilderd, honderd keren in de afgelopen eeuwen. En de verf bladderde. Maar ja, je kunt niet eindeloos naar een deur staren als je in je rug je naam hebt horen roepen.

Dus draaide hij zich om.

Otto had een envelop in zijn hand.

'Luister jongen. Je vliegt over drie dagen, rechtstreeks op Tel Aviv. Verder zit er geld bij voor een maand. Maar mocht je daar langer moeten zijn, dan kun je me dat laten weten.'

Stephan wist niet wat hij moest zeggen. Daar stond zijn vader, Otto de Vos. Zijn woordeloze vader, die geen reactie had gegeven toen hij helemaal naar de Noordoostpolder was geweest om hem te vertellen hoe het leven ging en wat er moest gaan gebeuren. De man stond daar als de grootste verliezer die de mensheid ooit had gekend. Tragisch alleen op de stoep van de straat met die envelop in de hand.

'Hoe lang sta je daar al?'

'Sinds de middag. Je hospita zei dat ik binnen mocht wachten, maar ik wist niet of je dat wilde.'

'Wil je boven komen?'

'Ik moet weer naar huis.'

'Papa, ik kan niet...'

'Je moet het aannemen. En nou moet ik nog iets zeggen. En dat is dat het me spijt. Het spijt me al heel lang. Het spijt me al jaren. Maar met mijn stomme kop kan ik dat niet toegeven. Dat het me spijt. Dat kan ik niet. Ik haat mezelf, maar dat is niet het ergste. Mijn zoon haat me. Daarom is hij weggegaan.'

'Ik kon niet blijven.'

'Je kon niet blijven. Dat weet ik toch? Hoe kon jij nou in vredesnaam in dat huis blijven bij mij? Maar ik wilde dat je bleef, omdat je mijn laatste kans was dat ik genas. Alles is mij ontnomen met de dood van je moeder. Sindsdien ben ik woedend op alles wat er is, wat er leeft, wat er bestaat. Ik kan er niet eens naar kijken. En ik was woedend op jou, omdat je tegen me zei: ik ga leven. Want daarmee zei je: papa, jij moet ook gaan leven. En ik wil niet leven, weet je. Want ik kan niet meer leven.'

'Ik hou van je, papa. Ik hou zo ontzettend veel van je. En daarom haat ik je.'

De man keek zijn zoon aan. En Stephan zag een geschiedenis door een gezicht gaan; eentje van meer dan twintig jaar. Van de dag dat Otto zijn vrouw vond en haar 'het hof maakte', want zo noemde hij dat. De beelden trokken te snel aan zijn herinnering voorbij. Het waren flarden van een huwelijksfeest, van de mededeling dat ze een kind van hem zou krijgen, de geboorte van die zoon, de gelukkige tijd van een jong gezin in de Noordoostpolder en het moment dat het noodlot toesloeg. De woede in de kop had zijn resultaat gehaald in dat gezicht. Van de mond wist niemand of die ooit nog kon lachen, van de ogen leek het onmogelijk dat die ooit nog zouden glimmen, de mond weigerde te praten. Maar het hart hield nog steeds vol, en hield ook nog steeds van...

'Ik haat mezelf ook.'

'Misschien kan de haat weg. Dat we alleen het 'houden van' overhouden?'

'We hebben al te veel gepraat,' zei zijn vader. 'Veel te veel. Ik moet weg.'

Stephan pakte de envelop aan. Hield ze even vast. Toen kon hij niet anders meer dan de laatste stap nemen en zijn vader omhelzen, vasthouden en denken: ik laat die man nooit meer los, nooit meer!

En zo stonden ze daar, misschien wel een eeuwigheid... misschien wel honderden jaren lang, misschien maar drie minuten.

'Dank je wel.'

'Niet twijfelen. Gewoon gaan.'

Toen draaide Otto de Vos zich om en liep gebogen terug naar het Centraal Station. Trein, bus, nog een bus en pas dan weer thuis.

22

De haven van Amsterdam, oktober 1948

Mokum was een gekkenhuis. Duizenden, misschien zelfs wel tienduizenden mensen waren naar de Oostelijke Handelskade in Amsterdam gekomen om te kijken naar de afvaart van de Negbah, het schip dat uit Israël was gekomen, dat nieuwe land, om de hoop van de jonge natie op te halen. De kranten hadden er vol van gestaan. Of je nu Jood was of niet, je ging kijken naar dit schip. Dat moest je doen, omdat er vijf lange oorlogsjaren waren geweest en intussen drie van vrede. Omdat heel Nederland feest had gevierd vanwege de stichting van dat land waarmee het zich nu al zo verbonden voelde. Of je ging naar de haven, omdat je toch iets moest doen met je vrije tijd. Het was zondag, een prachtige zonovergoten zondag. Waarom zou je naar het park gaan als je hier dit feest kon vieren?

Er dreven tientallen kleine bootjes in de Amsterdamse haven. Sommigen verdienden die naam niet eens. Jochies hadden matrassen op houten pallets gebonden. Deze vlotten bleven ternauwernood drijven op het smerige water van het

IJ. Daarin werd ongeveer alles geloosd wat Mokum kwijt wilde – en dat dreef daar dan ook. Je vroeg je af of mensen nog wel eens iets in een vuilnisbak gooiden.

Jongetjes in korte broeken zaten op de rand van de kade.

'Zo'n schuit hep Sinterklaas niet,' zei er één.

'Komp omdat 'ie katteliek is. Dit is van de Joden. Die hebben meer poen.' Het antisemitisme van de jeugd was onschuldig, maar toch nog alom aanwezig. Joden waren geld. Joden waren handelaren. Joden hadden grote neuzen. Joden hadden een apart taaltje.

Nathan wilde erbij zijn, maar wist niet hoe hij bij de juiste plek moest komen. Van Yitzhak had hij een paar dagen eerder afscheid genomen. Wat was dat joch groot geworden, gegroeid in dat jaar dat hij in Nederland onder Nathans vleugels had mogen staan.

Nathan stond bij het enorme schip. Hij wist echter niet waar zijn jongen stond. Vijfhonderd kinderen leken opeens een menigte waar je ogen zich in verloren. Hij dwaalde met zijn blik over alle dekken, over alle ramen. Hij zei bij zichzelf: 'Als ik hem niet meer zie, is dat ook goed. We hebben al vaarwel gezegd.' En toch benauwde het hem dat hij misschien niet eens een laatste blik op Yitzhak zou kunnen werpen. Toch was ook dat goed. Er was gedaan wat gedaan had moeten worden. Dit was een ander soort afscheid dan van Rosey, hoewel het laatste wat hij van haar had gezien ook een prachtige glimlach was geweest, een wuivende hand, een handkus in de lucht. Dit jong ging de toekomst tegemoet, zijn grootste en enige liefde indertijd naar de verdommenis. Dat was het verschil.

Hoe dan ook, het verdriet van dit afscheid voelde hij. Het lag als een steen op zijn hart. Hij voelde zijn ogen branden. Alleen wilde hij niet huilen. Hier was geen plek voor een huilende man. Hier moest hij zwaaien en glimlachen. Mocht Yitzhak hem zien in plaats van andersom, dan moest het beeld volwassen en vrolijk zijn. Dat moest de jongen met zich meenemen naar Israël.

'Volg mijn arm,' zei Elize die plotseling naast hem opdook. Zij zag hem klaarblijkelijk wel. En hij probeerde het. Hij legde zijn hoofd langs haar hand en keek met de wijzende vinger mee.

Daar stond hij. Daar stond Yitzhak. Daar zwaaide Yitzhak. Daar stond de jongen met de vioolkoffer onder zijn arm. Hij zwaaide alsof hij boven alles wilde uittorenen.

Toen pakte Yitzhak een kleurige rolslinger. Met een welgemikte gooi wierp hij het rolletje door de lucht tot het andere uiteinde in de handen van Elize belandde.

'Hier, hou vast, Nathan,' zei ze tegen de man naast zich.

Zo waren ze met elkaar verbonden. Hij en de jongen. Een lint van oud naar jong, van verdriet naar hoop, van verleden naar toekomst.

Het ging allemaal te snel. Na een oorverdovende stoot van een stoomfluit maakte het schip zich los. Tijd was niet langer meetbaar zoals op een horloge. Het leek wel alsof het lint hem mee wilde trekken naar zee. Nathan hield vast zolang hij kon. Yitzhak ook – die lachende, zwaaiende jongen met de viool onder zijn arm.

Verder weg ging de boot, steeds verder. Het was ondoenlijk om het lint te blijven vasthouden. Ten slotte brak het dan ook, evenals dat soms tussen mensen gebeurt.

Nathan rolde het deel dat hij nog in zijn hand had op en stopte het in zijn zak. Hij keek Elize aan.

'Het doet zo zeer, Elize.'

'Dat weet ik, lieve Nathan.'

'Maar het is goed. Die boot gaat een goeie reis maken.'

'Ja,' zei Elize.

'We moeten iets eten,' zei Nathan. 'Het helpt niet, maar als je moet janken, kun je maar het beste wat eten.'

23

Luchtruim, winter 2012

Hij legde zijn hoofd tegen de steun van de vliegtuigstoel alsof hij nog even besef moest krijgen van wat er de laatste dagen met hem was gebeurd. Het danste allemaal voor zijn ogen. Hij vroeg zich af of er ooit een orde in alles zou komen. Ook hijzelf zou ooit een oude man zijn met, wellicht, kleinkinderen die aan hem vroegen om dit verhaal nog één keer te vertellen. Dan was er geen begin, dan was er geen eind, dan waren er al die gebeurtenissen die naast elkaar stonden als boeken op een plank. Of als de blikjes die je op een hekje zette om ze er met een bal of een luchtdrukpistool af te knallen. Wat deden ze daar, wie had ze er neergezet, en waarom in die volgorde? Het was als in de wiskunde. De eerste vraag leverde een reeks van nieuwe vragen op en uiteindelijk bleek je nauwelijks antwoorden te hebben, alleen een compleet universum aan raadsels. Voor de geschiedenis van Nathan ging in feite hetzelfde op.

De kamer op de Haarlemmerdijk zou zijn kamer blijven. Freek gaf er voorlopig de plantjes water. Het was 'aan' tussen

Ankie en Freek. Ze hadden elkaar helemaal gevonden. Maar allebei verzekerden ze hem dat er genoeg ruimte was voor hun vriendschap met hem. Hij moest zich altijd welkom voelen in hun midden. Stephan begreep dat het 'midden' daarmee van 'hun' was geworden, maar hij zat daar niet mee. Ze woonden dicht op zijn huid en ze begrepen wel iets van wat er met hem stond te gebeuren.

Gusta Marthés had haar contacten aan de Universiteit van Jeruzalem ingelicht over zijn komst en hij zou daar meer dan welkom zijn. Ze streelde zijn wang nadat hij uitgebreid had verteld over zijn aanstaande vertrek naar Israël en de zoektocht die hij daar ging ondernemen.

'Maar wat zoek je daar precies?' vroeg ze.

'Een jongen die nu een man is,' zei hij.

'Is dat het enige?' vroeg ze nogal dwingend.

'Nee,' erkende hij. 'Maar wat ik verder zoek, kan ik niet onder woorden brengen. Maar vooral: ik wil weten wat het allemaal betekent. Wat het voor mij betekent. Misschien dat ik vóór alles wel mezelf vind.' En daarop schoot hij in de lach. Het klonk allemaal nogal overdreven, zo realiseerde hij zich. 'Toch is het zo,' herstelde hij zich uiteindelijk. 'Ik denk dat ik erachter ga komen waar mijn echte talent ligt.'

'Heb je een vermoeden?' vroeg ze.

'Nee.'

'Ook niet iets dat je hoopt?'

'Nee,' zei hij en hij vond zelf dat hij een oprecht antwoord gaf.

'Pas op jezelf. Kom heelhuids terug. En de deur staat hier altijd open. We beginnen dan gewoon opnieuw, als je dat wilt,' zei ze.

Hij wist niet goed wat ze ermee bedoelde, maar hij vroeg niet door.

Zijn vader stuurde hij een sms'je. 'Alles is klaar. Ik ga. Dank je wel.' En toen kreeg hij een sms'je terug. 'Laat me horen hoe het gaat. Als ik niks hoor, gaat het goed.' Man in verwarring... maar ook dat voelde als een stap in de beste richting.

Van zijn hospita had hij een warme trui gekregen, omdat ze van kennissen had gehoord dat het in Israël nogal koud kon zijn. Hij was van haar man zaliger geweest, maar die had dat ding nauwelijks gedragen. Ze was verder nog even langs geweest bij de apotheek voor vitamines. Dat kon nooit kwaad. 'Ze zullen er wel sinaasappels hebben, maar daar zitten geen Hollandse vitamines in.'

Het zwaarst was de gang naar Nathan Mossel om hem te zeggen dat hij zich niets aantrok van zijn bevelen om niet te gaan en de zaak te laten rusten. Nathan had geen nieuwe werkstudent aangenomen. De computer kon het wel alleen af, had Stephan hem gezegd en daar vertrouwde de schrijver dan maar op.

'Ik denk dat ik dan maar nog ouder moet worden en dat ik ga zitten wachten tot je terug bent. Dan moet jij dit afmaken.'

'Ik zal het doen, Nathan.'

'Dat is je maar geraden. Ik heb nog wat geld voor je. Voor daar.'

'Is niet nodig. Ik heb geld. Ik heb liever je zegen.'

'Die had je al.'

'Nee, die had...'

'Ik zei: mijn zegen heb je!'

'Maar je zei het op de toon van...'

'Kan ik niks aan doen. Ik ben een verzuurde ouwe man van in de negentig en ik heb daardoor een toon van azijn. Je hebt mijn zegen, en je hebt mijn liefde en je hebt nog een dozijn andere dingen waar ik geen woorden voor heb.' Nathan slikte. 'Je zult hem niet vinden, geloof me. Maar als je hem toch vindt... doe hem dan de groeten.'

'De wát?' Stephan schoot in de lach. 'Meer niet?'

'Of hoe zeg je dat,' zei Nathan onhandig. 'Mijn liefde, dan.'
Stephan keek naar de man. Liep naar hem toe. Pakte hem beet en beloofde dat hij die liefde mee zou nemen en aan Yitzhak zou geven.

Dit alles overdacht hij in de vliegtuigstoel en hij merkte nauwelijks hoe het toestel taxiede en uiteindelijk opsteeg, op weg naar het land waar Yitzhak zou moeten wonen.
'Vakantie?' vroeg het meisje naast hem.
Hij keek op.
'Nee. Ik moet iemand... Ik moet iemand opzoeken.'
'Familie?'
Hij aarzelde. Wat voor antwoord geef je op eenvoudige vragen als het antwoord niet zo simpel is? Hij keek naar het meisje. Ze was net zo oud als hij. Er zat onschuld in haar gezicht. Maar hij kon niet goed bedenken hoe hij daar nou op kwam. Ze droeg geen make-up, of het moest een hele lichte mascara zijn, maar waarschijnlijk zelfs dat niet. Breekbaar was ze zeker niet. Ze had brutale ogen en een mond die op lachen stond.
'Iemand die ik niet ken,' zei Stephan uiteindelijk. 'Ik ga hem letterlijk opzoeken. Ik heb alleen maar een naam.'
'Ben je een detective of zo?'
'Ik studeer wiskunde.'
Ze knikte, maar begreep er niet veel van.
'Heb ik het nou mis of heeft het één helemaal niets met het ander te maken?'
'Hoe lang hebben we nog voordat we aankomen?'
'Oei, is het zo ingewikkeld?'
'Dat is het.'
Het was prettig om de geschiedenis van de laatste dagen samen te vatten voor een volledige buitenstaander. Niet dat het daardoor een wezenlijke orde kreeg, maar het kreeg wel

allemaal een soort van verband met elkaar. Hij vertelde over de vijfhonderd kinderen die naar Nederland waren gekomen om vandaaruit door te reizen naar Israël, en dat een man – een verdrietige man die een groot verlies uit de oorlog met zich meezeulde – nieuwe levensenergie had gekregen door een vriendschap met een van die kinderen.

Ze luisterde op een prachtige manier. Af en toe stelde ze een vraag, maar vooral om daadwerkelijk interesse te tonen. Hij voelde dat hij de afgelopen dagen een enorme hoeveelheid informatie had verzameld en dat nog veel dwarsverbanden niet te leggen waren. Had hem een week geleden een vraag gesteld over de Staat Israël en hij had het antwoord schuldig moeten blijven. Het stond hem ergens bij – hij had vroeger inderdaad slecht opgelet bij geschiedenis – dat Israël vóór de stichting ervan een woestenij was geweest die men later pas had bebouwd voor het nieuwe volk. Steden als Tel Aviv en Haifa hadden uiteraard vóór 1948 al bestaan.

Hij haalde een paar fotoboeken uit zijn tas die hij bij het afscheid van Gusta Marthés van haar had gekregen. Er waren prachtige opnamen bij over het jonge Israël van 1948. Ze keken er samen naar. Robert Capa die in 1948 Ben-Gurion fotografeerde tijdens het voorlezen van de Onafhankelijkheidsverklaring. Menachem Begin die in datzelfde jaar een toespraak hield voor het volk, schutters bij de oude stadsmuren, wegversperringen om tanks uit de stad te weren, een huilend kind in een tijdelijk opvangkamp bij Haifa, de plek waar immigranten aankwamen en een paar dagen moesten blijven. Boten die aanmeerden in Haifa. Mensen in de rij voor nieuwe papieren. Honger en angst. Oude mensen in tentenkampen.

'Ik heb niet meer dan een naam. Yitzhak Dimitraiu. Het zou trouwens ook Dimitrescu kunnen zijn. Hij heeft beide namen gedragen.'

'Het is maar de vraag of hij die heeft gehouden.'

'Wat bedoel je?'

Er kwam een stewardess langs met drankjes. Het meisje, Inge heette ze, pakte een glaasje van het blad.

'Veel Joodse immigranten in Israël hebben hun naam veranderd om zo het verleden van zich af te zetten. Ik ken een Nederlander die eigenlijk Boekbinder heet. Nu heet hij Buki Ben Dohr. Het zit er dicht tegenaan. Maar als je zulke namen in computers moet opzoeken...'

Stephan haalde diep adem.

'Dan heb ik helemaal niks.'

'Je kunt de Zim-lines proberen. Die zitten in de havenstad Haifa. Misschien hebben ze nog oude passagierslijsten. Het is weliswaar meer dan een halve eeuw geleden, maar je weet maar nooit.'

Hij keek haar aan. 'Werk jij daar soms?'

Na die vraag gebeurde er iets dat Stephan wel zag, maar waar hij – op dat moment in ieder geval – niet de betekenis van begreep. Ze keek weg; en wel op een manier alsof de vraag haar stoorde. Ze was niet van plan om hem deze blik in haar bestaan te gunnen.

'Nou ja, noem het vrijwilligerswerk,' zei ze.

Daarna viel er een lange stilte.

Toen ze allebei weer iets wilden zeggen, begonnen ze op hetzelfde moment onhandig door elkaar heen te praten. Ze schoten in de lach.

'Jij eerst,' zei Inge.

Stephan deed er het zwijgen toe. Daarop beantwoordde ze zijn vragende blik zelf maar. 'Ik heb in Nederland niets meer te zoeken.'

'Je klinkt teleurgesteld,' zei hij.

'Klopt,' zei ze en keek naar buiten.

Aangezien ze zelf niet met een voorstel kwam, opperde Stephan zelf: 'Dat is een goed idee, van die Zim-lines.'

In de aankomsthal in Tel Aviv raakte hij haar sneller kwijt dan hem lief was. Hij probeerde haar nog in het oog te houden, maar ze kwam in een andere rij terecht. Een douanier wilde ondertussen weten wat hij hier kwam doen, hoe lang hij dat kwam doen, waarom hij dat wilde doen, wat hij ging doen als hij weer in Nederland was, wat hij bij zich had en waaróm hij dat bij zich had. Toen de check voorbij was, was zij uit zijn blikveld verdween. Stephan zag alleen maar veel orthodoxen met hun te grote hoeden, te zware brillen en te lange baarden. Dit was hun land, niet het zijne.

Eenmaal buiten zag hij Inge nog net op tijd in een busje stappen. Een oudere man – Stephan schatte hem achter in de veertig – sloot het portier achter haar, trok het zijne open, dook achter het stuur en reed weg. Er stond 'Jemima' in grote letters op de zijkant. Stephan sloeg het op, ergens in een deel van zijn onfeilbare geheugen voor dit soort details.

Er was een busverbinding tussen Tel Aviv en Jeruzalem. Dit was veruit de goedkoopste manier om in de oude stad te komen. Stephan had geld gewisseld en betaalde zijn kaartje in sjeqel chadasj. Daarop zocht hij een plek achter in een bus, waar het uitzicht goed en breed was. In zijn hoofd zweefde het beeld van een aftandse bus waarin schaapherders zaten en geiten door het gangpad liepen. Het landschap beschikte over alles voor een aangenaam nomadisch leven. Het leek alsof het zand en de steen de tijd hadden stilgezet. Tussen de dag dat Abraham zijn staf in de woestijn had geplant en die van vandaag, zaten niet veel zandkorrels verschil. Maar de bus was nieuw, comfortabel en had airconditioning.

Stephan pakte zijn aantekeningen uit zijn tas. Het was goed om af en toe even een blik te werpen op de witte vellen met het zwarte inkt, omdat het hem herinnerde aan de taak die hij zichzelf had gesteld. Hij moest een jongen vinden die nu ongetwijfeld een oude man was. Herstellen wat in een naoorlogs jaar was gebroken, omdat een schip de haven verliet. Hij was vastbesloten deze missie te laten lukken, hoe nietig hij zich ook voelde in dit immense landschap. En toch, hoe groot was dit land nou helemaal. Als hij zich hier al zo verloren voelde, hoe zou dat dan geweest zijn in Los Angeles, in de Verenigde Staten. Hij keek het na. Israël was – qua oppervlakte – bijna de helft van Nederland. Twintig procent van de veertigduizend vierkante kilometer van Holland bestond uit water. Israël besloeg niet meer dan een slordige – en betwiste – twintigduizend vierkante kilometer, waarvan slechts twee procent water. Stephan wist niet wat hij met dat soort informatie moest, maar hij had in blind enthousiasme alles verzameld wat hij maar kon vinden.

In die dromerige toestand – het verlangen om Yitzhak te vinden, en de fantasie dat hij op een dag 'Yitzhak, I presume?' kon uitspreken – merkte hij niet dat de bus plotseling stopte. Hij werd zich pas bewust dat er iets ongewoons gebeurde toen er soldaten de bus inkwamen. Twee jongens vóór hem vlogen uit hun stoel en probeerden in blinde paniek de achteruitgang te bereiken. Dat zat ze niet glad. De soldaten had het duo binnen de kortste keren te pakken. Daar bleef het niet bij.

Wat de soldaten precies zeiden, kon Stephan niet verstaan. Hij had een klein woordenboekje hedendaags Hebreeuws bij zich, Hebreeuws, maar dit was niet bepaald de gelegenheid om rustig op te zoeken wat de instructies inhielden. Het was al duidelijk dat iedereen de bus uit moest. Stephan wilde zijn spullen pakken, maar kreeg een duw. Iedereen moest alles laten liggen zoals het er lag. Het enige wat de student in veiligheid wilde brengen, was het schrift met zijn gemarmerde kaft met daarin zijn aantekeningen. Hij deed er een greep naar, maar kreeg opeens de kolf van een geweer in zijn buik. Van pijn kromp hij ineen. Hij ging op zijn knieën zitten in het gangpad, wat de soldaat met het geweer alleen maar furieuzer maakte. Stephan werd bij zijn lurven gegrepen en de deur uit gesmeten. Hij kwam op de warme, scherpe steentjes terecht. Zijn handen gingen bloeden en ook zijn gezicht bleek gehavend door de val.

Op dat moment zagen de twee jongens de kans schoon om te ontsnappen. Maar ze hadden noch de snelheid, noch de vaardigheid om uit de handen van het soldatenvolk te blijven. Binnen de kortste keren lagen ze op de droge, geelbruine stofaarde en hadden een trap in hun zij te pakken. Daarop werden ze onder schot gehouden. Stephan voelde hoe een hand hem bij de schouder pakte, overeind trok en hem vervolgens tegen de bus aanwierp. Het gloeiendhete metaal brandde tegen zijn rug, maar hij durfde geen voet te verzetten. De soldaat tegenover hem trok het paspoort uit zijn borstzakje.

'Hollands? Jullie zouden toch beter moeten weten,' kwam er in Engels achteraan. 'Tas, koffer?'

De chauffeur was al bezig om de laadruimte onder de bus leeg te ruimen. Twee soldaten stonden erbij. Een van hen trok Stephan naar de neergeklapte klep toe. Hij moest aanwijzen welke bagage van hem was. Een rugtas. Die werd gepakt en een eind van de bus geworpen. Een van de soldaten gaf er nog een trap achteraan zodat het geheel een meter of twintig verderop lag. Stephan zag hoe zijn schrift uit de bus werd gegooid. Een andere soldaat liep naar de rugtas toe en begon er spullen uit te halen – alle spullen. De wind nam een hemd mee, maar Stephan besefte dat elke vorm van verzet zinloos was. De andere passagiers mochten ondertussen weer de bus in. De twee jongens werden afgevoerd naar een militaire jeep verderop. Stephan wilde ook weer instappen. Toen voelde hij de loop van een geweer op zijn borst...

'Je neemt de volgende bus maar.'

'Wanneer komt die dan?'

'Geen idee.'

De deur van de bus sloot zich. Op een afstandje lagen zijn spullen. Een deel ervan was uit het zicht gewaaid. Toen startte de jeep en reden de militairen weg. De buschauffeur had geen enkele compassie met de Hollander en gaf gas. Daar stond hij moederziel alleen in een gortdroog landschap met wegge- smeten bagage en zonder uitzicht op vervoer. Het was alle- maal razendsnel gegaan. Stephan realiseerde zich dat hij geen verzet had geboden, maar wist ook niet wat de consequenties waren geweest als hij wel had geprotesteerd. Hij was eerder verbaasd geweest dan verontwaardigd. Het was een koude kermis op een bloedhete dag en hij wist nu zeker dat hij niet meer in Nederland was.

Hij wilde even op een steen gaan zitten, maar sprong op toen deze gloeiend heet bleek. De zon brandde aan de hemel en verschroeide de aarde. De lucht zinderde en het asfalt leek te spiegelen. Nergens een auto te bekennen.

Er zat niets anders op dan zijn spullen zo goed en zo kwaad bij elkaar te gaan zoeken en dan maar te gaan lopen. Hij zou vanzelf wel ergens uitkomen. Jeruzalem was te lopen... hij wist zeker dat de Joden dat eerder hadden gedaan, en zonder openbaar vervoer. Hij propte hemden in de rugtas en prees zich gelukkig dat hij een kleine veldfles aan het ding had ge- hangen. Hij had hem nog gevuld op het vliegveld. Hij moest zuinig aan doen, maar een paar slokken had hij nodig.

Stephan liep langer dan twee uur en probeerde zijn lichaam zoveel mogelijk uit de zon te houden. Hij had een hemd bo- venop zijn hoofd geknoopt om in ieder geval te proberen niet verbranden. Hij moest niet voortijdig met iets van een zonne- steek in het ziekenhuis belanden. Hij vroeg zich af of iemand hem wel zou vinden als dit avontuur slecht zou aflopen. Kwam hier wel volk? Hij zou wel een barmhartige Samaritaan kunnen gebruiken. Zouden die nog bestaan? Zijn voeten deden zeer en zijn spieren verkrampten door de hitte. Het zweet gutste in straaltjes over zijn rug. In Nederland lag op dit moment nog een laag sneeuw.

Hij zag een stipje aan de horizon. Het stipje werd groter. Het maakte een brommend geluid en dat geluid zwol allengs aan. Toen het stipje nog ver weg was, deed hij zijn duim al in de hoogte alsof hij een lifter op de Amsterdamse Gooiseweg was. Toen vatte er een onuitstaanbare gedachte post in zijn hoofd. Dit was een auto. Die reed door. Want in de auto zat iemand die niets van duimen wilde weten. Die misschien wel Holland haatte. Of haast had, en werk dat zijn dringende aanwezigheid vereiste. Een duim bood misschien Hansje Brinker bij de dijk uitkomst, hier in Israël waren zwaardere middelen vereist.

Hij ging midden op de weg staan. Armen wijd. Benen ook wijd. Hij stond daar en hij dacht: ik hou die auto gewoon tegen. Hij was ervan overtuigd dat hij genoeg kracht in zijn donder had om ervoor te zorgen dat die auto niet door hem heen kon rijden. Tegelijkertijd minderde het voertuig geen vaart. Sterker nog, de chauffeur gaf meer gas dan nodig was, als een paard dat een aanloop neemt voor de sprong. Het kon Stephan niet deren. De wagen moest stoppen of hij zou sterven. Beide opties waren bespreekbaar; het ene deed niet onder voor het andere. Je kon moeilijk nog twee uur lopen in deze hitte... dat hield geen mens uit. Hij wist dat hij in het beste geval hersenloos in een inrichting terecht zou komen, waar men zou proberen te achterhalen wie hij was en wie er in Nederland wellicht voor hem zou willen zorgen. Niemand, realiseerde hij zich.

Nee, dat was niet waar.

Zijn vader.

En plotseling begon hij te snikken. Het gevoel maakte zo

plotseling bezit van hem dat hij het nauwelijks kon bevechten. Hij wilde naar huis. Niet eens naar Amsterdam. Naar de boerderij. Naar papa. Hij wilde in iemands armen liggen en getroost worden. Daar was ineens de geur van het gras, van de stront, van de sloten, van de lente, van het hooi, van de melk, van de koeien. Een storm van geuren dwarrelde om hem heen. Hij leek in een soort wervelwind van reuk gevangen te zijn. En zijn armen – toch al wijd om de wagen te stoppen – werden een wanhoopsgebaar, alsof hij die tornado vroeg om hem op te liften, boven deze oorlogswoestijn te verheffen, over de oceanen heen mee te nemen en te laten landen in een drassige weide. Hij huilde zoals hij lang niet meer gehuild had. Hij schreeuwde zijn verdriet uit. Wat jankte er toch binnen in hem... het was niet de ontbering van deze dag, van de hitte, de zon, die soldaten, de bus. Het was een eeuwenoud verdriet dat van hem bezit nam in het land dat was geboren in een boek. Het waren de tranen van een heel volk waartoe hij niet behoorde maar waaruit wij allemaal geboren zijn.

De auto stopte.

'Taxi?'

'U bent geen taxi,' lachte Stephan. 'Maar ik neem u sowieso.' Hij haalde uit zijn zak een bankbiljet en hield het in de hoogte.

'Taxi!' zei de man die geen taxi was, maar dat best wel even wilde worden. Hij duwde een deur open, zodat Stephan zijn spullen naar binnen kon werpen en daarna zelf plaats kon nemen.

'Sjalom,' zei Stephan en viel de man om de hals. Die schrok daarvan, maar had er daarna wel een glimlach voor over.

In Jeruzalem stapte Stephan bij de Jaffapoort uit. Hij had veel gecommuniceerd met zijn Israëlische chauffeur die geen woord Engels, Frans, Duits, of welke andere voor Stephan verstaanbare taal dan ook kon spreken. Uit allerlei gebaren, kreten en zelfs foto's had hij echter kunnen opmaken dat hij te maken had met een Rus voor wie Rusland niet meer het geluk vormde. Langzamerhand had Stephan zich een beeld van diens leven kunnen vormen. Het was een geschoold man. Hij sprak geen vreemde talen, maar bouwde bruggen. Dit was een land zonder water, dus aan bruggenbouwers had men niet zoveel. Daarom was Yev schoonmaker geworden. Yev en zijn vrouw. Yev, zijn vrouw en zijn kinderen. Yev, zijn vrouw, zijn kinderen en zijn schoonfamilie. Hij was het hoofd van een familie die uit honderden personen moest bestaan en die zich in leven hield met het opruimen van andermans troep. En Stephan was vanaf nu zijn vriend. Voor eeuwig. Hij moest maar bellen als hij in de buurt was. Hij mocht altijd blijven slapen. Was Stephan getrouwd? Was hij een Jood? Nee? Jammer, want in dat laatste geval mocht hij niet trouwen met zijn dochter. Voor zijn dochter zocht hij een Jood. Liefst een dokter. Hij vond dat zijn oudste dochter – nog niet getrouwd, zijn andere dochters wel – toch nog een dokter aan de haak moest slaan. Maar dokters waren schaars. Wat studeerde Stephan? Wiskunde? Was daar brood mee te verdienen? Dan werd je toch gewoon schoonmaker? Maar, hij was dus geen Jood. Jammer voor zijn dochter. Maar zijn vriendschap kon hij wel krijgen – voor eeuwig. Stephan mocht hem nooit meer vergeten. Yev was zijn naam. Yev! Niet vergeten, man!

Koffer beschadigd, een wond op zijn kop en daar was de Jaffapoort. Meest westelijk. Ook wel Hebronpoort, ook wel Davidspoort. Voetgangers, voertuigen. Ga je hierdoor naar binnen, kom je op een pleintje dat tussen de christelijke en de Armeense wijk ligt. De legende ging – en gaat – dat elke veroveraar van Jeruzalem door deze poort naar binnen zou gaan. In 1898 ging Wilhelm II een bezoek brengen aan de Heilige

Stad. Bij die gelegenheid lieten de Ottomaanse bezetters – Jeruzalem was toen in handen van de Ottomanen – een gat hakken náást de poort. De keizer mocht eens denken dat...

Dat vertelde het boekje hem. Zo'n boekje waar je niets aan hebt als je hoofd bloedt, je kop geschroeid is, je een blauwe plek van een geweerkolf op je buik hebt, je handen openliggen. Dan wil je niets weten van die mooie stad. Het kan je allemaal gestolen worden. Elke bezienswaardigheid.

Er waren hier winkeltjes. Veel winkeltjes. Winkeltjes voor de toeristen. Oude mannen sleepten karren door de straatjes en remden die af door op een kapotte rubberen fietsband te gaan staan die aan hun kar was vast getimmerd. Handig. Ze hadden van alles voor hem te koop. Maar Stephan wilde niets. Hij wilde weten waar de Hebreeuwse Universiteit was. Ze wilden eerst dat hij iets kocht, voordat ze hem enige informatie verschaften. Hij kocht iets. Een fluitje van hout. Hij had geen idee of het typisch Israëlische waar was of niet. Hij blies er even op, maar er kwam nauwelijks geluid uit.

De Hebreeuwse Universiteit was gebouwd op de Scopusberg en bood uitzicht op meer dan de stad alleen. Van hieruit kon je – op een heldere dag, en alle dagen waren helder – zelfs Jordanië zien liggen. Ook de nederzettingen, die tegen de heuvels aangebouwd waren om er voor te zorgen dat meer en meer grondgebied eigendom werd van het Joodse volk. De campus was enorm en brandschoon. De cipressen waren het enige groen in deze omgeving. Zowel het plaveisel als de gebouwen waren spierwit.

Hij kwam bij de ingang van de universiteit. Iemand van de beveiliging bekeek zijn paspoort, zijn gezicht, opnieuw zijn paspoort en wees hem dan waar hij moest zijn.

Stephan bleef maar zwerven, ook al was hij op deze dag het zwerven moe. Hoe lang kan in vredesnaam een dag duren, dacht hij. Het moest zo langzamerhand toch wel eens avond worden, maar het was alleen maar heel laat in de middag. Van tijd had hij sowieso geen enkel benul meer. Het was alsof alles stilstond, na al die ellende in de woestijn.

Overal in het gebouw liepen studenten en oudere, Joodse professoren. Er liep volk in alle soorten en maten. Vlot, modern, jong van nu en orthodox van toen. Hij liep door een doolhof van gangen en probeerde zijn weg te vinden door pijlen te volgen op talloze bordjes. Hem bekroop het gevoel dat hij zijn doel nooit zou bereiken en dat zelfs het eerste station op deze zoektocht vandaag niet in zicht zou komen. Het was een mathematisch probleem dat hem gesteld was in het eerste jaar van zijn wiskundestudie. Een man legt de helft af van zijn reis, en dan weer de helft van de volgende helft, en dan weer de helft van de helft daarna. Wanneer komt hij op de plek van bestemming? Nooit, volgens die theorie. Hij zwierf rond, vroeg het nog maar een keer en toen stond hij eindelijk oog in oog met professor Ohad van de wiskundefaculteit.

'Als Gusta Marthés mij een verzoek doet, zeg ik nooit nee,' zei de gebogen, oude man die een prachtige zachte glimlach op zijn gegroefde gezicht had. Hij sprak opmerkelijk goed Engels. En praatte ook veel. Zelfs een beetje van de hak op de tak. 'Ik heb een kamer voor je geregeld in de stad. Dat lijkt me prettiger. We hebben hier alle faciliteiten. Computers, modern spul. Ik hoorde dat je een stage in Los Angeles aan je voorbij hebt laten gaan om hierheen te komen. Je bent niet Joods, toch?'

Stephan zag een plaquette op de gang waarop te lezen viel dat dit deel van de Universiteit financieel mogelijk was gemaakt door de Amerikaanse familie Strauss. Hij bleef er even bij stilstaan.

'Is er iets?'

'Nee, niets.' Toch verroerde hij zich even niet. 'Ik zag al op verschillende plekken over schenkingen van Amerikanen. Dat kennen we in Nederland niet zo.'

'Nederland is dan ook een gewoon land,' zei Ohad, alsof die zin de meest begrijpelijke opmerking was die een mens kon maken.

'Dat is dit toch ook?'

'Israël is een statement! Een uitroepteken! Weet je iets van dit land?'

'Nee.' Stephan schudde zijn gebakken hoofd.

'Dan staat je nog heel wat moois te wachten.'

24

Jeruzalem, winter 2012

Stephan had een kleine kamer gekregen, in het oude centrum van Jeruzalem. Het ene kleine raam bood uitzicht op de Klaagmuur. Het vertrek was niet veel groter dan vier vierkante meter. Er stond een tafeltje waar hij zijn rugzak op kon leggen. Dan was er nog een bed. En onder het raam stond een tafel waar hij kon schrijven. De muren waren van ruwe steen, zonder behang, en ook op de plavuizen lag geen vloerkleed. Er was geen airconditioning, maar het raam kon open. Als je dan ook de deur openzette, ging er iets van wind of tocht door het huis. Veel was het niet, koel zeker niet, maar het voelde toch als een plek voor jezelf.

Op tafel lag een fax. Geprint op thermisch papier, ongetwijfeld met een apparaat dat zijn beste jaren allang had gehad.

Beste Stephan,

Professor Ohad is een goede vriend van me en zal je zo

goed mogelijk proberen te helpen. Ik heb met de UCLA af-
gesproken dat je eventueel later alsnog naar Los Angeles
zou kunnen. Maar veel hoop heb ik daar niet op. Tenmin-
ste, dat zegt mijn intuïtie, voor zover wij wiskundigen van
intuïtie mogen spreken. En voor zover ik nog van 'wij wis-
kundigen' mag spreken.

Toch wens ik je al het goede daar.
Pas op jezelf,

Gusta

Hij sloeg zijn aantekeningenboek open en las daar iets wat
Nathan hem had verteld. Dat de kinderen in Israël waren
aangekomen en dat twee van hen nog diezelfde dag in het
leger hadden gemoeten. 'Ze hebben het niet langer dan een
week overleefd.'

25

Jeruzalem, winter 2012

Slapen kon je het niet noemen. Zijn hoofd kwam niet tot rust.
Het leek alsof zijn geest een deur had en dat alles wat zich
daarbinnen bevond, zich verdrong voor die poort. Niet alleen
waren al die beelden, al die feiten, al die gegevens daarboven
opgeslagen. Het leek ook alsof ze zich verdrongen om gedacht
te worden. Als de was in een wasmachine klotste het heen en
weer. Hij zag kinderen in een trein. Dat beeld was intussen ergens op zijn netvlies geëtst, zoals ook dat van hongerige
Duitse kinderen die achter een traag rijdende trein aan ren-
den, in de hoop een korst brood of een puntje worst te kunnen bemachtigen.

Hoewel hij van Nathan geen woord had gehoord over de
bootreis – wellicht omdat de schrijver er niets van wist,
omdat hij afscheid had moeten nemen op de kade – kon hij
het beeld van honderden kinderen in een ruim, opeengepakt
met wat bagage en met dekens tegen de nachtelijke kou, maar
niet wegdrukken. Bang en gespannen moesten ze zijn geweest over wat het nieuwe land ze zou kunnen bieden. De fo-

to's van Robert Capa, die voor de onverzadigbare persbureaus in Parijs en New York elke dag over de eerste dagen van de nieuwe staat had bericht, kwamen in zijn hoofd tot leven. Hij zag de gezichten van Joden die de oorlog hadden overleefd en nu als arme immigranten, met niets anders dan hoop als bagage, naar het nieuwe land kwamen, in een poging opnieuw te beginnen. Hij zag ook hoe ze hun stempeltjes kregen aan die kleine formica tafeltjes, de eerste papieren waaruit bleek dat ze méér waren dan Jood alleen: vanaf nu waren ze Israëliër. Een jong volk dat zich onmiddellijk weer met wapens en kogels zag geconfronteerd. Een volk dat voor tirannen was gevlucht en nu alweer moest vechten voor hun leven. Een volk dat de ene tragedie had overleefd om de volgende te ondergaan. Want Israël was een land in oorlog. Sinds zijn oprichting had het geen dag doorgebracht in volledige vrede.

Hij zou wel in dat verleden willen ronddolen. Vrijuit willen rondzwerven tussen de opvarenden en willen kijken in Haifa, Jaffa, Tel Aviv, en Jeruzalem. Mee willen lopen met de mannen en vrouwen die zochten naar een plekje in de kibboets die hen welkom heette. Hij hoefde alleen maar te kijken. Aan de geschiedenis wilde hij geen draad veranderen. In stoere uren vol drank hadden hij en Freek wel eens gefantaseerd over reizen door de tijd, iets waarvan Stephan volhield dat het mogelijk moest zijn als je de snelheid van het licht maar kon doorbreken. Freek vond het een gevaarlijk verlangen. 'Je wil naar vroeger om het lot te keren, maar dat kan niet.' Dat ontkende Stephan dan. Kijken was het enige. Meer hoefde niet. Ook nu wilde hij dat alleen maar. De zwart-witfoto's binnenstappen en daar met mensen praten die het van dichtbij hadden meegemaakt. Horen hoe de reis was, de geschiedenis, de hoop op de toekomst, de belevenissen.

Hij was moe, maar sliep niet. Zijn ogen vielen dicht en toch bleven ze open. In hem had zich een enorme bubbel van haast opgehoopt en die leek maar niet weg te trekken. Adrenaline moest dit zijn; verschrikkelijk spul dat de nacht bijna tot een ondragelijke duivel maakte. Hij doorstond de ellende, omdat hij wist dat er een volgende dag zou zijn... eentje vol goede moed en avontuur.

De zon wekte hem. Op het laatst had de slaap hem dan toch overvallen. Hij schoot uit bed, duwde zijn hoofd onder de koude kraan en liet het water de rest doen. Op straat – bij een tentje – vond hij koffie, broodje, sinaasappelsap. 'Goedemorgen, Jeruzalem', zei hij onder een hap en een slok. Hij herinnerde zich opeens een beeldje, of beter gezegd een zuil, op de Sint Anthoniesluis, op een steenworp afstand van Nathans huis. Er stond een gedichtje van Jacob Israël de Haan op. Hij had het nooit echt begrepen.

Die te Amsterdam vaak zei 'Jeruzalem'
En naar Jeruzalem gedreven kwam
Hij zegt met mijm'rende stem
'Amsterdam, Amsterdam'

Maar nu, op deze ochtend met koffie, sinaasappelsap en brood, voelde hij het verband tussen de twee steden. Het waren niet de huizen, noch het klimaat, niet de mensen en ook niet de geur. Toch maakte Jeruzalem hem duidelijk dat hij van Amsterdam hield. En dat hij met diezelfde liefde ook van Jeruzalem kon houden. Het zou niet de laatste keer zijn dat hij hier was. Hij zou telkens weer teruggaan. Omdat hij het gedicht ditmaal begreep, nam hij zich voor om bij thuiskomst eens na te gaan wie die Jacob Israël de Haan was die zoveel eerder dan hij datzelfde verbindende gevoel moest hebben gehad.

De ochtend ging voorbij in mislukkingen. Hij liep eerst

naar het Yehuda Register. Hij had de voor de hand liggende gedachte dat alle burgers van Israël daar geregistreerd zouden staan. Dat was ook zo, maar dat hield klaarblijkelijk niet in dat men Yitzhak Dimitraiu of Dimitrescu boven water kon krijgen. Die leek spoorloos verdwenen, nooit in Israël te hebben bestaan. Ongetwijfeld sprak Stephan de waarheid, zei de receptioniste, maar de computer ook.

Hij probeerde vervolgens *The Jerusalem Post*. Daar mocht hij uiteindelijk grasduinen in het archief waar men sinds een paar jaar ook alle oude kranten had gedigitaliseerd. Het herinnerde hem aan de sisyfusarbeid bij Nathan. Een licht schuldgevoel maakte zich van hem meester. Nog niet veel van het oeuvre had intussen de weg naar het beeldscherm gemaakt. Als hij terugkwam, zou hij de draad wel weer oppakken. Maar nu niet. Hij was bezig Nathans kind te zoeken. Niet zijn echte kind, het jongetje dat daar het dichtst bij in de buurt kwam.

Geen enkel bericht bij *The Jerusalem Post* over de aankomst van de kinderen. Ook geen foto's. Niets. Alsof de Negbah tussen Amsterdam en Haifa was gezonken. Had de gebeurtenis die op dit moment zijn leven bepaalde dan geen enkele rol gespeeld in de wereldgeschiedenis?

Hij herinnerde zich een klein voorval uit de tijd dat hij pas in Amsterdam woonde. Er stond een violist bij de Nieuwe Kerk op de Dam en Stephan gooide een paar muntjes in de hoed van de man. 'Maestro,' had hij als onbedoelde groet gezegd. De oude man was gestopt met spelen en had hem aangekeken met ogen die dwars door hem heen drongen. 'U kent mij?' vroeg de violist en voordat Stephan zijn hoofd had kunnen schudden, zei de man met een gebroken stem: 'Als niemand zich mij meer herinnert, dan besta ik niet meer.' Stephan had hem de hand geschud en was op de tram gestapt. Daar – terwijl hij door de ruit naar de stad had gekeken – realiseerde hij zich de vernietigende kracht van het vergeten. Want als hij niet zou opschrijven dat hij deze violist had ontmoet, dan was zelfs de herinnering aan een herinnering tot stof vergaan. Er waren vijfhonderd kinderen met de trein uit Roemenië gekomen en die hadden een jaar in Nederland gewoond, voordat ze deel uit gingen maken van het nieuwe volk in dit nieuwe land. En er kon zomaar een dag komen dat niemand dat meer wist. Dat de mensen die het wisten het niet meer konden vertellen. Dat de mensen die het gehoord hadden het waren vergeten. Dat er een hele generatie was die niets wist over deze kinderen, over Roemenië, over een oorlog, treinen, een boot, een Nathan en een Yitzhak.

Gedesillusioneerd liep hij door de smalle straten van Jeruzalem. Hij wandelde een stuk over de Via Dolorosa en realiseerde zich dat een Man op sandalen hier tweeduizend jaar geleden een kruis naar de plek had gedragen waar datzelfde kruis hem zowel zou doden als tegelijk voor eeuwig zou laten leven. Bordjes met pijlen gaven dezelfde route als de Man aan. Stephans tocht was alleen vele malen minder zwaar, al voelde het toch alsof hij een stuk van de geschiedenis met zich meesleepte.

De stad Jeruzalem was schoon, mooi en wit. De huizen eeuwenoud en vol historie, de stenen versleten door vele herhalingen van de tocht der tochten, van eindeloze sandalen en daarna van laarzen en gymschoenen, van te hoge hakken en van blote voeten die de straat hadden gepolitoerd totdat het er spekglad was geworden. Hij rees en daalde met de weg mee, keek in winkeltjes met snuisterijen waarvan hij niet wist of hij ze moest kopen. Wellicht waren ze toch een kostbare herinnering voor later, wanneer hij oud en grijs zou zijn.

Zo ging de dag bijna zinloos voorbij. Hij naderde Yitzhak niet. Niemand wist wie de jongen van toen of de man van nu was en waar hij woonde. En al snel besefte Stephan dat hij te weinig aanknopingspunten had. De avond daalde de stad in en de zon glom nog even rood de rotskoepel op voordat de student wist dat hij een haast onbegaanbare weg nam door het verleden. Vanuit Amsterdam had het hem eenvoudiger geleken: een ticket naar Jeruzalem en daar vragen naar Yitzhak, een man of een vrouw die hem de weg zou wijzen, een klop op een deur en dan een ontmoeting die de wonden van vroeger zou helen. Het was een klein land, dit Israël, maar voor een zoektocht zonder goed plan te groot.

'De Zim-lines,' zei hij op een klein terras bij zichzelf, terwijl een toerist al een half uur doelloos tegen hem aanpraatte.

De volgende dag ging hij naar Haifa. Hij stond vroeg op en liep naar een rij taxi's om daar te vragen wat die rit zou kosten. Het was een bedrag waar hij – een paar weken geleden – nog meer dan een week van kon eten, maar hij had geld bij zich, geld dat óp mocht aan deze zoektocht. Hij schudde de hand van de chauffeur die zich voorstelde als Chaim en die eerst het stof van de achterbank afveegde, voordat hij de jongen er liet zitten. Daar – in het eerste warme zonlicht van de nieuwe dag – wist Stephan dat de zoektocht in ieder geval één ding had opgeleverd: een begin van een verzoening met zijn eigen vader. Ook die reis was nog niet afgemaakt. Als hij terug was in Nederland, moest hij naar de boerderij om daar te helen wat nog verwond was, maar dat had tijd. Hij betaalde Chaim met het geld dat zijn vader hem had gegeven... en het voelde op een bepaalde manier goed dat het zo ging. Het was geld van een band die niet meer verbroken kon worden.

Tevreden liet hij zich naar Haifa rijden, door het stoffige land. Goede wegen met woestijn en rotspartijen links en rechts van de weg. Soms zicht op de zee aan de westkant. Af en toe stond er een totaal verroeste legertank lukraak aan de kant van de weg. Die werd niet weggehaald, maar ook niet langer in ere gehouden. De gevechtsmachine herinnerde, voor zolang het duurde, aan oorlogen van zes dagen, langer en korter. Regen – als die al viel – en roest zouden uiteindelijk dit soort relikwieën laten verdwijnen en daarmee wellicht ook de oorlog wegnemen uit een land dat niet anders kende dan strijd.

Het verkeer in de straten van Haifa was chaotisch. Auto's en auto's en bussen en auto's en vrachtwagens en bussen en auto's. De taxichauffeur manoeuvreerde zich er handig doorheen. Ook al had de wagen airconditioning, Chaim hield zijn raampje open, want hij moest voortdurend vloeken en tieren naar andere weggebruikers. Dat was blijkbaar een passend ritueel in het Israëlische verkeer. Je moest veel toeteren en daarna verbaal uithalen naar al die stomme idioten die jou de doorgang belemmerden. Hij leek er geen hartkwaal aan over te houden; het hoorde bij het vak. Om een taxi te kunnen rijden in dit land, moest je twee handen, twee benen en een strot hebben, anders hield je het niet vol. Ook dit stemde Stephan rustig en gelukkig. Er was iemand die hem een eigen woede bespaarde en die er uiteindelijk voor zou zorgen dat hij op de goede plek zou aankomen.

Uiteindelijk kwamen ze, in de buurt van het Khamraplein, bij een straat die vernoemd was naar de dissident Andrej Sacharov. Hij maakte een afspraak met Chaim dat die de student over een paar uur hier zou treffen. De rest van de route wilde hij lopend afleggen, kijken naar de stad waar zoveel Yitzhaks waren aangekomen in de loop van de vorige eeuw.

Haifa was een vreemde mengeling van oud en nieuw. Hij liep langs een oud vervallen station waar nooit meer een trein kwam en waar ook het donkerrode en diepbruine roet nooit meer van afgewassen zou worden. Het dak was ingestort en er stonden wat vervallen wagonnetjes te wachten tot een locomotief ze zou ophalen voor hun laatste rustplaats. Maar dat zou nooit meer gebeuren. Hijskranen aan het water losten vracht uit schepen. Hij liep naar de zee, maar kon de horizon niet zien. Die werd door een pier uit het zicht gehouden. Het dagelijkse leven hield Haifa in een ijzeren greep. Geen tijd voor de zorgen van morgen of bespiegelingen over vroeger. Lading moest nu van boord, lading moest nu aan boord. Een oude stad, een nieuwe stad, Haifa was het allebei.

Het gebouw van de Zim-lines was een modern glazen kantoor dat blauw glom van de wolkeloze lucht in de stad. Er stonden bewakers voor de deur die ook hier tot de tanden toe bewapend waren. Stephan was er inmiddels aan gewend. In Israël waren beveiligers van een heel ander kaliber dan de geüniformeerde tandenstokers in Nederland. Hier waren het soldaten, al dan niet in dienst van het leger. Ze droegen mitrailleurs om ervoor te zorgen dat 'sjalom' geen loze kreet om vrede was.

Hij probeerde uit te leggen waarvoor hij kwam. Hij werd gefouilleerd en binnengelaten.

Bij de oude houten desk in de hal van de Zim-lines meldde hij zich bij een receptioniste. Hij vertelde wat hij zocht en zij zei hem dat hij maar even moest gaan zitten in de zwarte kunstleren stoelen. Hij wachtte geduldig, probeerde na te denken wat zijn volgende stap moest worden als ook deze niets zou opleveren. Hij zag hoopgevende posters aan de muur, van de historie die de Zim-lines in ere probeerde te houden. Er was een vitrine – met gaas ervoor – waarin een scheepsmodel stond en andere gedenkwaardige spullen uit het verleden van de rederij. Hij stond op en keek eens naar de naam van het schip. Het was de Negbah.

Er trok een rilling over zijn ruggengraat. Hier stond hij oog in oog met een model van de boot die zijn Yitzhak ooit uit Amsterdam had meegenomen. Het was een modern schip. Het had een aantal dekken en in de ogen van de student was het vele malen groter dan hij tot nu toe had bedacht. Hij liep om de vitrine heen en probeerde zich een voorstelling te maken van het leven aan boord. Hij zag het dek waar Yitzhak spelletjes moet hebben gespeeld. De reling waarover hij geleund had gestaan en die hem zicht had geboden op het Amsterdam dat langzaam maar zeker buiten zicht raakte en Haifa dat hij uiteindelijk ging zien.

'Meneer de Vos?'

Stephan draaide zich om. Hij zag een jonge man die niet veel ouder was dan hij. Het duurde even voordat hij zich realiseerde dat de man Nederlands tegen hem sprak.

'Stephan de Vos?' informeerde de student en kwam op hem toegelopen.

'Yona Katzman,' glimlachte de medewerker van de Zimlines. 'Mijn grootouders komen uit Nederland en die weigeren een andere taal met mij te spreken dan Hollands. Vandaar...' Stephan glimlachte en complimenteerde Katzman met zijn accentloze Nederlands. Yona nam Stephan even in zich op en liep toen voor hem uit naar de liften. 'We gaan naar de vierde verdieping.'

Stephan vertelde waarvoor hij hier was. Wat hij niet vertelde, was het waarom van zijn queeste.

Yona vroeg of hij Stephan even alleen mocht laten in de kamer, dan zou hij ondertussen zoeken in de archieven. Hij had daar misschien een uur voor nodig. Het was goed, zei de student. Het was goed, omdat hij de tijd wel kon gebruiken om in zijn schrift zijn aantekeningen bij te werken.

'Aantekeningen' dekte de lading allang niet meer. Het was een verhaal aan het worden. Het boekje, dat gemarmerde schrift, had beschadigingen opgelopen tijdens de reis. Het was uit de bus gekwakt en had ook daarna (en daarvoor) nogal te lijden gehad van de ontberingen die schriften nu eenmaal meemaken tijdens een schrijfproces. Ze worden neergekwakt, in een hoek gegooid, eindeloos open- en dichtgeslagen, gebruikt als stoffer én blik om broodkruimels van een tafel te vegen. En er wordt koffie op gemorst. Een goed schrift leidt een vreselijk leven. Hij zag zijn eigen handschrift terug. Goed leesbaar, een wiskundige waardig. Met zo'n handschrift kon je geen dokter worden. Wel zou hij de computer van Nathan Mossel kunnen leren het te lezen.

Hij herlas wat hij had geschreven over de zoektocht, over zijn reis, over Jeruzalem in die eerste dagen, over de vlucht en het meisje Inge dat geen reden had om ooit nog terug te gaan naar Nederland. Hij pakte zijn pen en schreef over Haifa, over hoe de stad eruit zag en wat hij met hem deed. Hij raakte er nauwelijks over uitgeschreven.

Yona kwam terug. Na een uur. Met een map.

'Ik heb wel de tocht teruggevonden. Maar we hebben hier geen passagierslijsten. Het schip was gecharterd door de Jeugdalliantie. Die hebben hun archief in Amerika.'

'Ik ben op zoek naar één man. Hij moet inmiddels in de zeventig zijn. Ouder wellicht. Wat weet je nog meer over die reis?'

'De Zim-lines hadden het schip net gekocht. Beneden hebben we een model.'

'Dat heb ik gezien.'

'Het was de eerste tocht van de Negbah, wat overigens 'naar de Negev' betekent. Het schip was bedoeld om immigranten op te halen.'

'Maar die gingen altijd van Marseille naar hier.'

'Dat verbaast mij ook,' zei Yona en keek de papieren nog eens door.

'Hoe kom ik in contact met die Jeugdalliantie?'

'Voor jou is dat onmogelijk,' zei de medewerker. Glimlachte toen. 'Ik ben zo vrij geweest om ze namens de Zim-lines een mailtje te sturen.' Hij keek de student aan. 'Wat is er met je hoofd?'

'Gestoten,' zei Stephan en hij voelde hoe de blauwe plek op zijn buik, van een militaire geweerkolf, ook nog altijd zeer deed.

'Als ik iets vind, neem ik contact met je op. Mag ik je nummer?'

Het was niet meer dan een draadje. Of liever: het begin van een draadje. Maar dát was het dan toch... Een begin. Van een einde.

26

Jeruzalem, winter 2012

Hij had het gevoel dat iemand zijn tas had doorzocht, maar zeker was hij er niet van. Het leek alsof de spaarzame meubels in zijn kamer iets van hun plek waren verschoven. Maar wellicht was dat alleen maar een vorm van paranoia in een vreemd en verwarrend land.

Van Yona hoefde hij niet op stel en sprong iets te verwachten. Die zou contact opnemen zodra hij wat hoorde van de Jeugdalliantie in Amerika. Wel ging hij naar de Openbare Bibliotheek, maar ook daar kwam hij niet verder. Hij had alleen maar dat ene draadje. Toch was hij niet helemaal zonder hoop. Sterker nog, er had een overtuiging in hem postgevat dat hij uiteindelijk nieuws zou krijgen van de andere kant van de oceaan en dat hij op een dag toch zou aanbellen bij het huis van Yitzhak. Hij kon zich niet voorstellen dat dit verhaal een andere wending zou nemen dan de meest juiste. Een hereniging van het verleden.

Er bracht een man bezoek aan zijn bed, in de nacht, dus was het een droom.

'U zult niet vinden wat u zoekt. En u zult er alleen maar verdriet mee doen. Uzelf op de eerste plaats.'

'Wie bent u?'

'Dit is mijn land,' zei de man die Nederlands sprak en grijs haar had.

'U woont hier?' vroeg Stephan.

'Je thuis kan duizenden kilometers verderop zijn. Voor Joden is Israël hun thuis, waar ze ook wonen.'

'Kent u Yitzhak?'

'Er bestaat geen Yitzhak,' zei de man en hield zijn statige houding vol aan het bed. 'Hij bestaat alleen in uw hoofd. Het verleden bestaat niet. Verleden is alleen maar verdriet en haat. Toekomst, is hoop en liefde.'

'Dat weiger ik te geloven,' zei Stephan.

'Val uzelf niet meer lastig. En maak niet meer wonden dan er al zijn. Nathan heeft naar mij geluisterd. Meer dan zestig jaar lang...'

'Dat is het verschil. Precies dat.'

'Verschil?' vroeg de oude man.

'Tussen Nathan en mij. Ik luister namelijk nooit.'

Toen was de man vertrokken en Stephan wist niet goed wat de droom inhield of wat de man hem wilde zeggen. In ieder geval was er iets dat hem opriep zijn zoektocht te beëindigen. Maar daar was geen denken aan. Stephan ging door.

Het woord 'Jemima' was na het gedwongen afscheid van Inge op het vliegveld van Tel Aviv in zijn hoofd blijven zitten. En omdat hij momenteel geen nieuwe stappen kon maken, totdat Yona weer contact met hem zocht, bedacht hij zich dat hij het meisje wellicht kon terugvinden. Misschien wilde ze dat wel helemaal niet. Dat zou best kunnen. Ze had immers niets meer te zoeken in Nederland en Stephan was nu eenmaal Hollander in hart en nieren. Het was wellicht niet voor niets dat ze hem geen gedag had gezegd. Maar Stephan wilde zich niet meer neerleggen bij de schikking van het lot. De mens had niet een eigen wil gekregen om altijd maar te berusten in hoe de dingen gingen. Ook al stonden er oude mannen bij zijn bed in de nacht, dan nog hoefde hij niet naar hun wijze raad te luisteren. Hij kon zich namelijk voorstellen dat wijsheid geboren werd uit angst, of achterdocht, of wanhoop of al die andere emoties die maken dat de wereld er niet beter op werd. 'Doe maar niet, dat is beter voor jou, dat is beter voor ons, dat is beter voor iedereen.' Was dat bewezen, dan? De wetenschap was niet de kunst van het weten en daarbinnen blijven cirkelen tot het iedereen verveelde... het was gaan op wegen die tot dan toe niet begaan waren. Ontdekkingsreiziger, dat was de mens... Voorbestemd om te komen op plekken waar eerder geen voetstap was gezet.

Zo sprak hij tegen zichzelf, zo schreef hij in zijn schrift, maar hij besefte ook dat hij alleen maar bezig was om zichzelf moed in te spreken. Want zo vaak trok hij de stoute schoenen niet aan.

'Dat is in Bethlehem,' zei een student in hetzelfde huis met wie hij een praatje had gemaakt. 'Je weet waar Bethlehem ligt?'

'Dat moet ik op de kaart toch wel kunnen vinden,' vroeg Stephan.

'Bethlehem is Palestijns. Heb je een wagen?' Stephan schudde het hoofd. De student knikte... die ging dan maar wat voor hem regelen.

Hij kreeg een auto te leen. Goeie auto, niks mis mee. Hij had een paar jaar geleden zijn rijbewijs gehaald, na vijf lessen. De uitzondering die de regel bevestigde. Over het behalen van een rijbewijs deed je normaalgesproken tientallen lessen lang.

Opnieuw ging hij door het stoffige landschap, ditmaal op weg naar Bethlehem. De file wagens waar hij in stond, was niet vooruit te branden. Maar toen hij beter keek, zag hij dat er ook een tweede rij was die veel sneller opschoot. Er was daar net buiten Jeruzalem een roadblock en alle Palestijnse auto's werden door Israëlische militairen – hij kende het soort intussen – aangehouden en zorgvuldig onderzocht. Werktuigelijk voelde hij aan de wond op zijn hoofd. Nog een keer zo'n actie en hij kon een ziekenhuis opzoeken. Hij werd zenuwachtig en prentte zich in om alles te nemen zoals het op zijn pad kwam, niet te protesteren, een schaap te zijn en mak te blijven zolang het duurde. Dit was een land in oorlog, met alleen een schijn van vrede. Hij kon doorrijden toen hij zijn paspoort liet zien.

Vandaar moest hij kleine hobbelige weggetjes nemen op weg naar zijn reisdoel. Hij had een kaart die hem precies de route gaf, maar op dit moment zou hij meer baat gehad hebben bij een navigatiesysteem. 'Bij de volgende kruising gaat u rechtsaf...' Maar niets van die luxe. Het landschap werd allengs ruiger en op een gegeven moment had het autootje veel moeite met het beklimmen van het heuvelachtige gebied. Toen hij de koppelingsplaten voelde slippen, zette hij zijn auto neer en besloot de rest te voet af te leggen. Dit was Bethlehem, dus. Hier had ooit die stal gestaan toen er voor hem geen herberg was. De huizen waren tegen de rotsen gebouwd en het wegdek was er slecht en opnieuw drong het stof in zijn poriën. Hij wist intussen wat het betekende dat dit land maar voor twee procent uit water bestond. Het was er droog, gortdroog.

Hij vond Jemima in Bethlehem. Het huis had een oprijlaan en een hek. Dat hek was dicht. Het busje waarmee Inge was opgehaald, stond naast het huis geparkeerd. En aan het hek was een bel. Daar drukte hij maar eens op. Het duurde even – nee, het duurde lang – voordat er enige beweging in het huis te bespeuren viel. Er kwam een man aangelopen, een vriendelijke man met een open gezicht. Hij was naar schatting een jaar of zestig. Hij kwam naar het hek en keek Stephan aan.

'Ik...' Hij schudde even zijn hoofd alsof het daarmee helder zou worden. 'U bent Nederlands?'

'Ja,' zei de man. Waar Stephan dat aan zag, wist hij niet. De paar keer dat hij in het buitenland was geweest, had hij dat gevoel ook al gehad... dat hij soms mensen zag waarvan hij meteen wist dat ze uit zijn land kwamen, zonder dat ze een zin hadden gezegd. Er moest zoiets zijn als een Hollands trekje, maar wat het nou precies was...

'Ik zoek een blond meisje. Ze heet Inge.'

De man deed meteen het hek open. En stak zijn hand naar hem uit.

'Bert van Groningen. Hoe maak je het?'

'Nu een stuk beter,' glimlachte Stephan. 'Ja, u moet ook denken... komt er zomaar iemand aanbellen. Maar...'

'Wil je iets drinken? Het is zo warm,' zei Bert en liep naar het huis. Stephan was onder de indruk. De vriendelijkheid was meer dan hij in tijden was tegengekomen, niet alleen in Israël maar ook in zijn eigen Amsterdam.

Er was een eetzaal in het huis. Geen woonkamer of keuken, maar een grote ruimte met lange tafels. Nog altijd had Stephan geen idee waar hij nou terecht was gekomen. Een woonhuis kon dit niet zijn. Een hotel ook niet. Het leek op een jeugdherberg. Bert liep naar de keuken om zogezegd een koel drankje te halen. Op dat moment werd Stephan aan zijn mouw getrokken.

Het was een jongetje. Hij kon absoluut niet ouder zijn dan een jaar of acht. Arabisch, dat was duidelijk. Hij zag meteen dat er iets mis was met het jochie. Gehandicapt, en niet alleen lichamelijk.

'Kom jij hier nu ook bij ons wonen?' zei het jongetje in vloeiend Nederlands. Stephan wist niet wat hij hoorde. De nacht had hem een droom van een vreemde man gebracht, maar even bekroop hem het gevoel dat hij nog altijd niet wakker geworden was. Hij keek de knaap aan.

'Ik kom alleen op visite,' zei hij.

'Komen ze nou ook al op visite, Oom Bert? Komen ze nou alles opdrinken?'

'We hebben genoeg, Siraad,' zei Bert die met een grote karaf ijsthee de ruimte binnenkwam en met plastic glazen. De klontjes kletterden in de karaf.

'Ja, maar ooit is het allemaal op,' zei Siraad.

'Nee, hoor... dan komt er weer nieuw. Daar heb ik je pas nog een mooi verhaal over verteld.'

'O ja, dat zal ik even vertellen,' zei Siraad en was vast van plan om de gast te vermaken met een schitterend relaas.

'Dat is heel lief van je, Siraad. Maar nu niet, want ik moet even met deze meneer praten. Als jij nou even een koekje pakt. Die we zelf hebben gebakken gisteren. Dat wil deze meneer vast wel.'

'Wij bakken de beste koekjes,' zei Siraad. En hij stak zijn beide duimen op als onderstreping van zijn eigen reclametekst. En weg was hij. Naar de keuken.

Stephan ging zitten. Hij was geïntrigeerd door wat hij meemaakte, nieuwsgierig en ook een beetje in verwarring.

'Inge,' zei Bert. 'Ze had het over je. Ze had zo leuk met je in het vliegtuig zitten praten. Maar jullie hadden je gegevens niet uitgewisseld.'

'Het was een beetje chaotisch op het vliegveld.'

'Heb je al iets gevonden?' zei de man alsof hij precies wist wat Stephan aan het doen was. 'Ze heeft me het hele verhaal verteld. Inge is even boodschappen aan het doen met een paar van onze kinderen.'

Stephan keek om zich heen. De vraag moest gesteld.

'Waar ben ik hier?'

'In een tehuis voor gehandicapte Arabische kinderen. Verstandelijk gehandicapt. Meervoudig gehandicapt.'

Siraad kwam terug met een schaal zelfgebakken koekjes.

'En als ik nou bij je blijf staan,' zei het jongetje, 'kan ik je glas volschenken als je het leeg hebt.'

'Je spreekt Nederlands,' zei Stephan met verbazing.

'Ze spreken allemaal Nederlands,' zei Bert.

'Dat leren jullie hen?'

'Dat leren ze zichzelf. Loop maar even mee.'

Ze gingen naar de keuken. Daar waren een stuk of zeven kinderen en die kraaiden het uit van plezier. Ze waren aan het dollen, maar ondertussen waren ze ook bezig met het bereiden van de avondmaaltijd.

'Jongens, dit is Stephan. Die komt voor Inge.'

'Gaan ze zoenen?' vroeg een jochie.

'Aziz!' zei een meisje en ze schaterde het uit.

'Kan toch! Ga je dan met haar trouwen?' vroeg Aziz. 'Maar je mag haar niet meenemen, hoor. Want ze woont hier bij ons. Dan moet je hier ook maar komen wonen.'

Het was een onvoorstelbaar vreemde gewaarwording om al die Palestijnse kinderen te zien in hun Palestijnse omgeving en ze Nederlands te horen spreken. Vloeiend Nederlands. Accentloos. Hij had er even geen woorden voor.

Van buiten kwam rumoer. Een hek ging open. Stemmen. Drukte van belang.

'Jongens! Hou dat hek nou open! Ik sta met mijn handen vol,' hoorde Stephan de stem van Inge. Bert keek even naar de verbouwereerde student uit Nederland.

Toen kwam Inge de eetzaal binnen. Met inderdaad armen vol met boodschappen. Ze keek naar Stephan en Stephan keek naar haar. Aziz vertelde Inge hoe het precies zat.

'Hij wil niet met je zoenen,' legde hij uit. Inge fronste.

'Volgens mij hebben wij het plotseling allemaal heel erg druk,' zei Bert ineens. 'Die boodschappen moeten allemaal weg. En Inge moet Stephan maar even het uitzicht over Bethlehem laten zien.' Hij keek de twee aan. 'Op het terras,' glimlachte hij. Daar hadden ze even rust.

Het was een dorp dat niet anders was dan honderden jaren geleden. De huizen hadden intussen glazen ramen, dat wel. Maar er waren nog altijd de terrassen zoals die er al eeuwen waren, boven de straat. Van asfalt was nauwelijks sprake. Alles was wit en dat wit deed zeer aan je ogen in deze felle zon. Schots en scheef hingen de huizen, als oude mensen die tegen elkaar aanhingen, maar elkaar niet lieten vallen in bittere tijden.

Van een herberg was geen sprake, maar Stephan zag ook nauwelijks een stal. Wel een veld waar schapen aan het grazen waren. De hemel was blauw zoals die steeds maar blauw was. Je kon je niet voorstellen dat hier wolken waren, dus waar toch dat engelenkoor destijds moest zijn geweest... het was hem een raadsel.

'Je bent een detective,' glimlachte ze. 'Dat je me gevonden hebt.'

'Ik zag je wegrijden. In dat busje.'

'Wat is er met je gezicht?'

'Ik was iets te brutaal bij een wegcontrole.'

'Ik had eigenlijk niet gedacht dat ik je ooit nog tegen zou komen. Gaat het goed?'

'Nee,' zei Stephan. 'Ik heb een kleine nieuwe aanwijzing. Meer niet.'

Inge knikte. Toen hoorde Stephan pianomuziek. Het kwam van binnen.

'Dit moet je even horen.'

Onder de eetzaal was een andere ruimte, waar gespeeld en geleerd kon worden. Hier stond ook een oude en niet al te best gestemde piano. De jongen die achter de toetsen zat, heette – zo vertelde Inge – Yassoer. Wat hij speelde, dat wist Stephan niet. Klassieke muziek was niet zijn 'ding'. Hij herkende het als iets wat je toevallig wel eens voorbij hoort komen op Radio 4 en dergelijke. Het kon van Bach tot Beethoven zijn, met alle zijpaden vandien.

'Chopin,' knikte Bert. Stephan geloofde het onmiddellijk.

'Yassoer is autistisch. Heel zwaar,' zei Inge.

'Wat Inge bij Yassoer voor elkaar heeft gekregen,' zei Bert hoofdschuddend, 'grenst aan het onvoorstelbare.'

'Wil je het voor me spelen, Yassoer?' vroeg ze en ze stond bij de piano. De jongen keek met lege ogen naar de houten kast van de piano. Ze nam de partituren weg en hij legde zijn vingers op de witte en zwarte toetsen van het instrument. Even wachtte hij nog en daarop liet hij ze alle tien over het klavier dansen. Het was prachtig. Zelfs als je niet van klassieke muziek hield, hoorde je de schoonheid van de melodie, de rust van de klank.

'Wie is de componist, Stephan?' vroeg Inge.

'Geen idee.'

'Gok eens.'

'Bach,' zei Stephan.

'Het lijkt op Bach,' zei Bert.

'Van wie is het, Yassoer?'

'Yassoer,' zei de pianist.

'Het is van Yassoer,' zei Inge trots. En daarop moest het autistische jongetje vreselijk lachen. Hij kraaide het uit en draaide zijn gezicht – waar iets van speeksel uit zijn mond liep – naar het meisje toe en legde dat tegen haar aan. Ze streelde het gezicht en ze nam de sliert speeksel weg. Veegde die af aan een zakdoek. 'Hij heeft het voor mij geschreven,' zei ze. En ze was trots.

Omdat hij voor de avond terug moest zijn in Jeruzalem, kon hij niet lang blijven. Straks sloten de roadblocks en voor die tijd moest hij echt binnen de grenzen van het land en de muren van de stad zijn.

Veel spraken ze niet meer, Inge en hij. Zij had het druk met de kinderen van het opvanghuis. Wel hoorde hij dat ze geen dochter was van Bert maar gewoon een vrijwilliger uit Nederland die voor kost en inwoning en heel weinig honorarium – er was niet meer – haar werk hier deed. Hij zag hoe gelukkig ze was in dit land en hoe ze van haar kinderen hield.

Ze liep met hem naar de auto.

'Het zijn afgewezen kinderen,' vertelde ze hem. 'Zo zijn de mensen hier. Een gehandicapt kind is een schande voor een gezin. Dus leggen ze zo'n baby op de vuilnisbelt. In het beste geval hier voor de deur. Dan nemen wij het op.'

'Worden jullie gesubsidieerd?'

'Nee, we houden het hier vol met schenkingen uit Nederland.'

'Dus jullie redden die kinderen van een wisse dood?'

'Ja,' Ze schudde haar hoofd. 'Vaak komen de ouders dan uiteindelijk weer kijken hoe het met hun kroost gaat. Echt waar. En dan horen ze dat hun kind – hun achterlijke kind – Nederlands spreekt. Dan kunnen ze thuis zeggen: mijn zoon studeert! Hen terugnemen doen ze niet, maar ze scheppen er wel over op.'

Hij keek haar aan. Zag haar gezicht. En haar ogen maakten een gelukkig gevoel in hem los.

'Zien we elkaar gauw nog eens?'

'Ik kom binnenkort naar Jeruzalem. Goed?'

Dat vond hij fijn.

27

Bethlehem, winter 2012

Inge kon die nacht de slaap niet vatten. Ze dacht dat het kwam omdat het stikheet was en er nauwelijks wind te voelen was. Nederland stond voor haar synoniem met een gebeurtenis die ze maar niet uit haar geheugen kon krijgen. Op nachten dat haar niets anders restte dan wakker te liggen, kwam de herinnering altijd weer op. Hoe ze ook snikte, huilde of woelde, het ging niet weg. Het zou nooit meer weggaan.

Ze hoorde zacht gesnik, alert als ze was op het minste of geringste gerucht. Het was routine geworden. Elk van de kinderen was geboren met een gebrek. En daardoor kwetsbaar voor alles wat hun leven verder nog kon bedreigen. Een vreemd fenomeen was dat. Kinderen, toch al getroffen door een beschadiging van het brein, bleken bovendien ook lichamelijk erg kwetsbaar. Hoeveel kinderen had ze inmiddels niet begraven in de tuinen verderop, omdat ze uiteindelijk geveld waren door een longontsteking? En zo zou het nog talloze keren gaan.

Ze stond op, schoot haar peignoir en sloffen aan en ging de

gang op. Aan het eind lag de slaapzaal voor de jongens. Bij de deur stond Aziz. Hij was het die snikte.

'Aziz? Wat is er?'

Ze liep naar hem toe en zag toen Yassoer in zijn bed. De jongen bewoog niet, had zijn mond wijd open en zijn ogen ook. Inge had niet meer dan een seconde nodig om te bedenken wat haar te toen stond. Yassoer had het benauwd. Sterker nog, hij was aan het stikken.

Ze hielp het joch half overeind en stak haar vinger in zijn keel in. Het hielp weinig. Ze zette hem rechtop in bed, ondersteund met kussens links en rechts, rende daarna naar het fonteintje in de hoek van de kamer.

Andere kinderen werden wakker. Aziz huilde nog steeds. Ook Siraad kwam zijn bed uit.

'Wat doe jij nou hier?' vroeg hij slaapdronken.

'Siraad! Ik heb rietjes nodig! Snel. In de keuken!'

Zo snel als hij kon, vloog Siraad de gang in.

Inge keek naar de kleine Aziz.

'Het komt goed, Aziz. Niet huilen.'

'Wat is er dan met Yassoer?'

'Hij krijgt geen lucht.'

Siraad kwam terug met een handvol rietjes. Inge pakte er één en stak deze in Yassoers keel. Daarna zoog ze eraan. Ze spuugde het slijm uit en zoog opnieuw. Dat herhaalde ze een keer of acht. Telkens een mond vol. Hoe smerig ook, het stond haar te doen.

Ten slotte begon Yassoer te hoesten en te proesten.

'Aziz. Ga Bert halen. Hij moet een dokter bellen.'

De Palestijnse arts arriveerde die nacht, een half uur nadat hij gealarmeerd was. Hij had een ontheffing om in noodgevallen te gaan en te staan waar hij wilde. Men had hem desondanks aangehouden en zijn wagen volledig onderzocht voordat hij door mocht rijden. Maar hij kende de procedures. De Israëlische militairen vragen om haast te maken, zou alleen maar een averechts werking hebben.

'Ik wil dat hij onderzocht wordt. Hij ademt slecht. En al dat vocht, al dat slijm. Dat vertrouw ik niet. Ik zal een afspraak voor jullie maken in het Kinderziekenhuis.'

Even later zaten Inge en Bert tegenover elkaar aan een van de tafels in de eetzaal.

'Frank is nu bij hem. Marjolein neemt het om zes uur over,' zei Inge.

Er werkten in het huis een stuk of acht Nederlandse vrijwilligers. Inge was hier het langst. Ze zou hier ook het langst blijven. De meesten werkten hier een half jaar en gingen dan weer terug naar Nederland. Een ervaring rijker.

'We maken een rooster.'

'Ik wil dat hij geen seconde alleen is.'

'Jij zou toch naar Jeruzalem gaan?'

'Dat bel ik wel af.'

'Ben je gek. We redden het wel.'

'Ik wil niet weg.'

'Je gaat gewoon.'

'Ik ben de enige gediplomeerde verpleegkundige, hier. Als er iets gebeurt...'

'Jij gaat gewoon,' hield hij aan en stond op. 'Daarmee is de kous af.'

Toen liep hij weg. Ze wilde liever blijven. Ze wist ook wel dat het een vorm van plankenkoorts was.

28

Jeruzalem, winter 2012

Jongens van dertien waren het, en ze zeulden vlak bij de Klaagmuur met de enorme Torah-rollen die al generaties lang in het bezit waren van hun familie. Het was hun Bar-Mitzwah op deze sjabbat en hun vaders en hun ooms en hun broers liepen trots met hen mee. Vanachter een muurtje wierpen moeders en zusjes hen snoepjes toe. Stephan bekeek het van een afstand. De wijze boeken van Mozes waren gehuld in geborduurde kleden van bruin en zwart. Verder zag hij veel hoeden, baarden en vrolijkheid.

Hij stond hier op haar te wachten. Alleen was ze laat. Op zich niet erg. Er was genoeg te zien op deze plek, zo dicht bij de alleroudste rituelen die het Joodse volk kende. Met enige bewondering, zelfs met een lichte afgunst bezag Stephan hoe hele families trots waren op zonen die nu zelfstandig onder de Joodse wet zouden leven. Het waren mannen geworden, ook al waren ze nog jongens.

De afgelopen dagen had hij zich steeds meer afgevraagd wat Joden nu eigenlijk waren. Geen ras, geen land, geen geloof. Hoewel, misschien nog het meest een volk. Alleen zonder land, ook al had Israël een vlag en omstreden grenzen. Steeds vaker had hij plaquettes en gedenkstenen gezien over de schenking van dit of dat gebouw door een Joods echtpaar uit Amerika, soms uit Zweden, een enkele keer uit Engeland. Het was niet een band van bloed, niet van God, niet van een paspoort... maar het was sterker dan wat dan ook. Op straat had hij ze ruzie zien maken, Joden onderling. Niemand maakte op deze specifieke manier ruzie in deze overvolle wereld: met geschreeuw, schuim op de lippen en heftige handgebaren. Er was onenigheid over alles, over het verkeer, de politiek en wellicht zelfs over het weer. Met hem – een blonde Nederlandse student – maakten ze geen ruzie. Hier in Jeruzalem gunden het volk hem meestal geen blik waardig of ze behandelden hem als een lucratieve toerist.

'Ik ben laat, ik weet het.' Hij draaide zich om en keek recht in het gezicht van Inge.

Ze glimlachte en kuste hem achtereenvolgens op beide wangen. 'Dus je zoekt een bepaald adres?'

Dat was zo. In het computerlokaal van de universiteit had hij gezocht naar Nathan Mossel, naar Yitzhak Dimitraiu en dat had een nogal heftige reactie veroorzaakt in het netwerk. En dat leverde uiteindelijk op: 11 Monbaz Street, Jeruzalem 95150, Israël. Hij was er nog niet geweest, maar wilde erheen met Inge. Misschien, zo had hij gisteren bedacht, durfde hij niet in zijn eentje.

Ze liepen door de stad. Het adres bevond zich in de Russische wijk. Het was zoals altijd aangenaam weer. Ze hielden allebei van lopen. Het was beter dan jezelf een plek zien te verschaffen in een van de propvolle bussen.

'Ze vertrouwen het niet. Hij wordt goed in de gaten gehouden, maar toch...'

Ze vertelde over Yassoer en hoe zwak hij vanochtend nog

was. Over hoe aangeslagen de andere kinderen altijd waren als een van hen ziek werd. Alsof het elk van hen deed beseffen dat ze maar fragiele wezentjes waren. 'Ze zoeken dan troost, bij elkaar en bij ons. Kruipen dicht tegen ons aan, alsof ze bang zijn dat de dood hen komt halen en wij hen ertegen kunnen beschermen.'

'Een kind zien sterven lijkt me vreselijk,' zei hij.

Op het adres bleek een internetcafé gevestigd te zijn. Het heette Café Strudel en het had beneden een aantal lange tafels met daarop computers. Bovenop was een open terras dat uitzicht bood op een plein. Het was er druk vandaag, met jonge mensen zoals zij. Het internet was hier sneller en goedkoper dan in hun te kleine huurkamers. Zo konden velen met hun koptelefoontjes en microfoons toch even contact hebben met het thuisfront.

Achter het barretje waar je koffie en appelstrudel kon krijgen, stond een roodharige dame. Ze bleek Natalye te heten en Inge liep naar haar toe. Het was geweldig dat zij er was, hier met hem. Inge sprak de taal van het land en dat maakte de communicatie wel simpeler. Ze vroeg of ze een bericht kon achterlaten. Ze legde uit dat er iemand moest zijn die hier vaak kwam. Iemand die meer kon vertellen over twee mensen, over Nathan Mossel en over Yitzhak Dimitraiu. Er was een prikbord waar mensen kleine advertenties konden hangen. Ze boden er zangles aan, of ze zochten er kamers, je kon er Hebreeuws leren en een schoonmaker vinden. Inge nam een velletje papier uit een printer en schreef in Hebreeuws de namen op van de schrijver en de jongen uit Roemenië en het mailadres van Stephan. En in die taal: 'Ik ben in Jeruzalem. Laat iets van je horen. Stephan.'

Op het hoger gelegen terras dronken ze koffie en water met ijsklontjes die te snel smolten.

'Wat moet je geschrokken zijn,' zei Stephan toen ze hem vertelde over Yassoer en de aanval die hij 's nachts had gehad. 'Met een rietje?'

'De kinderen zijn me dierbaar. Ze hebben trouwens niemand anders. Ze hebben mij.'

'Zou je alles voor hen over hebben?' vroeg Stephan en keek haar dwingend aan. Ze begreep de vraag niet helemaal. Hij vertelde over de vrouw van Nathan Mossel die in de Tweede Wereldoorlog meeging met de patiënten van Het Apeldoornsche Bosch. Dat ze daar de liefde van haar leven voor achterliet. 'Maar dat was in de Tweede Wereldoorlog.'

'Het is hier ook oorlog.'

'Maar zou jij dat ook doen? Stel, ze komen morgen – een of andere militie. En ze sleuren iedereen uit huis. Ga je dan mee?'

'Heb je dan wat te kiezen?'

Stephan begreep dat dát de consequentie was van het leven in een oorlogsgebied. Veel keuzes kon je niet eens zelf maken, die werden vóór je gemaakt.

'Maar stel: je kón kiezen,' vroeg hij. 'Ga je? Ook als je weet dat je het niet overleeft?'

Ze zweeg. Een lange tijd.

'Vertel me eens over jouw vader,' vroeg ze uiteindelijk.

29

Noord-Hollands Ziekenhuis, herfst van 1992

Ze riep haar kind bij zich, een jochie van elf. Ze lag in het witte bed, omgeven door machines die haar nog wat leven gaven. De zon scheen dunnetjes door de ramen. Er piepte een infuus. Een groen lijntje op een kleine monitor gaf haar hartslag aan. Ze had plastic buisjes in haar neus. Zo kreeg ze adem die ze zelf niet meer in haar lijf kon duwen. Wat haar ook allemaal door de ziekte was ontnomen, haar glimlach had ze nog steeds. Ze strekte haar hand uit naar de jonge Stephan.

'Grote vent,' zei ze.

Elk woord kostte haar moeite.

Bij de deur hield zijn vader zijn verdriet verborgen. Hij hoopte maar dat niemand zijn stille tranen zag. Stephan, de jongen, huilde niet. Zijn moeder zei dat hij dapper was, dat hij haar held was en dat hij vrolijk moest zijn. Hij hield haar hand vast en zag dat ook daar een slangetje in zat, met een grote pleister erop.

'Doet het geen pijn?' vroeg hij.

'Nee,' zei ze.

'Maar ben je niet bang dat je de weg niet weet. Want je bent er nog nooit geweest.'

'Ik heb een kaart van de hemel in mijn hoofd,' glimlachte ze. 'Het is er geen doolhof, hoor. En er wonen alleen maar vriendelijke mensen die je de weg wijzen als je verdwaalt.'

'Kan ook ik je vinden wanneer ik ooit daar ben?'

'Ja,' zei ze beslist. 'Maar laten we afspreken dat dát nog heel lang duurt. Maar als het dan toch zover is, ga ik naar de poort. En als je dan twee passen doet, dan wacht ik daar op je. Dan sta ik daar klaar met een koets, een witte koets met acht paarden... Witte paarden, wolkenpaarden.'

Dat vond het jongetje een mooie gedachte.

'Maar wat doe je van tevoren dan in de tussentijd?'

'Je hebt het in de hemel heel druk,' zei ze. 'Kijk, de mensen op de aarde hebben het zwaar. Ze hebben verdriet en pijn. Wij hebben dat daar niet en daarom kunnen we troosten. Daar heb je een dagtaak aan. En verder is er natuurlijk een koor. We moeten ook veel oefenen. We zingen altijd als er een nieuw persoon binnenkomt.'

'Ja, jij houdt zo van zingen,' zei Stephan.

'Wil je hem meenemen, lieverd?' zei ze toen tegen zijn vader. 'Ik kan het niet met hem in mijn buurt.'

Het jongetje vroeg zich af wat zijn moeder niet kon, met hem in de buurt. Misschien kon hij haar juist helpen? Hij bood het nogmaals aan, maar ze schoot in de lach. Dit moest ze zelf doen.

30

Jeruzalem, winter 2012

Al die tijd had het meisje zijn verdrietige hand gestreeld. Tijdens het verhaal over de dood van zijn moeder, waren er tranen losgekomen die veel te lang achter zijn ogen hadden gezeten.

'Mijn vader is die dag verbitterd geworden. Als ik al met hem wilde praten over die witte hemel waar mama was, dan liep hij weg. In het ergste geval vertelde hij dat er helemaal geen hemel bestond. Dat het leven zelf een hel was geworden. Maar de meeste tijd zei hij niets. De laatste jaren sprak hij helemaal niet meer.'

'Dus dat is het.'

'Wat?' vroeg Stephan.

'Waarom je Nathan en Yitzhak samen wilt brengen.'

'Sorry?'

'Omdat je die andere brug wil slaan.'

Op de een of andere manier raakte ze hem recht in zijn hart. Hij kon niets anders dan haar hand wegslaan en woedend reageren. Hij werd witheet.

'Nee, dat is het niet!' schreeuwde hij. 'Dat is veel te simpel: 'Stephan probeert zijn eigen vader terug te vinden en plakt Nathan dan maar aan Yitzhak om het dekseltje keurig op het doosje te laten passen'.'

Ze schrok van zijn uitval, ook al was deze zichtbaar onredelijk.

'Zo bedoel ik het niet.'

'Jij bent anders heel goed in dekseltjes op doosjes.'

'Hoe bedoel je?' fronste ze.

'Bij jou zit er een putdeksel op, die je er met drie tanks nog niet afkrijgt.'

'Wat is er met jou?'

'Dat zwijgen. Dat begripvol aaien van mijn hand. En als ik jou dan vraag waarom je Nederland bent ontvlucht, draai jij je hoofd om.'

'Jij hebt het recht niet...'

'Ik heb geen recht, nee. Ik mag helemaal niks weten. Ik loop hier al dagen te zoeken naar iets wat ik niet kan vinden. En ik moet vooral m'n grote bek houden. Stel je voor dat ik iets oprakel.'

'Jij...' Ze slikte.

'Maak je zinnen af, als je iets te zeggen hebt!'

Met bittere tranen keek ze hem aan.

'Het spijt me. Dit is een vergissing.'

Ze stond op, pakte haar spullen en ging weg.

'Inge!'

Op dat moment kwam Natalye het terras op. Ze had iets in haar handen, een uitgeprint bericht. Hij wilde wel achter Inge aan gaan, maar iets weerhield hem. Hij zag hoe het blonde meisje de straat op ging en niet meer omkeek. Haar stap was driftig en vastbesloten. Ze draaide zich niet meer om, ze wilde zo snel mogelijk weg zijn, weg van die man, die jongen met zijn woede. Misschien ook wel zo ver mogelijk weg van haar verdriet. Hij keek haar na. De zon scheen op haar blonde haar en gaf haar het aanzien van een engel. Maar achter haar aan gaan, dat kon hij niet. Daarom las hij het bericht.

Hallo Stephan,
Overmorgen 8 uur in de avond
Yemin Moshe
Montefiore Molen,
Shalom Gid'on

31

Amsterdam, ergens in 1947

'Ik wil vandaag de grachten zien, Nathan,' zei de jonge Yitz-hak. 'Die zijn er toch? En gaan we op de Westertoren?'

Ze namen vandaag de blauwe tram door de stad. Voor vijf centen mocht je zo lang blijven zitten als je maar wilde. Elke week namen ze een andere tram. Lijn 3 was hun favoriet, die bracht hen door Zuid van West naar Oost en weer terug. Dan vertelde Nathan over de stad, over elk plekje dat ze tegenkwamen. Hij kende duizenden verhalen over Amsterdam. Elke brug had een 'Geschichte', elke stoeptegel een naam, elke deur een gezicht. Hier woonde... hier leefde... hier wandelde... hier zong... hier speelde... Zo leerde Yitzhak de stad kennen, niet als een stad van gebouwen, maar als een wereld vol verhalen. Nathan raakte nooit uitverteld, en Yitzhak nooit uitgeluisterd. 'Hier woonde Rembrandt. Het huis is er niet meer. In zijn tijd was dit een gracht. De Rozengracht. Die hebben ze gedempt omdat er verkeer moest rijden.'

'Dat hadden ze nooit mogen slopen,' zei Yitzhak dan.

'En Rembrandt is begraven in de Westerkerk. Van de

armen, zoals dat heet. Hij bezat niets meer.'

Daarom moesten ze erheen. Kijken waar Rembrandt lag. Maar zijn graf was niet terug te vinden. Een bordje dat hij hier ergens begraven was, was het enige. Geen idee waar. Dan maar omhoog, de toren in. Al die trappen. Nathan had de afgelopen maanden te vaak gemberbolussen gegeten, wat hem bij deze zware tocht enigszins de adem afsneed. Hij was een jonge vent, maar hij had wel een buik in wording. De suiker was niet meer op de bon en dat kon je aan hem merken. Al die extra pondjes moest hij nu meezeulen. Yitzhak daarentegen fladderde de trappen op.

'Kijk dan, Nathan! Je kunt de hele wereld zien. Ik kan Palestina zien! Dat ligt daar toch?'

'Even denken. Ja, ik denk het wel.'

'Ik kom eraan,' zei Yitzhak. 'Hallo daar! Wij komen eraan!'

32

Amsterdam, winter 2012

Wat hem toch had bezield om zijn krakkemikkige ouwe lijf al die trappen op te hijsen, was hem een raadsel. Het moest niet gekker worden, zo na zijn negentigste. Wat had Winston Churchill ook alweer geantwoord op de vraag naar het geheim van zijn hoge leeftijd? 'No sports!' En zo was het. Lichamelijke inspanning? Nergens goed voor. En toch wilde hij hier nu staan. Net als meer dan zestig jaar geleden.

'Krijgen we regen?' vroeg een man.

'Kroontje, hè?' wees hij vervolgens op de enorme hoed op de kerk. 'Hebben we van Maximiliaan gekregen. Maximiliaan van Oostenrijk.'

'Aan zijn naam te horen moet het een Jood zijn geweest.'

'Joden geven nooit wat weg, meneer,' zei de man met een brede glimlach, niet eens onvriendelijk bedoeld. Het was meer een ouwe-jongens-krentenbrood-opmerking. Nathan dacht alleen maar: ik hoop dat hij straks struikelt. En vroeg toen vergiffenis om zo'n zondige gedachte.

In 1947 had hij met Yitzhak vaak ijs met slagroom gegeten op een hoek van het Rembrandtplein, in een tentje dat Rutex heette. Ze hadden daar het beste ijs, de vetste slagroom. Je likte er je vingers bij af. Dan zei Yitzhak: 'We boffen toch maar dat de Nederlanders zoveel van de Joden houden.' Nathan vertelde hem niet dat er ook zoiets was geweest als de NSB en dat men in die eerste jaren van de oorlog een spandoek had opgehangen op 'zijn' Nieuwmarkt met de tekst: 'Rotmoffen, blijf met je rotpoten van onze rotjoden af.' Hij vertelde hem ook niet dat de huizen van gedeporteerde Joden de dag erop al werden leeggeroofd door brave Hollanders op jacht naar nieuw meubilair. Dat de vloeren al snel in Nederlandse kachels waren opgestookt. Dat de vlag nooit is uitgestoken voor Joden die de onderduik of de concentratiekampen hadden overleefd.

Rutex bestond intussen allang niet meer. Het was nu een gokhal met glimlichtjes aan de buitenkant. Er stond een man met veel te brede schouders die eventueel kwalijk volk de deur uitkwakte. Daarop nam Nathan zijn toevlucht maar tot Café L'Opera verderop. Verwarmd terras, zodat je toch het gevoel had buiten te zitten, zonder de bijbehorende winterkou.

De jonge serveerster had kauwgum in haar mond. Het knetterde een beetje wanneer ze kauwde. En knauwen deed ze ook. Ze sprak een soort verhaspeld Amsterdams, net als Amerikanen hun eigen taal soms vervormden.

'Kappoesjieno?' vroeg ze, zonder een vriendelijke begroeting of een kort praatje.

'Heeft u ook gewone koffie?' vroeg Nathan.

'Dat is gewone koffie,' zei ze. 'Ik geef u d'r wel water bij as 't te sterk is.'

'Ik ben mijn zoon kwijtgeraakt,' zei hij daarop.

Toen moest hij huilen. Heel plotseling. Al die jaren had hij geen traan gelaten. Hij vond niet dat hij daar recht op had. Hij was het die zijn vrouw had zien weglopen over het plein en haar nooit meer terug had gezien. Hij was het die met haar mee had moeten gaan. Het lot – of wat het ook was – had alle recht om hem dagelijks te straffen met verdriet. En tranen, die moesten maar in zijn kop blijven koken, tot ze uiteindelijk al het leven uit hem zouden branden. Huilen, het mocht niet.

Maar nu brak zijn verdriet open. Hier, bij een ordinair meisje dat het Nederlands vermorzelde onder haar Amsterdamse tongval, kon hij niet anders dan janken als een kind om al het verlies dat hij had geleden. Om het afscheid van de mooiste vrouw die ooit in zijn leven had rondgewaard, om die jongen op zijn boot naar een nieuw bestaan. En ook om die knaap die al zijn nutteloze schrijfsels uit de voorbije jaren moest opslaan op harde en glimmende schijven en bovendien net als alle anderen was weggegaan.

Het kauwgummeisje wist even niet wat ze met die vent aan moest. Ze keek om zich heen en zuchtte. Ze had geen tijd voor huilende, ouwe kerels. Aanvankelijk wilde ze weglopen, maar iets deed haar voeten aan de tegels kleven als haar kiezen soms aan haar kauwgum. Ze ging naast hem zitten.

'Moet ik iemand voor u bellen?'

'Nee, het gaat wel weer. Het is al zo lang geleden. Meer dan zestig jaar. Dat ik er nu pas om moet huilen. Vreemd is dat.'

Een zakenman die op het winterse terras druk aan het bellen was, stak zijn arm op. 'Afrekenen!'

'Je ziet toch dat ik bezig ben, of niet soms,' zei kauwgum en richtte zich weer tot Nathan. 'Waar ben je hem kwijtgeraakt?'

'In Israël,' zei hij. 'En nu is iemand hem aan het zoeken. Ook een zoon. Raak ik die ook nog kwijt.'

'Laat de kinderbescherming het maar niet horen,' grapte ze.

Nathan schoot in de lach.

'Ik klink chaotisch. En toch klopt het. Ik krijg de woorden soms niet meer in de goede volgorde. En de herinneringen ook niet. Begrijp je dat?'

De man die blijkbaar met heel Nederland zakendeed, was naar de baas van het meisje gestapt om te klagen over de onbeschofte behandeling door het personeel. Nu kwam de baas naar het meisje toe. Als deze één ding niet accepteerde, was het wel dat zijn serveersters naast klanten gingen zitten, ditmaal zelfs met een arm om iemand heen.

'Je wordt geroepen! Opletten, jij. Kom op, afrekenen!'

'Ik heb die randdebiel al gezegd dat ik bezig ben.'

'Als je niet maakt dat je aan het werk gaat, kan je het schudden.'

Het meisje knoopte haar schort los en smeet het in zijn gezicht.

'Ik ben pleite. Rampentent, dit!' Vervolgens wendde ze zich tot de man met de telefoon. 'Als je nog een plekkie voor dat ding zoekt, weet ik wel iets!' Nathan glimlachte zowaar.

'Ik pak m'n jas effe en breng u wel naar huis,' zei ze tegen hem en liep weg. Daarop keek Nathan de baas aan.

'U bent niet de eigenaar, is het wel?' merkte Nathan op.

'Gaan we moeilijk doen, opa?'

'Bij mijn weten is deze zaak van Jonathan Lopez Cardozo. Doe hem de groeten van Nathan Mossel. Verder zou ik de advertenties maar in de gaten gaan houden.'

Het meisje kwam terug met haar jas.

'Eh... Ik wilde...' zei de baas.

'Stik er maar in,' zei het meisje.

Ze bracht hem naar huis en hij nam haar in dienst. Dat wilde ze eerst niet, maar ze was nu werkeloos en ze begreep dat ze niet veel meer hoefde te doen dan af en toe even koffie voor hem zetten en hem gezelschap houden zolang ze geen ander werk had en Stephan nog in Israël was. Hij vertelde haar alles en daarop zei ze: 'U moet hem bellen.'

'Dat kost veel geld.'

'U neemt meisjes aan die alleen maar koffie met u moeten drinken. Dan heeft u vast wel het een en ander te verteren.' Dat was ook zo.

Die avond belde hij Stephan en die deed hem verslag over Yona van de Zim-lines, over het meisje van Jemima en de ruzie die hij met haar had gemaakt.

'Dat is stom,' zei Nathan en glimlachte naar Kauwgum die de afwas aan het doen was. 'Maar ik wist wel dat je stom was.'

'Ik moet jou daar ook niet mee lastigvallen,' zei Stephan.

'Als je een oude man ergens mee moet lastigvallen, dan is dat met liefde.'

'Gedane zaken nemen geen keer,' zei de student na een stilte.

'Ben je nou in Israël om dát te bewijzen of het tegendeel? Dat wil ik wel eens weten. Want als het het eerste is, kun je net zo goed meteen terugkomen. Dan heb je daar niets meer te zoeken.'

'Nathan, begrijp het nou.'

'Ik wil het helemaal niet begrijpen. Ik vind je oerstom. Als ik vandaag achter Rosey aan kon hollen – man, ik zou er alles voor overhebben. Ik zou niet weten hoe snel ik naar haar toe moest gaan. Ik zou haar willen zien. Ik zou haar in mijn armen nemen. Ik zou sorry zeggen voor alle ruzies die ik ooit met haar gemaakt heb. En ik zou om vergiffenis smeken voor elke seconde die ik niet bij haar was. Jij weet helemaal niks van mensen, Stephan. Niks van liefde, niks van vriendschap. Je bent echt nog dommer dan ik dacht.'

'Hoe kom je erbij dat het liefde is? Ik ken haar net.'

'Je vertelt net dat je stad en land hebt afgezocht om haar

terug te vinden. Dat is of óók stom, of dat is liefde.'

Zo kreeg Stephan nog meer dan een kwartier op zijn kop en daarna hing Nathan op. Hij zei nog zoiets als 'We bellen wel weer.' En toen rook hij een geur van zoet gebak in de oven. Hij ging de keuken in. Ze zat op een stoel en keek naar het bakblik.

'Ik heb het recept gevolgd, maar ik heb geen idee of het te vreten is.'

'Je bent een prinses,' zei Nathan. En zij vond dat een lief compliment.

33

Jeruzalem en Bethlehem, winter 2012

De zon stond op het punt om achter de kim te verdwijnen. Het was het laatste licht van de schemering en Stephan reed op zijn Amsterdams de stad uit, passeerde vloekend automobilisten die moeiteloos terug vloekten. Het was de toon die de muziek maakte; en hij was vastbesloten om vanavond nog Bethlehem te bereiken. Hij zou er ook niet meer wegkunnen door de avondklok, maar dan sliep hij wel in de auto.

Nathan had gelijk. Er was net iets te veel afscheid genomen in dat wat hem de laatste weken bezighield. De lente kwam eraan... en die moest hoop brengen, niet meer verdriet dan er nu al was.

Hij kwam aan bij de roadblocks en werd als laatste van die avond nog net doorgelaten. Hij scheurde naar Jemima. Waar de wagen eerder nog problemen had om tot het hek te komen, trapt hij het gaspedaal nu zo diep in dat de helling geen weerstand meer kon bieden.

Bij het tehuis aangekomen, belde hij aan. Niet één keer, maar aanhoudend. Ten slotte schudde hij zelfs aan het hek. Dat maakte flink lawaai.

'Ben jij gek geworden!' zei Inge die op het kabaal afkwam. Ze zag de jongen die ze nooit meer wilde zien.

'Ik wil dat je iets leest. Ik wil dat je iets leest en dat je eerlijk bent. En als het je niets doet, pak ik de auto en rij ik weg. Dan zie je me nooit meer.'

'Het is avond. Hoe ben je in vredesnaam door die road-blocks gekomen?'

'Alsof iets mij kan tegenhouden. Inge, doe dat hek open!'

Bert kwam naar buiten om poolshoogte te nemen.

'Inge?'

'Het is Stephan, Bert. Ga maar slapen.'

Ook Siraad kwam naar buiten. 'Komen ze ons halen?!'

'Rustig maar, jongen. Het is Stephan,' zei Bert en nam het kind mee naar binnen.

Stephan hield het gemarmerde schrift op. Daarop opende Inge het hek en pakte het schrift aan.

'Kom binnen. Je kunt hier niet blijven staan.'

Ze las wat hij had geschreven. Ze nam er de tijd voor. Stephan zelf had niet het geduld om te blijven wachten en liep door de eetzaal waar zich niemand anders bevond dan hun tweeën. Het land was donker en daarom kon hij zijn eigen spiegelbeeld zien in de ruiten hier. Hij keek naar zichzelf en zag dat de weken die nu achter hem lagen een verandering teweeg hadden gebracht. Zijn huid was schraal geworden, hij had een stoppelbaard en zijn haar was slordig, zelfs een beetje smerig. Zijn kleren hingen los om zijn lijf en hij had schrammen in zijn gezicht en op zijn armen. Hij vond het er wel stoer uitzien. Zo was hij net een filmheld. En tegelijkertijd dacht hij: ik ben de grootste mislukkeling die er rondloopt.

Ze las nog steeds, met de leesbril die ze blijkbaar op opmerkelijke jonge leeftijd al had. Toen ze klaar was, schoof ze de bril als een diadeem tussen het haar. Daarna keek ze hem lang aan.

'Stephan?'

'Ja.'

'Mijn zus. Ze is naar Rwanda gegaan. Als verpleegkundige, net als ik. En ze heeft daar maandenlang dag en nacht gewerkt. We hadden elke avond even contact. Dat hadden we afgesproken. Maar op een gegeven moment kreeg ik haar niet meer te pakken. Ze was er via een organisatie voor vrijwilligers die me ook niet verder kon helpen. Ze wisten niet waar ze was. Ik ben zelfs naar Buitenlandse Zaken gegaan. Een ambtenaar daar zei me: 'Ze is er op eigen risico heen gegaan. Ze wist in wat voor gevaarlijk gebied ze terechtkwam. Wij kunnen niets voor haar doen. Ja, wat navraag via de ambassade.' Ik ben toen alle instanties in Nederland af geweest die ik maar kon vinden. En kreeg overal nul op het rekest. Ze waren vaak gevestigd in protserige gebouwen met dure auto's voor de deur. En ik werd te woord gestaan door medewerkers in maatpakken. Op dat moment realiseerde ik me dat hulpverlening, ook de internationaal georiënteerde, lucratieve handel was geworden. Dat mensen veel geld verdienden aan het helpen van anderen.

Omdat niemand mijn zus wilde of kon zoeken, pakte ik het vliegtuig en trok er zelf op uit. Ik vond haar lichaam in een ziekenhuis, een stinkend en smerig ziekenhuis. Ze was gevonden in een ravijn waar ze volgens de artsen meerdere malen was verkracht. Haar stoffelijk overschot kreeg ik alleen maar naar Nederland door allerlei personen geld te betalen. Niet alleen Rwandezen, Stephan, ik heb ook Nederlanders moeten betalen om mijn zus mee te kunnen krijgen – in een lijkzak. We hebben haar in Nederland niet meer kunnen opbaren. Het lichaam was te geschonden en al in staat van ontbinding. Gelukkig heb ik haar wel kunnen begraven.'

'Hoelang is dat geleden?'

'Drie jaar. Ik ga af en toe nog terug naar Nederland om

mijn ouders te zien. En omdat het moet, vanwege mijn visum. Maar ik ben altijd weer blij als ik weer weg kan.'

'Maar Nederland heeft jouw zus niet vermoord.'

'Het zal heel Nederland een worst zijn wat er in de wereld gebeurt, Stephan. Het liefst zijn ze een eiland. Misschien dat mensen af en toe een poezelig schooltje ergens neerzetten, zodat ze een gelikte foto ervan op het toilet kunnen hangen. Ik weet het, ik ben cynisch. En als ik jou negeer wanneer jij het deksel er bij mij wilt afhalen, doe ik dat om mijn verbittering niet te hoeven tonen. Maar het zit bij mij in elke vezel. Ja, ik vind Nederland een verschrikkelijk land. Als ik er ben, word ik depressief. Ik haat de rijkdom, ik haat de arrogantie, ik haat de zelfingenomenheid.'

'Dat zit diep.'

'Jij houdt wel van je land,' zei ze. 'Ik lees wat je schrijft en zie hoe jouw taal doordrongen is van het verlangen dat het allemaal goed komt. En je wilt dat ik je eerlijk zeg wat ik ervan vind. Wel, het is niet goed.'

'Waarom niet?'

'Waar staat de pijn, Stephan?'

'Hoe schrijf ik de pijn, Inge?'

'Hoe moet ik dat weten? Ik voel het alleen maar.'

'Ik leen het leven van een ander,' zei hij. 'En dat spijt me. Maar momenteel kan ik alleen maar schrijven over Nathan. Over Yitzhak.'

'En zolang je dat doet, schrijf je niet waar je werkelijk over hebt te schrijven. Dit gaat over jou, toch? Dit is jouw zoektocht... en wat je zoekt, is niet alleen een jongen die nu een volwassen en misschien wel oude man is. Je zoekt naar een stuk van jezelf. Ik zie het staan tussen de regels. Maar in woorden heb je het nog niet gevat. Dat moet wel, anders maak je niet af waar je aan begonnen bent.'

Hij liep naar haar toe. En hij kuste haar. Nee, hij kuste haar niet. Hij hield haar vast. Ze liet zich niet kussen. Nog niet. En hij wist dat hij haar wellicht nooit zou kunnen kussen, omdat haar innerlijke verwondingen wellicht nooit zouden helen.

'Ik maak een bed voor je. Je kunt niet terug.'

'Wil je me helpen?' vroeg hij. En ze wist dat hij het had over zijn zoektocht.

'Ja,' zei ze. 'Ik help je.'

Diezelfde nacht zat ze opnieuw bij het bed van Yassoer, als wisseling van de wacht. Aziz kon niet slapen en kroop even tegen haar aan.

'Waarom glimlach je zo mooi, Inge?'

'Omdat ik zo blij ben met jullie.'

'Je hebt zeker gezoend,' zei Aziz.

'Ik heb absoluut niet gezoend.'

Daarop keek Aziz naar Yassoer die vredig ademhaalde, een schalks lachje rond zijn lippen.

Inge tilde Aziz van haar schoot en liep naar de kraan om een washandje nat te maken.

'Ze heeft wel gezoend, hoor,' fluisterde Aziz in het Arabisch, zodat Inge het niet verstond.

Hij bleef die nacht in het gebouw en zag hoe de maan licht wierp op de geboorteplaats van de man die ons denken veranderde. Hij probeerde de slaap te vatten. Het leek wel alsof die hem elke nacht bewust werd onthouden. De gedachtes bleven maar rondtollen in zijn kop.

De volgende ochtend kreeg hij een sms van Yona met nieuws. Via het Amerikaanse archief van de Jeugdalliantie was hij te weten gekomen waar Yitzhak was aangekomen en hoe deze de eerste tijd in Israël had doorgebracht. Het was in een kibboets geweest, bij de nederzetting Hamoreh. Hij kon er meteen heen.

Voor Inge was het lastig om op stel en sprong mee te gaan, maar daar kon Stephan mee leven. Als zij er maar wel was wanneer hij haar werkelijk nodig had. Ze keek van hem weg, omdat ze dat nou eenmaal gewoon was, maar hij tilde haar hoofd terug door een lichte aanraking van haar kin en toen knikte ze.

'Ik had je beloofd te helpen,' zei ze. 'En dat doe ik.'

34

Kibboets Hamoreh, Israël, winter 2012

De kibboets Hamoreh lag vriendelijk aan de voet van de Givat HaMoreh, waar het land uit louter groen leek te bestaan. Het was intussen een ultramoderne leefgemeenschap die bovendien voorzieningen bood aan toeristen. Goede huizen, goede gastenverblijven. Stephan had een naam doorgekregen van een van de jonge leiders van de kibboets. Deze Nahariyyah Arron had ongeveer dezelfde leeftijd als Stephan. Zijn huid leek wel van leer door de voortdurende blootstelling aan de zon.

Ze liepen over het terrein. Het zag er paradijselijk uit. De huizen hadden rode daken en hielden zich schuil tussen bomen vol paarse bloesem. Verder waren er enorme planten met metersgrote bladeren, zonder bruine of beurse plekken. Ze waren keurig geordend aangebracht op het terrein. Hier moest het goed leven zijn. Op dit moment in ieder geval wel.

'Jij denkt waarschijnlijk,' zei Nahariyyah, 'dat er vóór 1948 geen land was. Dat was er wel. Er waren talloze kibboetsim. We waren nog geen staat, maar er woonden vóór de Tweede

Wereldoorlog al 650.000 Joden in Palestina.'

'Maar een opgemaakt bedje was het niet,' zei Stephan.

'Ik ben van ver na die tijd. Wat ik weet, is wat ik voor je heb nagevraagd. Elke zionistische organisatie had een aantal kibboetsim. Hen was gevraagd om de kinderen van de Negbah op te vangen, in die eerste tijd. Kinderen uit linkse milieus werden ondergebracht bij linkse zionisten, kinderen uit rechts georiënteerde gezinnen bij rechtse.'

'Maar wel verspreid over het hele land?'

'Ja, Israël, toen of nu... een land met enorme verschillen.'

Stephan keek naar de gebouwen en het terrein. Hij kon zich er geen voorstelling maken van hoe het destijds moest zijn geweest.

'Ze kwamen aan in Haifa,' zei Nahariyyah, 'en werden met een vrachtwagen naar de kibboets gebracht die aan hun specifieke zionistische beweging gealigneerd was. Voor Yitzhak was dat hier. In Hamoreh.'

35

Yitzhak had een houten togus van de rit gekregen. Hij was al dat gereis zat. Het liefst wilde hij terug naar Nederland.

De hele tocht met de Negbah had hij zich de maag uit het lijf gekotst. Hij was vanaf de eerste dag zeeziek geweest en het hield niet op. Vel over been was hij inmiddels en hij kon niet meer op zijn voeten staan. Iemand had hem gezegd dat er verschillende fases waren bij zeeziekte. Als je dacht: 'Ik wil dood' kon het nog een graadje erger. Wanneer je dacht: 'Volgens mij ben ik al dood' had je een kans dat het overging. Pas op de allerlaatste dag voelde Yitzhak zich een beetje bestand tegen de golvende zee.

Als klap op de vuurpijl had hij nu een hele tijd in de laadbak gezeten, tegen zijn tas met kleren geleund en in zijn armen de vioolkoffer die hij nooit meer zou loslaten.

Ze werden door militairen uit de wagen geholpen. Twee jongens werden apart genomen. Zij werden meteen soldaat, aldus de trotse voorzitter van de kibboets. Een jaar of veertien waren ze allebei. Ze kregen meteen een uitrusting en een wapen waarvan ze nog niet wisten hoe ze het moesten bedienen.

Daarna werden alle vijfhonderd kinderen naar een loods gebracht waar ze te horen kregen hoe het verder zou gaan. Iemand wilde Yitzhaks viool afpakken, maar kreeg het niet gedaan. Yitzhak ging liever dood dan dat hij zijn instrument afstond.

'Hier komen we op terug!' had de voorzitter van de kibboets gezegd, omdat hij geen rumoer wilde op de eerste dag.

Later, toen Yitzhak een slaapplaats toebedeeld had gekregen in een zaal met tientallen anderen, werd de jongen naar het kantoortje geroepen.

'Speel eens iets,' vroeg de man.

Yitzhak haalde de viool tevoorschijn en speelde als de beste. De jaren in Nederland hadden zijn techniek goed gedaan. Zijn vingers vertaalden de magie van de muziek moeiteloos. Voor een moment verloor hij zich in de tonen uit zijn eigen instrument, zoals hij jaren geleden ook in de heuvels van Giurgiu deed. Het leek een eeuwigheid geleden.

'Alles is eigendom van de kibboets. Dus ook je viool,' zei de voorzitter. 'Hij valt niet onder de onmisbare noodzakelijkheden, dus moet hij worden verkocht.'

'Dan wil ik hem zelf kopen,' zei Yitzhak.

'Heb je geld?'

Hij legde Amerikaanse dollars neer die Nathan hem mee had gegeven bij het afscheid. 'Met dollars kun je overal terecht,' had zijn Hollandse vriend hem voorgehouden.

'Dat geld is dan ook niet van jou,' zei de voorzitter.

'Wel,' zei Yitzhak.

'Niet. Het valt aan de kibboets toe, evenals de viool. En met geld van de kibboets kan jij niets kopen, je eigen viool al helemaal niet. We zullen je met een delegatie naar Tel Aviv sturen. Daar verkopen we het ding.'

Er kwam een andere man op Yitzhak af. Hij moest al zijn bezittingen inleveren. Ook het geld. Ook de viool.

36

Kibboets Hamoreh, Israël, winter 2012

Stephan luisterde. En hij hoorde wat hij hoorde, maar hij kon niet reageren. Goedbedoelde onrechtvaardigheden waren het.

'Twee jaar later is Yitzhak gaan studeren. Wat er van hem geworden is, kan ik niet nagaan.'

'Waar is hij gaan studeren?' vroeg Stephan.

'In Jeruzalem.'

Vervolgens liep de jonge leider naar een tafel en schreef een adres op. Dat papiertje duwde hij in de handen van de jonge student.

'Wat is dit?'

'Het adres van de winkel in Tel Aviv waar de kibboets destijds de viool aan heeft verkocht.'

Stephan pakte het aan.

'Jullie hebben hem zijn viool laten verkopen!' zei hij en voelde hoe de verbijstering zich meester van hem maakte. Hij kon zich niet voorstellen dat de wereld zo onredelijk was geworden, dat het een mens beroofde van het liefste wat hij bezat. Hij kookte van woede. 'Jullie hebben het gewoon laten gebeuren!'

'Zeg hé,' verweerde Nahariyyah. 'Daar was ik niet bij!'

'Jullie hadden hem moeten tegenhouden. Het niet mogen laten gebeuren. Dit is een land vol idioten. Jullie zijn allemaal knettergek.'

Onredelijkheid maakte zich van Stephan meester, het bloed steeg hem naar zijn kop en plotseling vloog hij zijn gastheer Nahariyyah aan. Voordat hij hem een klap voor zijn kop kon verkopen, werd hij door twee andere medewerkers van Nahariyyah afgetrokken. Ze pakten hem bij kop en kont, sleurden hem de kibboets uit en smeten hem buiten het terrein op het asfalt van de toegangsweg.

'Dat zal je leren,' beten ze hem nog toe.

Met een paar nieuwe schaafwonden aan handen en hoofd bleef hij verward zitten.

37

Gat Rimon hoek Derech Jaffa, straat in Tel Aviv, Israël, winter 2012

Hij reed naar Tel Aviv en kwam daar een paar uur later aan. Het was een hersenloze rit zonder gedachten. Alleen woede gierde door zijn kop. Hoe haal je het in je botte hersens om een kind zijn viool af te pakken. Een viool dat een oorlog had overleefd, een tocht van Roemenië naar Nederland, een jaar in Het Apeldoornsche Bosch, huiskamerconcerten bij Nathan Mossel en lessen van Henryk Szeryng. Stephan keek niet naar het landschap... hij voelde alleen maar zijn voet op het gaspedaal. 'Je denkt toch niet dat je die viool nog terugvindt,' had hij tegen zichzelf geschreeuwd onderweg. Nee, dat dacht hij niet. Maar wat moest hij dan? Opgeven? Dat kon niet meer. Hij liet niet meer los. Elk draadje, hoe dun dan ook, zou door hem vastgegrepen worden om door te zoeken. Hij wist niet wat hij uiteindelijk zou vinden. Yitzhak? Een viool? De reden van dit alles? De oplossing van een wiskundig vraagstuk? Het begin van het ontstaan van het heelal? Het kon hem allemaal niet meer schelen, want hij zocht nu alleen nog maar op basis van zijn drift.

Hij parkeerde zijn auto, inmiddels dik onder het zandstof, op een pleintje en wandelde het stadje in. Hij wist niet waar hij moest zijn en liep dan ook tien keer verkeerd nadat hij de route desgevraagd voor de zoveelste keer niet goed had begrepen.

Maar toen was er een straatje. Gat Rimon heette het, de huizen waren er kaal, laag en sommige hadden dichtgetimmerde ramen. Er waren winkeltjes van nu en winkeltjes van toen, met oude mensen die zochten naar iets van vroeger en jonge mensen naar wat aardigs voor thuis. Hij keek op het briefje en hij keek op het straatnaambordje. 'Gat Rimon.' En zo naderde hij een tweedehandswinkeltje dat daar dus klaarblijkelijk al meer dan een halve eeuw – misschien wel langer dan dat – gevestigd was.

Hij ging het binnen. Op een stoel zat een oude man een boek te lezen. Het was niet de Thora, maar gewoon een boek. Hij droeg een stofjas, had een dikke onderlip, twee onderkinnen en dunne vingers die niet bij de rest van zijn lichaam pasten. Boven zijn tafeltje hing een trieste spaarlamp aan een zwarte draad vol stofpluisjes. Hij leek zich niet te storen aan de klandizie. Als iemand iets wilde, rukten ze hem wel uit de leesstand. Stephan liep naar hem toe.

'Spreekt u Engels?'

'Ik ben van oorsprong Amerikaan, jongeman. Maar dat ben ik nu niet meer,' antwoordde de man zonder opkijken.

'Er is hier ooit iets verkocht. In 1948. Bestaan er misschien nog gegevens over?'

'1948? Zie ik eruit als een geschiedenisleraar?!'

'Misschien dat uw vader dan iets weet.'

'Meteen mijn grootvader maar doen?'

'U zou mij een groot plezier doen, meneer. Het gaat om een viool. Verkocht door Kibboets Hamoreh.'

Daarop kwam de man overeind en liep naar achteren. Na

een paar minuten keerde hij terug met een dik grootboek. Hij legde het neer en poetste eerst zijn bril schoon met een zakdoek. Vervolgens bevochtigde hij zijn vingers en sloeg blad na blad om.

Het duurde een eeuwigheid, maar Stephan had geduld.

'Hier,' zei de man opeens en draaide het forse boek naar Stephan toe.

AANKOOP VIOOL: KIBBOETS HAMOREH
6 december 1948

En daaronder dit:

VERKOOP VIOOL: Dhr. NATHAN MOSSEL
12 augustus 1954.

'Wát?!' riep Stephan de Vos uit.

Buiten liet hij zich even later verbijsterd op de stoep zakken. Nathan had de waarheid voor hem verzwegen. De schrijver was wel degelijk naar Israël gegaan, in 1954. Hij had Yitzhak absoluut gezocht. Maar had hij hem ook gevonden? De viool in ieder geval. Deze was nu dus in het bezit van Nathan. De viool was in Nederland.

Zijn mobiel ging. Het was Yona.

'Ik heb iets,' zei de man van de Zim-lines. 'Ik heb een van de vijfhonderd kinderen getraceerd. Hij wil met je praten.'

Er gebeurde niets in Stephans hoofd. Hij was niet blij, maar ook niet teleurgesteld. De verbijstering was domweg te groot.

38

Tel Aviv, Jeruzalem, Israël, winter 2012

Groen kan zich soms op de meest bizarre plekken nestelen. Tussen tegels groeit onkruid, tegen rotsen tieren distels met ordinaire bloemen welig. De natuur spot met zichzelf – en met de mens die denkt dat hij alles wel onder controle heeft. Je kunt schoffelen tot je erbij neervalt, de aarde zes keer omploegen en nog groeien er onbedoelde bomen door het terras heen. Zo is het ook met vrede. Wie denkt dat die alleen maar te vinden is in het rimpelloze bestaan van naties die de witte vlag voeren, vergist zich deerlijk.

Zo is het, zo was het altijd geweest.

Een rit lang, van de kibboets naar de tweedehands winkel was Stephan blind geweest. Nu, in Tel Aviv, deed hij zijn ogen weer open en hij zwierf door de stad om het besef van plek en tijd weer terug te krijgen. In dit land, dit Israël, waar het woelde en etterde, waar alles slaags raakte wat maar slaags kon raken, moest toch ook vrede zijn. Maar waar was dat dan?

Inge en Bert waren op zo'n plek, en Stephan was niet bij hen. Hij had gezien dat er soms zomaar ergens onverwacht pacifisme groeide. Het Kinderziekenhuis van Tel Aviv. Het paste een simpele wet toe: ieder kind dat medische zorg nodig had, kon het hier krijgen. Daarin zat geen enkele beperking. Niet van geloof of afkomst, niet van adres of levensovertuiging, niet van vlag of volkslied. Kinderen hadden part noch deel aan de daden van ouders. Het waren evengoed wereldburgers, waar de wereld verantwoordelijk voor was.

In het Dana-Dwek, zoals het ziekenhuis heette, lagen kinderen van Arabieren, Palestijnen en van Israëliërs. Gescheiden afdelingen waren er niet. Ze lagen in opeenvolgende kamers of zelfs samen op dezelfde zaal. En waar de ene papa de andere vader buiten deze muren het licht in de ogen niet gunde, daar zaten ze hier gebroederlijk naast elkaar gespannen te wachten tot het hun kinderen weer beter ging. Kon de hele wereld dit maar eens zien. Bloeiend onkruid dat door het asfalt van de oorlog heendrong. Niemand die het kon tegenhouden.

Ook Yassoer werd hier onderzocht. Inge en Bert hadden de rit er graag voor over. Het ging al dagen niet goed met het jongetje dat, ondanks al het opgehoopte slijm, nog steeds een goed humeur had. Hij had geen vader of moeder, maar gelukkig wel Bert en Inge. De arts vertelde de verzorgers dat Yassoer voor het onderzoek verdoofd moest worden.

'Je kunt hem het beste even op schoot houden.'

Bert verliet de ruimte en Inge nam Yassoer, als was het haar eigen kind, op schoot. Terwijl de verdoving al werkte, droeg ze hem over aan de verpleegkundigen. Zelf begaf Inge zich daarna ook naar een wachtkamer, ergens in het gebouw.

De uren kropen voorbij. Bert en Inge spraken nauwelijks met elkaar. Ze zaten aan een tafel. Bert schreef wat brieven aan Nederlanders om te bedanken voor het geld dat ze hadden gestuurd. Inge las een boek dat ze al eerder had gelezen. Het verhaal drong nauwelijks tot haar door, maar gelukkig kende ze het dus al. Soms keek een van hen op om onwillekeurig deelgenoot te worden van het geluk of het verdriet dat zich, afhankelijk van de patiënten die voorbijkwamen, voor hun ogen afspeelde. Zo ging de ochtend voorbij. Bert en Inge aten wat met de lunch, kwamen terug, maar moesten nog steeds wachten.

Ten slotte vroeg een arts hen of ze met hem mee wilden lopen naar een kamer. Onderweg zei hij niets, wat Inge al een teken aan de wand vond.

'We hebben een kijkoperatie gedaan bij Yassoer, want ik vertrouwde de foto's niet. We hebben verdachte plekjes ontdekt. Hij blijkt veel vocht vast te houden.'

'Dat moet een reden hebben,' zei Bert.

'Ik wil met andere artsen overleggen. Yassoer moet een paar dagen blijven. Zijn ouders?'

'Onbekend,' zuchtte Inge. Ze had willen zeggen: ze hebben hem achtergelaten op de vuilnisbelt, maar dat slikte ze in.

'Is er iemand die hem regelmatig kan bezoeken?'

'We zullen zorgen dat er om beurten iemand is.'

Bert bleef in Tel Aviv. Inge reed terug. Er moest een bezoekrooster gemaakt worden. Het zou zwaar worden. Telkens maar weer op en neer naar Tel Aviv. En ze hadden alleen maar dat ene busje.

'Voor alles is een oplossing,' zei Bert.

Inge ging terug naar Jemima en vertelde de andere kinderen dat Yassoer in het ziekenhuis moest blijven, omdat niemand wist wat hij in werkelijkheid mankeerde. Plotseling rende Aziz de tuin in. Het jongetje stampvoette en sloeg met zijn handen op de stenen van het terras.

'Ik ga niet bidden!'

'Dat heeft niemand je gevraagd,' zei Inge.

'Jawel. Nou moeten we bidden en dat doe ik niet. God heeft Yassoer geen hart gegeven, dat is het.'

'Aziz! Wat zeg je nou dan?!'

'En God geeft hem geen leven. En dan moeten wij bidden? Ik mooi niet.'

Ze pakte hem beet, maar hij duwde haar weg. Hij wilde niet getroost worden. Hij wist zeker dat Yassoer dood zou gaan. En hij zou niet de laatste zijn. Ze gingen allemaal dood, stuk voor stuk. Want ze waren allemaal zonder hart geboren, zo vond hij.

Aan de Sederot HaNasi Ben Zvi, in het Sacker Park, lagen de gebouwen van de Knesseth, een zwaar bewaakte betonnen kolos. Binnen de dikke muren en zware hekken vergaderden dagelijks de honderdtwintig leden van het Israëlische parlement, verdeeld over twaalf partijen waarvan de Kadima en de Likud de grootste waren.

Yona ontmoette Stephan op het parkeerterrein van de Knesset. Hij gaf de Hollandse student een pasje en hing er zelf ook één om.

'Daarmee zijn we er nog niet,' waarschuwde de medewerker van de Zim-lines. 'Er zijn strenge beveiligingsmaatregelen.' Het duurde zeker anderhalf uur voordat ze alle poortjes met metaaldetectors waren gepasseerd, voordat meerdere handen hen hadden gefouilleerd en ze tot twee keer toe waren ondervraagd over de reden van hun komst. Uiteindelijk moesten ze op een lange koele, marmeren gang wachten tot ze werden toegelaten tot een van de spreekkamers.

'Ik was al bang dat ik je niet kon bereiken,' zei Yona. 'Hij is in Israël, maar vliegt morgenavond alweer terug. Maar hij wil je graag te woord staan.'

'Wie is hij?'

'Yehoshua Ben Arad was een van de vijfhonderd kinderen. En jarenlang onze ambassadeur in Londen. Een goed mens.'

Het draadje was een draad geworden. Nee, nog geen touw, maar het ging de goede kant op. Nog altijd was Stephan aangeslagen door het besef dat Nathan Mossel wel degelijk naar Israël was geweest om Yitzhak te zoeken en dat de schrijver zelfs zijn viool hier had gekocht. Wie weet had Nathan zijn 'zoon' zelfs ontmoet. Waarom had Nathan Stephan daar niets over verteld? Dat zou zijn huidige zoektocht een stuk vergemakkelijkt hebben.

'Schoenen uit,' zei Yona en wees op een bordje. Hijzelf ging op een stoel zitten en trok zijn veters al los. Op sokken liep hij verder de gang in.

De student zette zijn schoenen op de glimmende tegels en zag even hoe stoffig ze waren, hoe beschadigd ze waren geraakt van de vele kilometers die hij in dit gortdroge land had afgelegd. Even voelde hij aan zijn hoofd, de korstjes van de wonden die hij had opgelopen door zijn boosheid, die hem de laatste tijd op zeer ongepaste momenten overviel. Hij voelde zich als een wild paard dat getemd moest worden. De teugels deden zeer, hij voelde de pijn van de venijnige metalen sporen in zijn flanken, samen met de woede, omdat verzet zinloos was. In dit land kon je geen rebel zijn.

Een secretaresse op de gang zei dat ze haar mochten volgen. Yona stond als eerste op. Stephan volgde gedwee. Hij keek naar de muren met portretten van mannen en vrouwen die de Knesset door de jaren heen hadden bevolkt. Hij herkende hun gezichten niet. Even sloot hij zijn ogen. Hoe vreselijk was het om jong te zijn en onwetend. Hij had gestudeerd, maar hij wist niets. Hij zou nog jaren kunnen studeren en dan wist hij nog steeds niets. Hij nam zich voor om vanaf nu een kennisreservoir aan te leggen in zijn hoofd. Te onthouden op welke grond hij liep, de voetstappen te kennen van de mannen en vrouwen die er gelopen hadden. En dan niet alleen hier, maar overal waar hij kwam op de wereld. Wat een arrogantie om een mening over alles te hebben, zonder dat alles te kennen. Voortaan zou hij zich verwonderen en verbazen, zou hij vraag voor antwoord stellen. Driftkop zou in de pas lopen, maar in de pas zou hij leren meer te worden dan dat hij nu was.

De kamer waar ze werden ontvangen, was een vrij kale ruimte. Er hing een portret van David Ben-Gurion en een enorm schilderij van het uitroepen van de Onafhankelijkheid in 1948. Verder zag hij tafels, geplaatst in een vierkant met stevige kantoorstoelen eromheen. Tl-balken gaven licht, maar konden nauwelijks op tegen de scherpe zon die door de ramen viel.

Hij werd voorgesteld aan Yehoshua Ben Arad, een man van ver in de zeventig. Hij voelde hoe de hand van de man trilde. Diens ogen waren waterig rood, zelfs wat gebroken. Er was ook een vrouw in de ruimte, minstens zo oud als Yehoshua. Waarschijnlijk zijn echtgenote. Rachel, heette ze. Van begin af aan werd afgesproken dat men elkaar tutoyeerde.

'Ja, ik was erbij in Tel Aviv,' zei Yehoshua, terwijl hij naar de foto keek. 'Een zangeres, Mira Ileni, zong het vredeslied. Peres had de tekst in zijn handen, Rabin ook. Het waren geen beste zangers, maar ze deden hun best.'

Rachel stond op. Ze liep naar haar man toe en legde haar hand op zijn rug. Stephan hoorde dat de stem van Yehoshua begon te trillen.

'Ahuv cheli, de jongen komt uit Holland. Hij was op dat moment nog niet eens geboren.'

'Rabin,' zei Yehoshua en het klonk als een vraag. 'Dan weet je toch wel over wie ik het heb? Rabin was de premier van Israël. We hebben het dan over 1995.' Stephan knikte. 'De vrede zo graag willen,' zei Yehoshua, 'dat je je aartsvijand zelfs de hand schudt, omdat de Amerikaanse president dat wil. Ken je die beroemde foto? Heeft in alle kranten gestaan. Arafat, Clinton en Rabin. Ze ontvingen de Nobelprijs voor de Vrede voor die handdruk. 'Vanaf nu,' sprak Rabin in zijn rede, 'komen ons zorgeloze dagen tegemoet en nachten zonder angst. Ons leven gaat ingrijpend veranderen. In het verschiet liggen goed buurschap, het einde van het dodenleed dat onze huizen aandoet en het einde van de oorlogen. Laat de zon rijzen.' Ja, laat de zon rijzen, Stephan. Voor het oog van de wereld was dat misschien allemaal goed. Maar ondertussen weet je niet of jouw eigen volk het allemaal zal begrijpen.'

Hij knikte, min of meer om de herinnering aan een verschrikkelijke dag naar boven te halen. 'Rabin stopte de tekst van het lied in zijn binnenzak en even later schoot iemand drie kogels door zijn lijf. Iemand die de vrede van Rabin niet begreep. En drie kogels, niet alleen door zijn hart, maar – hoe symbolisch – ook dwars door de tekst van het vredeslied.' Hij pakte een zakdoek uit zijn zak en depte zijn ogen. 'Vrede. We ontruimen de bezette gebieden, om ze daarna plat te bombarderen. Wij spreken alleen nog maar in bommen. Dat noemt men de vredesdialoog. Woorden geschreven in bloed.'

Daarop liet hij een stilte vallen en keek recht in de ogen van Stephan. 'Maar daar kwam je niet voor.'

'Yitzhak Dimitrescu,' zei Rachel, alsof ze Yehoshua weer op het spoor moest zetten.

'Waarom wil jij dat eigenlijk weten, vriend? Wij hebben allemaal onze namen veranderd. We hebben het verleden achter ons gelaten. Met vroeger willen we niets te maken hebben.' Het klonk strenger dan wellicht gemeend.

'Elize van Dillen leeft ook nog,' zei Stephan, alsof hij daarmee het ijs kon breken.

'Echt?' vroeg Rachel, opgewonden. Ze keek de jongen aan. 'Echt waar? Wat fantastisch. Zij heeft ons zoveel geleerd.'

Even glimlachte Stephan. Toen keek hij de voormalig ambassadeur weer aan.

'Wist u van tevoren dat de staat Israël zou worden uitgeroepen? Wist u het al in dat jaar dat u in Nederland was?'

Er werd een blik gewisseld tussen Rachel en Yehoshua. Stephan zag argwaan tussen hen. En hij merkte ook de aarzeling voordat er antwoord werd gegeven. Yona hield gepast afstand maar volgde het gesprek als een havik zijn prooi.

'We hoopten het,' zei Yehoshua ten slotte. 'Het was ons beloofd.'

'In Roemenië al?'

'We zouden in Nederland wachten tot de tijd rijp was. 'Drie jaar' was ons gezegd. Maar het ging sneller dan verwacht.'

'Het was dus niet zo dat jullie moesten aansterken?'

Yehoshua ging aan de grote tafel zitten en schonk zichzelf een glas water in uit een karaf.

'We waren gewoon gezond,' herinnerde Rachel zich. 'Alleen de treinreis was zwaar. We hadden ons al die tijd niet kunnen verschonen. We zagen er verlopen uit. Maar alleen van die paar weken in de trein.'

'We waren niet op de vlucht,' voegde Yehoshua toe. 'Wij gingen doelbewust en uitgekozen naar het nieuwe land om het op te bouwen. Wij waren de uitverkorenen van en voor een uitverkoren volk.'

'U weet,' zei Stephan, 'dat dit de enige keer is dat een schip onder Israëlische vlag is uitgevaren om mensen in Nederland te gaan ophalen?'

'We waren voorbestemd om dit nieuwe land op te bouwen.'

'Ook Yitzhak Dimitrescu?'

Gezwegen werd er. Maar irritatie was er niet. Toch had Stephan de vinger op de zere plek gelegd. Als één vraag hem de afgelopen weken had beziggehouden, was het wel deze: Als het uitroepen van de Staat Israël in 1948 een spontane daad van

Ben-Gurion was geweest, hoe kon het dan dat een groep van vijfhonderd kinderen een jaar eerder naar Nederland was gehaald, met als eindbestemming Israël? Elize van Dillen en Nathan Mossel hadden het al geconcludeerd. Het waren niet zomaar kinderen. Ze leerden sneller dan normaal. Ze waren stuk voor stuk intelligent, leergierig en blijkbaar geselecteerd om het toekomstige kader te worden van dit land. Yehoshua was er een goed voorbeeld van, als later ambassadeur van Israël. Het zou Stephan niet verbazen als alle vijfhonderd kinderen uiteindelijk goed terechtgekomen zouden zijn, in de nieuwe staat.

'Die Nederlander...' zei Rachel zacht.

'Nederlander?' herhaalde Stephan.

'Yitzhak werd opgevangen door een Nederlandse schrijver. Van Yitzhak hadden we allemaal de verwachting dat hij in jouw land zou blijven. Maar ook hij ging mee.'

'Ik weet niet wat er van hem geworden is.'

'We zijn elkaar uit het oog verloren,' zei Yehoshua.

Het was een leugen, vermoedde Stephan. Deze man wist donders goed waar iedereen was. Alleen wilde hij het niet zeggen. Of mocht hij het niet zeggen? Dit was alleen niet de plek noch de tijd om een doorbraak te forceren.

'Misschien is hij violist geworden,' zei Rachel.

'Dat denk ik niet,' antwoordde Stephan. Hij wist immers dat Nathan Mossel de viool van Yitzhak had gekocht en dat de jongen een kibboetsjeugd lang de snaren niet had aangeraakt.

'Dat zou je kunnen uitzoeken,' suggereerde ze.

'Zijn viool is verkocht door de kibboets waar hij terechtkwam.'

'Dat zegt niets.'

Stephan liet het zo. Nee, hij wist het niet zeker. Het was louter intuïtie, gebaseerd op wat hij wist. Maar toch kon hij zich niet voorstellen dat Yitzhak uiteindelijk muzikant was geworden. Als hij de mogelijkheid had gehad om de viool terug te

kopen, dan had hij dat zeker gedaan. Maar zes jaar na de verkoop was het Nathan die het instrument had opgehaald. Wellicht had de Joodse schrijver de viool weer aan Yitzhak
geschonken, maar ook dat leek Stephan niet aannemelijk.
Nathan en Yitzhak hadden elkaar in die dagen niet gezien.
Niet gesproken. Anders was dat grote verdriet van Nathan er
niet. Dan zou hij er vrede mee gehad hebben. Dan was de cir-
kel toen al rond geweest. Nee, dat sprookje bestond niet. Niet
het verhaaltje van Nathan die de viool kocht en toen aan Yitzhak bracht die zes jaar lang niet gespeeld had en uiteindelijk
een groot muzikant was geworden. Stephan zette een fikse
streep door die optie.

'Wist je dat Yitzhak in het Concertgebouw heeft gespeeld?
Met het Concertgebouworkest?'

Dat wist Stephan niet. Niemand had het hem verteld.

'De staat Israël was uitgeroepen. En het orkest nodigde de
kinderen uit om te komen luisteren naar muziek. Toen – op
een gegeven moment – vroeg de eerste violist of Yitzhak naar
voren wilde komen. Ik zie hem nog zo door het gangpad
lopen, met zijn vioolkoffer. En de zaal werd stil. Ik heb nog
nooit een zaal zo stil gehoord. Je kon een speld horen vallen.
Iedereen keek hoe hij de strijkstok aanlegde. Toen maakte de
dirigent een gebaar en de muziek klonk.'

'Ik zag Roemenië terug. Toen. Toen zag ik Roemenië terug.'

'We zagen allemaal Roemenië terug.'

'We kwamen overal vandaan. Maar wat ons bond, was Roemenië,' zei de voormalig ambassadeur.

'Ik kom niet voor dit gedeelte van de geschiedenis, als u dat
misschien denkt. Ik kom niet om iets uit te zoeken wat verborgen moet blijven. Ik kom voor een verhaal. Voor het verhaal van één man.'

'Maar dat verhaal is de putdeksel van onze geschiedenis,'
erkende Yehoshua. 'Wij houden die put liever dicht.'

'Ik ben vastbesloten hem te openen.'

'Waarom?'

'Voor de vrede. De vrede in een hart.'

'Ga dan in vrede,' zei Yehoshua.

Hij pakte Stephans hand en hield hem even liefdevol vast. Ook Rachel glimlachte. Meer dan wat ze hadden gezegd, konden ze hem niet vertellen. Een dure eed, ooit gezworen. Wat stil is, blijft stil. Maar ze gunden hem dat hij Yitzhak vond, en de geschiedenis van die kinderen die uit een ver land kwamen om Israël op te bouwen.

'En nu?' vroeg Yona buiten bij de auto's.

'Ik zoek verder.'

'Maar misschien is het wel de bedoeling dat je niets vindt,' zei de medewerker van de Zim-lines.

'Dan nog moet ik door. Als je me verder niet meer wilt helpen, begrijp ik dat, Yona. Dan zoek ik alleen.'

'Aanvaard je mijn vriendschap?' vroeg de Israëliër.

'Ja. Jij de mijne?'

Yona knikte.

'Ik help je zoeken, wat ik er ook van vind,' zegde de nieuwe vriend hem toe. Het voelde als balsem op de wonde.

De rest van de dag zwierf hij door Jeruzalem. Soms streek hij neer op een plek waar je koffie kon drinken en wat kon eten. Dan schreef hij in zijn schrift alles op wat hij dacht en zag, wat hij deed en meemaakte. Op die manier gebeurde alles twee keer. Zo besefte hij precies hoe het was om op het kruispunt van het leven te staan. Dat moment wat iedereen kent, of zou horen te kennen. Waarop je wordt wie je moet zijn om voortaan dat leven te kunnen leven wat er voor je in het verschiet lag, uit naam van je ouders en in de naam die je van je ouders hebt gekregen.

Een hoornsignaal haalde hem uit zijn gemijmer. Het was een busje met Bert aan het stuur.

'En?' vroeg Bert. Stephan realiseerde zich dat in dat korte woord het hele verhaal viel samen te vatten.

'Ik loop zomaar wat rond.'

'Ik kan wel een paar handen gebruiken,' zei de man van Jemima en opende de passagiersdeur. Stephan stapte in. Het had weinig zin om 'nee' te zeggen. Zou toch niet worden geaccepteerd.

'Ik zoek Yitzhak Dimitrescu,' zei Stephan in de wagen. 'En misschien zoek ik een groot complot waarbij vijfhonderd zorgvuldig geselecteerde kinderen naar Israël waren getransporteerd om hier de top van de samenleving te gaan vormen. Of het feit dat Israël een jaar eerder was bedacht dan iedereen tot nu toe aannam. Ik vind het allemaal... Ach, het doet er allemaal niet toe.'

'Wat doet er dan wel toe?' zei Bert, die al net zo roekeloos reed als alle andere automobilisten in Jeruzalem.

'Een man in Nederland die zich een vader voelt en niet alleen zijn vrouw is kwijtgeraakt, maar ook zijn gevoelsmatig geadopteerde kind... en dat alleen maar vanwege onzinnige politieke motieven.'

'Dus je moet en zal dat kind vinden?'

'Zoiets. Hij moet nu volwassen zijn. Oud zelfs.'

Ze reden Jeruzalem uit en gingen op weg naar Tel Aviv. Af en toe spraken ze met elkaar. Zo vroeg Stephan hoe Jemima was ontstaan en waarom een Nederlander in vredesnaam ergens in 'the middle of nowhere' een kindertehuis stichtte.

'Mijn vrouw en ik zijn kinderloos. En dat begrepen we niet. Het was een groot verdriet. We voelden ons eenzaam en onbegrepen. Alsof ons iets fundamenteels ontbrak.' Bert schudde zijn hoofd. 'Ik zeg het niet goed, maar ik weet niet hoe ik het beter zou kunnen. Zowel mijn vrouw als ik dacht:

wat heeft het voor zin om op deze aardkloot alleen maar voor jezelf rond te lopen. Daar kan de mens toch niet voor bedoeld zijn? We wilden kinderen, maar kregen ze niet. Het werd een onmetelijk verdriet. Toen gingen we op reis. We hadden ons voorgenomen twee jaar weg te blijven. We kochten een vrachtwagen die we tot een soort camper ombouwden. Alles erop en eraan. Na de ombouw kende ik het ding als mijn broekzak. Elk schroefje wist ik te zitten. Ergens in een lente stapten we in en reden weg. Na honderd kilometer zei Ans: 'We rijden wel weg, maar nergens naartoe. En wegrijden van jezelf is een illusie.' Ik had er geen antwoord op. Dacht alleen maar dat ons leven was mislukt. Maar ik keerde de wagen niet.'

Het greep Bert zichtbaar opnieuw aan. Stephan luisterde. Zei niets. Was ook niet nodig.

'Na allerlei omzwervingen kwamen we in Bethlehem terecht. We wilden er de nacht doorbrengen. Maar er was geen hotel. Was in principe ook niet nodig, want we hadden de wagen. Die hebben we toen gewoon maar ergens geparkeerd. De volgende ochtend lag er zomaar opeens een kind, buiten. In doeken gewikkeld.'

Hij zuchtte diep.

'Weet je, Stephan, ik geloofde helemaal nergens meer in. Al jaren niet. Ans evenmin. We komen allebei wel uit gezinnen waar we de Bijbel zowat uit het hoofd moesten leren, maar zelf... Ik kon en kan me nog steeds geen voorstelling maken van de hemel en dergelijke. Als kind had ik wel gebeden, maar je kon net zo goed tegen een muur kletsen. God kon onmogelijk bestaan. Als Hij bestond, zou Hij ons wel kinderen geschonken hebben. Het was voor mij een overtuigend bewijs dat al die kerken zinloze gebouwen waren. Vingers die wijzen naar iets dat niet bestaat. Maar toen lag dat kind daar dus. Doodziek. Op sterven na dood. Uitgedroogd en bovendien gehandicapt, zo zagen we al gauw. We konden er nergens mee naartoe. Het was van niemand en niemand kon of wilde het opvangen. Ans begon met een lepeltje suikerwater. Daarna melk. Ook zijn we babyvoeding in Jeruzalem gaan halen. Aanvankelijk hield het kindje niets binnen. Toen het dreigde te sterven, sloeg ik opeens aan het bidden. Ik weet niet waarom, maar ik zei: 'God, u hoeft niks te doen. Wonderen... daar geloof ik niet in. Maar een goeie ingeving zou al heel erg fijn zijn.' Daarna heb ik tijdens het voeden die kleine baby gemasseerd. Alsof ik dacht: als het nu ontspant, als het nu rustig wordt, dan houdt het dat eten misschien wel binnen. En het lukte. Wij kregen dat kind aan het eten!'

Hij glimlachte.

'We waren van plan om maar twee dagen in Bethlehem te blijven, maar ongemerkt verstreek er een maand. Toen wisten we dat we moesten blijven.' Bert keek Stephan aan. 'Ik probeer je niet om God of mijn geloof te verkopen. Ik wilde alleen zeggen dat ik weer bid en besef waarom ik besta.'

'Ik zag Ans niet bij jullie.'

'Ze is op dit moment in Nederland voor presentaties van ons werk en fondswerving. Zelf ervaar ik het wel eens als schooieren, maar zij heeft er geen enkele moeite mee,' zei hij lachend.

Ze arriveerden eindelijk bij het Kinderziekenhuis in Tel Aviv. Bert zette het busje bij de leveranciersingang neer.

'Help je even?' vroeg hij.

Hij maakte de klep aan de achterkant open en haalde een aantal lege blauwe plastic kratten tevoorschijn. Afsluitbaar, typisch voor medische artikelen. Twee van de kratten gaf hij aan Stephan.

Ze liepen naar de ziekenhuisapotheek en daar gaf Bert de man aan het loket een formulier. Hij nam de kratten aan en zei dat ze over een uur terug moesten komen.

'Even rondlopen?' vroeg Bert. Stephan knikte.

De afdeling waar Yassoer lag, was op de vierde verdieping. Stephan liep enigszins verbaasd rond door het gebouw waar zoveel mensen van allerlei afkomsten samenkwamen.

Yassoer sliep. Anton, een van de andere vrijwilligers van Jemima, zat naast zijn bed te lezen. Stephan herkende het jongetje. Hij wist niet dat het ventje was opgenomen. Bert en Anton praatten hem bij. Er liepen allerlei onderzoeken, maar het jochie was te zwak om er meerdere op één dag te kunnen ondergaan. De uitslag zou nog wel even op zich laten wachten.

Ze lieten de kamer voor wat deze was en liepen verder.

'Wat vind je eigenlijk van Israël?' vroeg Bert.

'Ik zie alleen maar oorlog. Behalve hier. Ik zie gevaar. Zwaarbewapende agenten overal. Je proeft de strijd.'

'Ook hier?'

'Dit is een ziekenhuis.'

'Dan stel ik je een gewetensvraag. Als er een aanslag gepleegd wordt, komen de slachtoffers in dit ziekenhuis terecht. En of het nu Arabieren of Joden zijn, ze worden allemaal zo goed mogelijk behandeld. De artsen zullen hun best doen om iedereen te redden. Zelfs de dader van de aanslag.'

'En wat is de vraag?'

'Of dat vrede is of oorlog.'

'Dat weet ik niet.'

'Je moet iemand ontmoeten. Ik weet dat ze er is,' zei Bert.

Er gingen veel deuren in dit ziekenhuis open voor Stephan. Iedereen kende Bert en iedereen had ook respect voor hem, zo leek het. Na een lange wandeling kwamen ze uiteindelijk in een van allermooiste kamers van het ziekenhuis. Hier vergaderde met enige regelmaat het bestuur. De ramen boden een prachtig uitzicht op Tel Aviv en zelfs een groter gebied. De vergaderruimte had een prachtige eiken lambrisering, de stoelen waren comfortabel en er hing smaakvolle kunst aan de wanden.

Aan het hoofd van de grote tafel zat een vrouw. Ze had grijs haar en zat over wat papieren gebogen. Ze leek een beetje op Golda Meir. Alleen droeg deze vrouw een wat smakeloze parelmoeren brilmontuur.

'Bert. Birdy!' kirde ze.

Meteen ontwaarde Stephan haar knauwerige Amerikaanse accent. Ze stond op. Ze was corpulent en haar couturier had niet op een kleurtje meer of minder gekeken.

'Ik was in de buurt,' zei Bert. 'Ik wil je graag even voorstellen aan mijn Nederlandse vriend Stephan.'

'Berts vrienden zijn mijn vrienden!' zei ze en ze liep op Stephan af. Ze gaf hem een fikse smakkerd op beide wangen. Hij was er een tikkeltje beduusd van.

'Ik laat meteen zoete koeken komen. Ga zitten! Ga zitten!'

'Dora is de...,' verklaarde Bert. 'Ja, hoe moet ik dat nou zeggen? Nou, Dora Taitelbaum is de financier van het ziekenhuis. Het gebouw, de medische apparatuur, de bedden, alles is een schenking van haar.'

'Ter nagedachtenis aan mijn zoon,' zei ze.

Er klonk iets van verdriet in door. Stephan wist niet goed raad met de situatie. Wat moest hij nu weer met deze vrouw? En wat wilde Bert hem vertellen?

'Hoe gaat het met je, mijn dierbare christenvriend?' vroeg ze kakelend.

'Naar omstandigheden goed. Maar ik wil je een gunst vragen. Wil jij Stephan meenemen naar Yad Vashem? Ik denk dat hij daar veel zal leren, Dora.'

'Goed. Maar eerst zoete koeken,' zei ze en nam de telefoon aan.

39

Yad Vashem, winter 2012

Wie voor de doden geen graf kan graven, eenvoudigweg omdat het lichaam niet teruggevonden kan worden, blijft voor eeuwig een wond voelen. Van de Joden die in de Tweede Wereldoorlog stierven, is soms alleen nog maar de naam of een enkele foto over. Het herinneringsinstituut Yad Vashem werd in 1953 opgericht om de slachtoffers van de Holocaust te gedenken. Niet de oorlog, niet de daders, niet de gruwelijkheden, maar de mensen die het leven lieten. Over de jaren tussen 1939 en 1945 kunnen we nauwelijks denken zonder het beeld van een schreeuwende dictator, van gruwelijke runentekens op een uniform, van kampen met prikkeldraad en daarboven een tekst die leugenachtig volhield dat werken tot vrijheid zou leiden. Over deze oorlog kun je niet denken zonder daders, omdat het een mensenoorlog was die het meest afzichtelijke naar boven haalde dat in de menselijke geest te vinden is. Maar voor dat laatste heeft Yad Vashem geen plek. Het doet niet aan schuld, het doet niet aan daad, het doet niet aan veroordeling. De plek biedt ruimte voor de doden die niets hebben achtergelaten. Hun brillen op bergen van brillen, hun kunstgebitten op bergen van kunstgebitten, hun schoenen tot aan de hemel opeengestapeld. 'Hem geef ik iets beters dan zonen en dochters: een gedenkteken en een naam in mijn tempel en binnen de muren van mijn stad. Ik geef hem een eeuwige naam, een naam die onvergankelijk is.' Aan deze tekst uit het boek Jesaja ontleende het monument zijn naam.

Dora Taitelbaum had de rit naar Yad Vashem gebruikt om Stephan al dat te vertellen over deze plek, en vooral ook over de filosofie achter alles wat hij zo meteen zou gaan zien. Ze reed in een roze Buick uit de jaren zestig waarop geen roestplekje te vinden was. Ze had de wagen speciaal uit Amerika laten komen. Bij het appartement in Jeruzalem waar ze een aantal maanden per jaar verbleef, stond de wagen altijd netjes in de garage. Haar werkelijke thuis was New York, Upper West Side, op wandelafstand van het Central Park, een stukje van de Hudson River af. In die stad woonde ze tussen meer dan één miljoen andere Joden, een groter aantal dan er in Tel Aviv te vinden was. Dat was haar thuis. Maar ook Jeruzalem, waar ze niet geboren was en naar alle waarschijnlijkheid ook niet zou sterven of begraven zou worden. Van haar rijkdom in de Verenigde Staten liet ze een deel naar het Kinderziekenhuis vloeien, naast nog wat andere plekken. Ze had ook een aanzienlijk schenking gedaan aan Yad Vashem. Dat gaf haar het voorrecht op een speciale parkeerplek.

De wagen stak kleurrijk af tegen de andere voertuigen. Ze was een levende 'star-spangled banner', maar schaamde zich er in het geheel niet voor. Ze was er zelfs trots op. Zo liep ze samen met Stephan het terrein op.

'Mijn man zaliger wond er geen doekjes om. 'Israël,' zei hij, 'daar ga ik niet heen. Daar schieten ze nog met pijl en boog.' Ik heb hem vijfendertig jaar lang aan zijn kop gezeurd dat we moesten emigreren, maar hij wilde niet. Hij wilde daar maar blijven. Waarschijnlijk omdat onze zoon in Vietnam is gesneuveld en hij diens graf niet wil verlaten.'

'Ik zie overal plaquettes van schenkingen.'

'Allemaal Joden die niet durven,' scheerde Dora iedereen over één kam. 'Maar net als ik, hoor. Ik woon ook nog steeds in de States. Toch is dit mijn ware thuis, Stephan. Bedenk dat goed. En wat ze zelf ook beweren, elke Jood voelt dat zo, waar hij of zij ook woont. Er hoeft maar één raket op Israël afgeschoten te worden en we raken allemaal in paniek. Zelfs Joden die hier nog nooit zijn geweest.'

Ze zwierven over het enorme terrein. Er was een bouwwerk, een stenen doolhof, met alle namen van steden waaruit Joden waren weggevoerd erop. Ook alle namen van alle Joden die waren gedeporteerd. Uiteindelijk kwamen ze in een uitbouw waar opnieuw honderdduizenden namen te zien waren – stuk voor stuk namen van mensen die nooit meer teruggekeerd waren.

Dora liet haar hand over een van de naambordjes glijden alsof ze het voor de eerste keer van haar leven zag.

'Hier, van één gezin: vader, moeder, een kind, nog een kind, en nog een. Dan nog een en nóg een. En kijk, van dat andere gezin heeft maar één kind het overleefd. Die heeft de namen hier neer laten zetten.'

Ze keek Stephan aan. Het overweldigde hem. Het was zo immens verdrietig. Hij probeerde zichzelf voor te houden dat het lang geleden was gebeurd. Dat de schuldigen er niet meer waren, dat de slachtoffers alleen nog maar namen konden zijn. Gezien zijn eigen leeftijd zou hij het waarschijnlijk nog meemaken dat er ooit niemand meer was die de oorlog hoogstpersoonlijk had meegemaakt. Maar het ging niet voorbij. Niet hier, op deze plek die zo sprekend was, dat de nagedachtenis je als het ware omhulde.

'Nu het meest indrukwekkende,' zei ze.

Stephan vroeg zich af wat dat kon betekenen.

Ze nam hem zwijgend mee naar het kindermonument. Het was een gebouw, of liever gezegd een ruimte, met daarin één kaarsje. Verder waren er spiegels, ontelbare spiegels. Het ene kaarsje werd wel duizend keer, nee, duizenden keren weerspiegeld. Eén kaarsje en dan toch zoveel licht. Hij hoorde dat er zacht namen werden opgelezen. Namen van kinderen. Een eindeloos gefluisterde reeks: 'Mordechai – Elisheva – Asher – Fruma – Reuven – Gavriëlla – Selig – Idit – Hodaya – Hadar – Raizel – Penina…

Hoe moest je je ogen droog houden als je dit hoorde, zag en meemaakte? Hoe kon je hier op beide benen blijven staan als je hoorde wie de verschrikkingen van de oorlog allemaal niet meer konden navertellen? Stephan wankelde. Hij zag het dappere licht van die ene kaars. Zag hoe het vlammetje streed om overeind te blijven en de duisternis in dit monument bevocht.

Buiten gaf Dora hem wat eau de cologne op een zakdoek. Hij vond het stinken, maar het bracht hem weer wat bij zinnen.

'Schuld. Stephan, heb je binnen iets over schuld gezien?'

'Nee,' zei Stephan. 'Het gaat hier niet over de Duitsers. Het gaat puur en alleen over de Joden.'

'Het gaat zelfs niet over de gruweldaden. Alleen over de slachtoffers. Iedere gedachte aan de daders is er één te veel.'

'Is het dan vergeven?'

'Sjalom,' zei ze.

Hij zweeg, terwijl Dora naar een terras reed om nog iets met hem te gaan drinken. Hij zocht naar een jongen, die nu een oude man moest zijn, omdat dát de zoon was van de schrijver die hem het hart had geopend. En door de zoektocht waren nu zijn ogen open en drong de werkelijkheid tot hem door. Of hij Yitzhak zou kunnen vinden of niet, hij was nu al op een reis door de tijd en hij besefte dat zijn tuin een onmetelijk formaat had gekregen, omdat er nergens meer hekken of schuttingen waren. Je had aan een leven niet genoeg om achteruit te kijken en vooruit. Je kon lezen tot je er gek van werd, je zou niet alles weten. Zelfs als je niet sliep, zou je nooit alle gedachten kunnen hebben die een mens zou moeten denken als hij schatplichtig wilde zijn aan zijn geschiedenis. De schepping was enorm – met de vraag of het een schepping was, kon je een leven lang voort. Hij zocht alleen maar één zandkorrel en voor het eerst realiseerde hij zich dat hij in een woestijn stond. Die legendarische naald in een hooiberg was altijd alleen maar die naald geweest, maar nu realiseerde hij zich de hooiberg. Hij was er stil van. Yitzhak vinden was vrijwel ondoenlijk, maar die zoektocht verbleekte bij wat hij allemaal moest zien aan oorlog, aan verleden, aan toekomst, aan identiteit, aan geloof, aan mensenkwellingen en aan mensenhoop. Hij kon het niet aan.

Dora at gebak. Mierzoet en roze.

'Ik eet altijd zoet,' verklaarde ze met een glimlach, 'omdat mijn bloed azijn is geworden.'

'Waarom nam je me mee naar Yad Vashem, Dora? Je kent me nauwelijks.'

'Omdat je bij Bert hoort. Hij redt Palestijnse kindjes die bij de vuilnisbak worden gezet. Ik maak trouwens graag ruzie met hem.'

'Waarom?'

'Omdat hij in iets gelooft waarvan ik weet dat het niet bestaat.' Ze pulkte een stukje taart tussen haar tanden vandaan en schoot het met haar gelakte nagel weg.

'Is er iets wat jij eigenlijk zou horen te doen, maar wat er niet van komt?' vroeg ze met opmerkelijk inzicht.

'Ik studeer wiskunde. In principe had ik stage kunnen lopen in Los Angeles.'

'Wat hoopte je daar dan te vinden?'

'Dat voert te ver,' zei hij.

'Try me.'

'Naar een plek binnen de dimensie van getallen waar het niet voor de hand ligt dat twee plus twee vier is.'

'You lost me,' erkende ze.

Hij grijnsde. 'Ik ben mezelf ook al een tijdje kwijt.'

'Wat zoek je dan hier? Jezelf?'

'Ik doe research voor een schrijver. Nee, ik lieg. Ik probeer zijn kind terug te vinden. Wacht. Nu lieg ik weer.'

'Als je zo veel liegt, zou je zelf schrijver moeten worden. Zeg, je koek wordt koud.'

'Het is ook kouwe koek,' zei hij, brak de rest in tweeën en gaf haar de helft.

Die avond reed hij naar Jemima om Inge te zeggen dat het hem speet. Van alles wat hij had gezegd. Van alles wat hij had gedaan.

Ze keek hem onbewogen aan. Het leek alsof zijn woorden geen indruk op haar maakten.

'Wat is er?'

'We hebben slecht nieuws gehad over Yassoer. Zijn hart functioneert niet goed. Op de een of andere manier heeft het te weinig ruimte om zijn werk te doen. Het zit allemaal verkeerd in zijn borstkas. In feite moet hij twee nieuwe kleppen krijgen, het hart moet opnieuw worden aangesloten en er moet ruimte in de borstkas gemaakt worden. Gebeurt dat niet, dan is het einde oefening.'

'Mensenlief. Maar, gaan ze dat in werkelijkheid dan ook doen? Of is het te complex?'

'In principe is het wachten op de dood. Een dergelijke ingreep bestaat wel, maar die wordt bijna nooit verricht. Bovendien is het erg duur en is er geen arts te vinden die het aandurft. Eigenlijk was het gewoon een 'slechtnieuwsgesprek'. Het is afgelopen met hem, Stephan.'

'Wat voor ingreep?'

'Stephan, het heeft geen zin. Eentje die ze hem hier niet kunnen geven. Alleen in dure klinieken.'

'We kunnen hem toch niet zomaar dood laten gaan.'

'Voor geld is alles te koop,' zei ze cynisch. 'Maar Yassoer was al bij het grof vuil neergezet. En daar staat hij feitelijk nog altijd.'

'Hij heeft hetzelfde recht op een kans als ieder ander,' vond Stephan.

Hij pakte zijn mobiel en ging aan een van de tafels in de eetzaal zitten. De stemming in Jemima was bedrukt. Ook bij de kinderen was het nieuws ingeslagen als een bom. Ze waren stil en aangeslagen. Stephan wilde het er echter niet bij laten zitten.

'Wat doe je?' vroeg Inge.

'Je zei dat een dergelijke operatie bestaat.'

'Ja, maar...'

Hij kreeg geen verbinding. Dat gebeurde vaker. Het bereik rond Bethlehem was beroerd.

Stephan beet op zijn lip. Hij kon Yitzhak dan misschien niet vinden, hulp voor dat arme joch misschien wel.

'Ik bel je zodra ik iets weet, Inge.'

Daarna liep hij naar zijn auto en reed weg.

Het was net alsof alle kinderen van wie hij de naam in Yad Vashem had gehoord hem op de terugweg naar Jeruzalem toefluisterden: 'Red hem.' Stephan had zich het inderdaad voorgenomen. Als hij Yitzhak niet kon vinden, kon hij nog wel iets anders waardevols doen? Wat was dit anders voor een nutteloze onderneming? Hier was hij in Israël en hij stond stil. Hij ging van plek naar plek en leerde van het land, en van de tijd en van het wezen van de geschiedenis. Maar hij deed niets. Hij veranderde geen enkele koers. Alles stond stil. Alles bleef op zijn plek. Niets verschoof. Een schrift vol met zinnen, een heel verhaal over vijfhonderd kinderen en hun tocht door Europa naar dit stukje Midden-Oosten; het stond allemaal op papier, maar het water in de rivier ging van de bron naar de zee en deed niets anders dan wat het sinds eeuwen al deed. Want wat Stephan aan het doen was, was nutteloos. Dan moest hij toch op zijn minst één kind kunnen redden. Anders was dat schrijven van hem net zo'n waanzin als zoeken naar een plek waar de uitkomst van een som iets anders werd dan iedereen tot dan toe had gedacht.

's Avonds liep hij wanhopig terug naar zijn kamer in Jeruzalem. In feite was zijn reis op niets uitgelopen. Hij voelde zich een mislukkeling. Een onverdraaglijke gedachte, zeker voor iemand die nog zo jong was als hij.

Vlak voordat hij de voordeur van het huis opendeed, stapte een man uit de schaduwen. Het was al bijna donker. De ander was nauwelijks te zien.

'Waarom ga je niet terug naar Holland, Stephan?' zei een stem in het Nederlands.

'Wie bent u?'

'Dat doet er niet toe. Maar het is nu toch wel klaar, allemaal?'

'Niet,' zei Stephan.

'Maar je komt geen stap verder. Wat heb je tot nu toe dan bereikt?'

'Ik wil uw naam weten.'

'Luister, jongen. Het is mislukt. Je vindt Yitzhak niet. Die is opgegaan in het volk van Israël. We willen niet dat je hem terugvindt. De kinderen van Roemenië hebben hier een nieuw huis gevonden. Ze hebben toekomst gemaakt en dat kon omdat wij hen van het verleden hebben verlost.'

'Sorry, maar als ik niet weet wie u bent...'

'Ik kan het je nog lastiger maken, man!'

Dat klonk dreigend.

'Waarom mag ik Yitzhak dan niet vinden?'

'Omdat we dat niet willen. We vonden het al erg genoeg dat je met Yehoshua hebt gesproken. Gelukkig dat hij je niets vertelde.'

'Wat zou ik dan kunnen ontdekken? Dat de staat Israël al veel eerder werd bedacht? Dat jullie in Europa hoogintelligente kinderen hebben gezocht om de top van jullie samenleving te vormen?'

'De geschiedenis mag niet herschreven worden.'

'Ben ik ook niet van plan. Heeft u soms mijn kamer doorzocht?'

'Wij willen dat jij de waarheid laat rusten.'

'Het is een waarheid van niks,' gromde Stephan. 'Dat niemand voor jullie telt, dát is de waarheid. Mijn hele verhaal doet er niet toe. Al hadden jullie Israël in 1936 gesticht. Al hadden jullie je übervolk in reageerbuisjes laten kweken. Niemand maakt zich daar meer druk over. Omdat het verleden tijd is.'

'Dus hoef jij het ook niet op te schrijven.'

'Ik schrijf wat ik wil.'

'Het zal nooit gelezen worden.'

'Dat zullen we nog weleens zien.' Stephan draaide zich om, maar er viel hem opeens iets in. 'Ik wil alleen een dokter voor dat kind.'

'Die is er niet,' zei de man in het donker.

'Misschien kunnen we een deal maken. Ik schrijf geen boek en jullie bezorgen mij een chirurg die de operatie aankan.'

'Zo'n arts bestaat niet.'

'Wis en waarachtig.'

'Nee,' zei de man. 'En genoeg nu. Jij gaat terug naar Nederland. Zo snel mogelijk.'

'Luister eens…' begon Stephan.

De man was al verdwenen alsof hij in rook was opgegaan.

De volgende dag zou Stephan een ontmoeting hebben met de man of vrouw die hem meer zou kunnen vertellen over Nathan Mossel en Yitzhak Dimitrescu. Daarvoor moest hij om acht uur in de buurt van de Molen Montefiore zijn, bij de Yemin Moshe.

Hij belde Inge en vertelde haar dat hij nog geen succes had bij zijn zoektocht naar een arts.

'Jij gaat vanavond toch die man ontmoeten?'

'Ja,' zei hij.

'Wil je dat ik meega?'

'Je hebt wel iets anders aan je hoofd.'

'Stephan. Ik neem het je niet kwalijk dat je geen arts voor Yassoer vindt, want die is er niet. Maar ik wil je gewoon zien.'

Hij aarzelde. Dat kan ik haar toch niet aandoen, dacht hij. Wat moet zij nou in mijn mislukte leven?

'Ik kom naar je toe. En ik blijf slapen in Jeruzalem. Ik heb daar een plek.'

'Oké,' zei Stephan en alles in zijn lijf trilde.

De molen had de vorm en de kleur van een rijpe peer. Hij leek in geen enkel opzicht op de molens in Nederland. Eerder op de bouwsels die ooit door Don Quichote werden bevochten in winderige laaglanden van Spanje. De molen bevond zich op een paar honderd meter afstand van de Jaffapoort, net buiten de noordwestelijke hoek van Jeruzalem. Hij was daar neergezet door de Brits-Joodse filantroop Moses Montefiore, die overigens geboren was in het Italiaanse Livorno. Montefiore reisde naar de Sultan van Turkije om er tien Syrische joden vrij te pleiten na een bloederig handgemeen. Hij ging ook naar Rome om er de jonge Edgardo Mortara te bevrijden die door een aantal katholieke priesters was ontvoerd. Bovendien dook hij op in Rusland, Marokko en Roemenië. Hierdoor werd hij een held van mythologische proporties die in talloze verhalen werd opgevoerd als de grote bevrijder van het Joodse volk. Koningin Victoria verhief hem in de adelstand en een rijke Joodse Amerikaan liet hem zijn hele vermogen na, met de opdracht om in Palestina huisvesting en werkgelegenheid te scheppen voor iedereen die uit de diaspora terug wilde naar het Beloofde Land.

Hoewel de molen bedoeld was om een rol te spelen bij het levensonderhoud van de teruggekeerde vluchtelingen, bleek hij weinig graan te kunnen malen. Er was domweg te weinig wind op deze plek. Inmiddels was de molen een monument. Het parkje eromheen oogde vriendelijk door de tulpen die door Nederland waren geschonken als teken van innige verbondenheid.

Stephen en Inge hadden elkaar dicht bij de plek getroffen. Het begin van de avond hadden ze eerst doorgebracht op een snuisterijenmarkt en daarna op een terras in de ondergaande zon. Ze spraken over van alles, maar niet over elkaar of wat er wellicht tussen hen aan het groeien was. Natuurlijk hadden ze het over Yassoer en de hopeloze toestand waarin het jongetje verkeerde. Stephan kon geen uitkomst bieden. Hij beschouwde het als een obstakel in hun vriendschap of hoe je de onderlinge verhouding ook moest noemen.

Ze wandelden door het kunstenaarswijkje rondom de molen en zagen schilderijen en sculpturen die waarschijnlijk gretig aftrek vonden bij het toeristenvolk dat deze plek massaal wist te vinden.

Toen gingen ze zitten op een bankje en wachtten tot het acht uur was. Het werd vijf over acht, tien over acht. Het werd zelfs kwart over acht. Stephan zei: 'Ik wacht tot negen uur, dan gaan we weg.'

Het werd half negen, vijf over half negen. Inge zei niets. Ze zou naast hem blijven zitten totdat hij het opgaf. Toch hoopte ze net als hij dat er toch iets zou gebeuren.

'Neem me niet kwalijk,' klonk er in het Duits. 'Zoekt u Yitzhak Dimitrescu?'

Stephan keek met een ruk om. Hij voelde hoe Inge in zijn arm kneep.

'Ja,' zei Stephan. 'Ik ben Stephan de Vos. Uit Nederland.'

Duits was niet zijn allerbeste taal, maar hij kon zich verstaanbaar maken en begreep het ook goed.

'Günther. Günther Sollingen,' zei de man.

Hij moest ergens in de veertig zijn, begin veertig. Hij was lang, pezig, goed getraind en had blauwe ogen en blond haar. Het laatste begon al te grijzen, aan zijn slapen.

Om beurten schudden Stephan en Inge hem de hand. Inge stelde zich voor en Günther nodigde de twee uit om wat te gaan lopen.

'Het is een virus,' stelde Stephan. Günther knikte.

'Ik heb het een jaar of zes geleden gebouwd. Het slaapt in alle computers, maar richt geen schade aan. Het moest ontwaken zodra iemand vier zoektermen zou invoeren, in willekeurige volgorde: Nathan Mossel Yitzhak Dimitraiu – of Dimitrescu. Voor mij een signaal dat er gezocht werd.'

'Ben jij van de Mossad?'

'Nee,' lachte Günther.

'Waarom dan die geheimzinnigheid?'

'Er zijn bepaalde organisaties in Israël die niet willen dat er gezocht wordt naar die vijfhonderd kinderen.'

'Waarom niet?'

'Omdat die geschiedenis volgens hen moet blijven rusten. Vraag me het fijne er niet van. Zelf ben ik ook een paar keer tegen een enorme muur opgelopen bij mijn zoektocht. Vandaar dat virus.'

'Je hebt mij gevonden, of ik jou. En nu? Wat kan jij mij vertellen wat ik nog niet weet?'

'Vertrouw jij mij?' vroeg de man.

'Moet ik je wantrouwen dan?'

'Liever niet,' glimlachte Günther en keek naar Jeruzalem. Het werd steeds donkerder. Ze liepen verder. Nog altijd waren er mensen op straat. De temperatuur was aangenaam en de avond leek vrolijk voor velen.

'Yitzhak,' begon Günther terwijl Inge en Stephan naast hem liepen, 'was de beste op zijn vakgebied.'

'Je kent hem?' vroeg Stephan en hij voelde hoe het bloed door zijn halsslagader sloeg. 'Je kent hem persoonlijk?'

'Ja.' Stephan keek naar de man die hem zomaar een uitzicht bood op Yitzhak. Hij wilde duizend vragen stellen. Waar is hij? Gaat het goed met hem? Kunnen we nú naar hem toe? Maar Günther gaf hem de gelegenheid nog niet. 'Ik wil je graag eerst iets over Yitzhak vertellen, als het mag. Als je tijd hebt, tenminste.' Stephan keek naar Inge. Ze knikte. Natuurlijk hadden ze tijd. Zo dicht waren ze nog niet bij het doel geweest. Straks zouden ze de kleine violist eindelijk zien, de jongen waar Nathan het hart voor had laten breken. 'Ik had in Duitsland al over hem gehoord,' ging Günther verder.

'Wat studeerde je?'

'Medicijnen. Ik ben arts. En hij heeft baanbrekende resultaten gehaald op mijn werkveld. Tijdens mijn studie kreeg ik opeens het verlangen hem een keer te spreken. Ik heb hem toen een brief geschreven – met sollicitatie. En ik ben gegaan. Naar Israël.' Günther glimlachte, maar het leek een lach met schuldbesef. 'De Duitser ging naar Israël,' zuchtte hij. 'Er werkte een oudere man bij hem in het laboratorium. Een kind van de Holocaust. Yitzhak is met mijn brief naar die oude man gegaan. Hij zei: 'Mosje, kan deze Günther bij ons werken?' En Mosje zei: 'Jawel, maar dan vertrek ik.' Dat vond

Yitzhak vreselijk... Mosje was hem al die jaren trouw geweest; zijn allerbeste assistent. Hij vroeg aan Mosje om het een kans te geven. Toen heeft hij me laten komen. Hij is met mij naar Mosje gegaan en hij zei: 'Een individu kan de schuld van een volk niet wegnemen. Maar ieder individu kan niet meer doen dan het allerbeste om aan die schuld tegemoet te komen. Een stratenmaker is niet minder dan een arts, als hij zijn straten zo schoon mogelijk maakt, zijn werk zo goed mogelijk doet. Een arts is zelfs minder dan een stratenmaker als hij snijdt zonder ziel.' Mosje bleef. En werkte met mij samen. We hebben avonden over de oorlog gesproken.' Hij keek de jonge Nederlanders aan. 'Ik kan alleen maar bescheiden zijn in dit land. Ik ben mij zeer bewust van de Holocaust. En al zijn de daders twee à drie generaties van mij verwijderd... ik ben nog altijd eerder een dader dan een slachtoffer.'

'Jij bent toch niet schuldig aan de verschrikkingen van de Tweede Wereldoorlog?'

'Geloof me. Duitsers van mijn generatie lopen nog altijd rond met een schuldgevoel over wat hun grootvaders de wereld hebben aangedaan. Dat gaat maar niet over. Nee, aan mijn handen kleeft geen bloed en toch denk ik dat ik mezelf altijd moet verontschuldigen. Niet dat ik dat begrijp, maar van het gevoel kan ik me niet bevrijden.' Het was even stil.

'Dus Yitzhak is arts? En wat is dan dat 'werkveld' precies?'

'Hij was arts. Cardioloog. Dat ben ik ook. Hij is met pensioen.'

40

Jeruzalem, winter 2012

Ze reden, in Stephans krakkemikkige auto die zich ondertussen alleen nog maar pruttelend een weg door het verkeer van Jeruzalem kon banen, naar een plek in het zuiden van de stad. Het was intussen avond geworden.

Inge legde haar hand even op Stephans arm.

'Cardioloog dus,' zei ze. Hij knikte.

Stephan knikte. Ze reden naar de Malcha Technology Park Tower die zich midden in de Technologische Tuin van Jeruzalem bevond. Tegelijk met het toch aanwezige groen, was het terrein daadwerkelijk een locatie vol technologie. De lift was al een fenomeen op zich. De cabine bestond rondom uit glas. Günther drukte op het knopje van de hoogste etage en het ding ging nog net niet door het dak. Eenmaal boven hadden ze een prachtig uitzicht op heel Jeruzalem. Het was een feeëriek gezicht, al die kleine scherpe en flikkerende lichtjes van de oude stad. Een zware metalen deur gaf toegang tot de studio's en de montageruimte van een bevriende televisieproducent van Günther. Alles stond klaar.

Achter de knoppen zat een jonge Israëliër met blonde krullen en een open gezicht.

'Adrian is een goede vriend van me,' zei Günther. 'Hij werkt voor de Israëlische televisie. En hij heeft wat opnamen voor me opgezocht.'

Inge en Stephan, ietwat onwennig in de schemerige omgeving, gingen op een stoel zitten. Adrian schudde hen de hand en tikte vervolgens wat knoppen aan.

Er verscheen een operatiekamer in beeld, hoogstwaarschijnlijk ergens in Israël. Artsen waren bezig met een ingreep. Door de hoofd- en mondkapjes viel hun gezicht niet te onderscheiden.

'Yitzhak Weinstein is een pionier op het gebied van cardiologie en cardiochirurgie. Zijn expertise was gecombineerde operaties van longelementen en hart tegelijk.' Günther vertaalde het commentaar.

Ingespannen volgde Stephan de beelden. Na de operatie zou de man zijn mondkapje en operatiebril afdoen. Dan zou hij voor het eerst het gezicht zien van de man achter de jongen met de viool.

En het gebeurde. Alleen herkende Stephan hem niet. Hij zag niet dezelfde trekken als op dat portret van het kind met viool dat in Amsterdam les had gekregen van Nathan Mossel. Aan de andere kant versprongen de beelden ook wel snel.

Hierna volgde een interview met Yitzhak buiten bij het ziekenhuis. Stephan verstond het Hebreeuws niet, maar Inge wel. Günther zette het geluid zachter en vertelde verder:

'Yitzhak is vaak geïnterviewd door de Israëlische televisie. Hij is een aangename prater. Hij heeft altijd zijn verhalen klaar. Altijd wijze opmerkingen. Men luistert graag naar hem. Een fenomeen op zijn vakgebied. Ik zou je tientallen interviews met hem kunnen laten zien. Maar deze is bijzonder. Bijzonder voor jou, Stephan.'

Adrian startte een andere opname.

'Is dit bij Yitzhak thuis?'

'Ja,' zei Günther en draaide het geluid op. Ditmaal hadden de beelden Engelse ondertitels.

'Ik heb in Nederland een man ontmoet die niet alleen de zon koesterde maar ook de regen.'

'Een Joodse man?'

'Een Joods schrijver. Niet de grootste schrijver die ooit heeft rondgelopen, maar ik heb alles aan hem te danken – alles wat ik ben, weet en ken. Hij leerde mij ook vioolspelen. Door het bespelen van de viool, heb ik geleerd te leven. En door te leren leven, kon ik voor anderen leven.'

'U komt uit Nederland?'

Daarop zweeg Yitzhak. Hij keek van de camera weg.

'Ik ben er geweest. In mijn jeugd.'

'U heeft daar gewoond?'

'U kent de schrijver niet,' zei Yitzhak terwijl hij de vraag handig ontweek. 'Nathan Mossel heet hij.'

Het ontroerde Stephan. Günther stopte het beeld. Hij knikte naar Adrian die een andere opname startte. Deze dateerde van 4 september 1997. Het waren opnamen van de paniek na een bomaanslag in het winkelcentrum aan de Rehov Ben Yehuda waarbij vijf slachtoffers waren gevallen.

'Strijders van de Hamas waren een bus in Jeruzalem ingestapt, met een bom. Ze lieten zichzelf ontploffen en namen in hun waanzin vijf Israëliërs mee. De straat lag bezaaid met glas en stukken metaal. Dood en verder. In de bus zat...'

Adrian drukte op een knop. Er werd een foto zichtbaar. Een jongen van een jaar of dertig. En de gelijkenis met de jonge Yitzhak, inmiddels ook de oude, was treffend.

'... Yossi Weinstein, dertig jaar oud. Violist van het Philharmonisch Orkest van Jeruzalem.'

'Yossi,' fluisterde Stephan alsof hij hem kende, alsof het zijn broer was.

'Yossi heeft het niet overleefd. Alle artsen waren opgeroepen.'

Ditmaal toonde Adrian nieuwe journaalbeelden van een ziekenhuis en ambulances met hun sirenes en zwaailichten. Yitzhak kwam het hospitaal uitgelopen en gaf een korte verklaring.

'Al gauw,' vervolgde Günther, 'deden geruchten de ronde dat Yitzhak zijn eigen zoon had moeten opereren. Maar dat was niet zo. Zelf was hij op dat moment bezig met de operatie van een van de daders. Van de explosieven van de twee Hamasstrijders ging er maar bij één iets af. De andere Palestijn werd levensgevaarlijk gewond. Yitzhak wist hem in leven te houden. Wat hij hier zegt, is: 'De beslissing valt mij zwaar. Maar hij is niet ingegeven door haat. Ik kan niet haten. Ik ben een man van liefde. Ik zou alles wel willen liefhebben wat God geschapen heeft. Want God schiep alles. Ook alles wat wij zijn en alles wat wij niet zijn. Het is alleen zo dat ik mijn handen vanavond heb zien trillen. Ik zou het anders willen noemen maar dit is wat mijn lichaam doet. Het protesteert. Mijn handen protesteren. De spieren trekken samen en doen dat zonder dat ik het wil. Ik heb ermee gevochten, want ik wilde sterker zijn dan handen die wraak wilden – mijn eigen handen, nota bene. Gelukkig bleek mijn geest sterker. Toch bestaat de kans dat mijn handen ooit iets zullen doen dat mijn hoofd en hart verbieden. Daarom heb ik besloten nooit meer te opereren.'

Stephan keek automatisch opzij naar Inge. Ze hadden Günther geen deelgenoot van hun hoop gemaakt. Maar deze vervloog nu wel bij de woorden en beelden van Yitzhak.

Adrian schakelde nog een keer. Het was een archiefbeeld van Yossi Weinstein die viool speelde. Dat was pas vioolspelen. Zo liet men het instrument niet alleen zingen, maar vooral spreken. Zó vertelde een instrument verhalen die niemand onberoerd laten. In de zaal was een trotse vader te zien die zelf ook tot in de finesses begreep hoe een viool bespeeld moest worden.

'Wil je hem ontmoeten?' vroeg Günther.

'Wanneer?'

'Dat kan nu,' zei de Duitser.

Ontdaan keek Stephan naar Inge. Ook zij verbeet zich. Ze zei: 'Doen, Stephan. En ik ga mee.'

Het was het grootste geschenk dat zij hem kon geven.

41

Jeruzalem, winter 2012

Het huis van Yitzhak Weinstein, de achternamen Dimitraiu en Dimitrescu bewust allang achter zich, bevond zich in een gegoede buitenwijk van Jeruzalem. De rit was stil en Inge zat op de passagiersplaats naast Stephan; ze had het moeilijk met haar verdriet omdat ze steeds meer besefte dat er weer een kind moest sterven omdat het eigenlijk geen kans had.

Ze was bij Jemima terechtgekomen, omdat ze zocht naar een plek buiten Nederland waar ze voor een beetje geld en verder kost en inwoning kon doen wat ze het allerliefste deed: voor kinderen zorgen die vergeten waren en verwaarloosd. Zulke kinderen waren er te over. Ze zwierven in de straten van Brazilië, ze hielden zich op in de stegen van China, ze rommelden hun smerige eten bij elkaar in Zuid-Afrika en ze bevroren op de straten van Sint Petersburg. Hoe arm landen ook waren, ze kon zich niet voorstellen dat er geen geld was om voor hen een dak te hebben en een maaltijd. Elk kind – zo hadden de Verenigde Naties met elkaar afgesproken – had rechten. Maar wie kwam op voor dat recht? Wie dwong af dat het kind ook kreeg wat het moest hebben? Als het daarop aankwam, gaven de grote leiders geen thuis. Ze besefte bij haar sollicitatie dat ze een druppel op de gloeiende plaat was... meer niet. Bert vertelde haar bij de eerste kennismaking – in Nederland was dat, toen hij en zijn vrouw weer eens jacht maakten op wat geld – dat idealisme, religie of welk mooi gevoel dan ook er niet toe deed. Een dak is een dak, een dak kost geld. Een maal is een maal, en daarvoor moet je centen hebben. Voor het leven van een kind had je meer nodig dan een goed hart. Dit verhaal vertelde hij haar:

'We vonden een kind. Het was koud die winter. En dat kind was geboren zonder geslacht. Het had geen penis, geen vagina... dat was allemaal niet goed ontwikkeld. En daarom hadden ze het op de stoep van Jemima neergelegd. Misschien dat het doodvroor... dan hadden ze één probleem minder. Het moest een operatie. Als het in Bethlehem zou opgroeien als een halve man, dan had het geen leven. Dus de arts vroeg me: wat wilt u dat het wordt? En ik mocht kiezen: een jongen of een meisje. In Nederland – bij de mensen die ons zo goedgezind waren met hun giften – kon ik dat niet uitleggen. Ze zeiden: 'Jij speelt dus voor God.' Anderen zeiden: 'Waar maak je je druk om. Je redt al zoveel van die kinderen.' En ik probeerde het uit te leggen, want – weet je, Inge – ik had hun geld nodig. Niet hun liefde, niet hun gebed, niet hun goedkeuring... maar hun geld.'

Nu zat ze in deze auto en ze herinnerde zich die eerste dag. Ze was met zoveel goeie zin naar Israël gekomen en toen al zei Bert dat er niet zoveel viel te lachen. Ze had ontdekt dat liefde niet synoniem was voor geluk. Liefde kon ook heel goed verdriet zijn. Ze hield van Yassoer, en van Aziz en van al die andere kinderen. En ze huilde om ze; om hoe ze moesten leven als de afval van de maatschappij. Zelf ging ze ook zo af en toe naar Nederland toe om te vertellen over het huis. En dan hoorde ze met hoeveel misprijzen er over 'die Palestijnen' werd gesproken. Ze zweeg dan maar want ze dacht te vaak: hoe goed zijn jullie dan, met je paar euro's waarvoor we nog niet een dag medicijnen kunnen kopen? Wie gooit hier nou eigenlijk kinderen weg?

Er stond een hek om het huis van Yitzhak Weinstein heen. Er sprongen lichten aan toen ze de tuin naderden. Ook waren er beveiligingscamera's en honden. Günther belde aan bij de buitenpoort. Het duurde even voordat er een stem uit de intercom klonk.

'Günther, goede vriend.'

'Ik heb twee anderen bij me, Yitzhak.'

'Ik kom eraan.'

Het duurde even voordat Stephan een onberispelijk geklede man vanaf de voordeur van het woonhuis naar het hek zag komen. Dit was dus Yitzhak Weinstein. De jongen, de man waar hij zo lang naar had gezocht. Nu hij bijna oog in oog met hem stond, leek de magie van de zoektocht opeens verdwenen. Op de een of andere manier voelde het als de gewoonste zaak van de wereld. Misschien kwam het door de ziekte en de naderende dood van Yassoer.

'Welkom! Kom binnen!' zei Yitzhak hartelijk.

Stephan stapte naar voren.

'Ik ben Stephan de Vos,' zei hij in het Nederlands. 'Ik kom uit Nederland. Ik ben de assistent van Nathan Mossel en zoek u al een hele tijd.'

Als aan de grond genageld staarde Yitzhak de jongen aan. De tijd leek stil te staan. Behalve het geblaf van de honden aan de ketting verderop, doorbrak niemand de stilte.

'Nathan,' fluisterde Yitzhak even later hees. 'Leeft hij nog?'

'Ja. En het gaat hem goed.'

'Mein Gott,' zei Yitzhak.

De tranen stroomden hem over de wangen.

Volgens Joods gebruik kwam er uiteraard eten op tafel. Goed eten, veel eten. Zoet en hartig door elkaar. Stephan zat op een bank naast Yitzhak die alles uit de jongen probeerde te peuteren wat er maar in zat. Hoe was het met Nathan, hoe oud was hij nu, was hij nog gezond en had hij genoeg geld, woonde hij nog op de Nieuwmarkt, hoe zag Amsterdam eruit, leefde Elize van Dillen nog ('Mein Gott, Mein Gott'), bestond Apeldoorn nog, waar was alles, was alles nog daar?

'Alles? Wat bedoelt u met alles?'

'Het Waterlooplein! De Westertoren. Het Centraal Station. De boom bij het Anne Frankhuis. De ijssalon op de Nieuwmarkt. Pannenkoekenhuis in het Amsterdamse Bos.'

'Het meeste is er nog,' lachte Stephan enigszins overdonderd door het enthousiasme van de man. Die leek maar niet genoeg te kunnen krijgen van alle informatie. Ondertussen keek hij naar Yitzhak, naar diens ogen vooral. Plotseling was er een mens die het verhaal compleet maakte. Dit was het jongetje in de trein. Dit was de violist in het Concertgebouw. Dit was de jonge kibboetsbewoner wiens viool ze hadden afgenomen. Dit was de reden van een zoektocht, een reis, en alles wat Stephan had neergeschreven over pijn en verdriet. Stephan vertelde veel, maar toch klonk er een zekere terughoudendheid in zijn stem door. Kwam het door de stille jonge vrouw tegenover hem die met haar eigen gedachten worstelde?

'Wanneer krijgt Nathan Mossel die prijs?' vroeg Yitzhak.

'Over een paar maanden.'

'Wacht,' zei de arts.

Toen liep hij weg. Het duurde even. Niemand zei iets. Inge keek voor zich uit. Tamar, de vrouw van Yitzhak drong aan om iets te eten te nemen, maar Inge wilde niets. Günther was gelukkig – hij had samengebracht wat al jaren samengebracht moest worden. En Stephan dacht alleen maar: is dit het wonder dat er moest gebeuren?

Yitzhak kwam terug met een oud leren koffertje.

'Dit heeft Nathan me meegegeven, destijds.'

Zijn vrouw schoof de etenswaren opzij en hij legde het op tafel. Nadat Yitzhak het valies had open geklikt, keek Stephan er in. Hij zag meteen wat het was: Nathans ontbrekende werk uit de periode tussen 1947 en 1948. Dit was het gat in zijn oeuvre. Hier lag het, omdat de schrijver het destijds had meegegeven aan zijn 'aangenomen' zoon.

'Moest u dit dan niet in de kibboets inleveren?'

'Nee. Het vertegenwoordigde geen waarde, in tegenstelling tot mijn viool. Ach, mijn geliefde viool!'

Stephan besloot nog niet te vertellen dat de viool was teruggekocht door Nathan. Wie weet had Nathan het instrument uiteindelijk toch aan Yitzhak gegeven. Hij had in de montagekamer goed opgelet of Yossi er zelfs niet op speelde, maar de beelden waren te onduidelijk geweest.

'Ik heb van hem moraal geleerd. Zijn wijze woorden hebben mij geholpen om wraak altijd uit de weg te gaan. Jullie weten het niet, maar ik...'

'Ik heb hen de beelden laten zien,' zei Günther.

'Ah zo,' knikte Yitzhak. 'Wel, dan begrijpen jullie het.'

'Ik heb uw leven gevolgd vanaf het moment dat u uit Roemenië kwam tot nu toe. Elke stap. De treinreis naar Nederland, Het Apeldoornsche Bosch, de Negbah, de kibboets... tot aan de dood van uw zoon.'

'En, vond je het een mooi leven, Stephan?' vroeg Yitzhak ogenschijnlijk onaangedaan. 'De moeite waard?'

'Ik zag veel oorlog. Eigenlijk alleen maar.'

'Wist je dat ik in Nederland ben geweest? In de jaren zeventig? Ik ben zelfs naar de Nieuwmarkt gegaan en heb voor het huis van Nathan Mossel gestaan. Maar ik heb niet aangebeld.'

'Waarom niet?'

'Omdat hij en ik het verleden achter ons moesten laten. Dat werd ons dagelijks ingeprent: 'Er is geen huis in Roemenië. Er zijn ook geen ouders meer. En er is geen thuis in Holland. Israël is de toekomst en zal ten slotte zelfs je hele verleden worden.'

'Nathan is in Israël geweest. Op zoek naar u.'

'Echt?' Het verbaasde Yitzhak. Hij schudde even het hoofd. Zo dicht bij elkaar in de buurt, soms. Dom van mensen om elkaar niet te omhelzen.

'Nederland was ons volk in de jaren zeventig niet goed gezind. Ik was bij een groot concern in Brabant voor de aanschaf van een elektronenmicroscoop voor ons ziekenhuis. Vanwege mijn eigen heerlijke jaar in Nederland wilde ik die per se in Holland kopen. Maar ze weigerden het. Zakendoen met Joden zou betekenen dat de Arabieren niets meer zouden kopen. Weet je waar ik hem toen heb gekocht?'

'Nee.'

'In Berlijn.' Hij schoot in een bittere lach. 'Intussen zijn er 147 elektronenmicroscopen van Duitse makelij in Israël. Geen een uit Nederland. En de Arabieren? Ach, misschien hebben die in al die jaren er zegge en schrijve vijf gekocht. Ik was even de baas in Berlijn en ik moet je zeggen, Stephan, dat voelde goed.'

'Ik wil u iets vragen,' zei Inge plotseling. 'En liefst nu, want het giert door mijn hoofd. Ik werk in Bethlehem met gehandicapte kinderen. Verstandelijk gehandicapt. Een van hen heeft een hartaandoening. Hij zou eigenlijk geopereerd moeten worden.'

'Ben jij daarom meegekomen?' vroeg Yitzhak. Het klonk vol argwaan.

'Nee, ik vergezel Stephan gewoon. Maar ik wil u vragen...'

'Is het een Palestijn?' vroeg Yitzhak.

'Ja.'

'Dan zou ik hem toch niet opereren,' zei hij en het leek bijna bloedeloos. 'Maar ik opereer sowieso niet meer, dus dat onderwerp kunnen we gevoeglijk laten rusten.' Daarop wendde hij zich tot Stephan. 'Maar ik wil Nathan zo ontzettend graag spreken. Dat zou intussen moeten kunnen. Ik weet zeker dat daar begrip voor is.'

'Dus u haat echt niemand?' vroeg Inge.

'Nee,' zei Yitzhak.

Bruusk sprong ze op. 'Het spijt me dat ik zo reageer, maar ik kan niet... Ik moet weg, hier. Want wat zijn dat nou allemaal voor woorden?! Vrede, we haten niemand, denken alleen aan slachtoffers an sich, enzovoort. Duitsers, Joden, Palestijnen of welke bevolkingsgroep dan ook, ik heb de verantwoording voor een uitgestoten Palestijns jongetje. Het is klein en stelt ten opzichte van de wereldbevolking niets voor. Maar hij gaat dood. Bovendien weet hij niet eens dat hij een Palestijn is.'

Stephan maakte aanstalten om naar haar toe lopen, maar Yitzhak gebaarde hem te blijven zitten.

'Laat haar uitspreken.'

'Het is een operatie die niemand hier kan verrichten en voor het buitenland ontbreekt het ons aan middelen. Dat zal ik Yassoer moeten uitleggen. Niet dat hij het begrijpt. Ik begrijp het zelf ook niet. Maar ik moet hem dus vertellen dat het terecht is dat hij doodgaat.'

'Ik opereer niet meer, mejuffrouw.'

'Wie dan wel?'

'Geen idee. Ik ben er inmiddels te oud voor.'

'Maar u zou het nog kunnen. Ik heb die opnames gezien. En gehoord wat er over u werd gezegd. Ik versta Hebreeuws. U zou het kunnen, meneer.'

'Ik wil alleen maar vrede,' zei Yitzhak.

'En wat voor vrede is dat dan? Wat voor sjalom? De sjalom

van 'Laat ons met rust'?' Ze keek hem fel aan. 'Te oud? Wat een makkelijk excuus. Aan de andere kant lijkt het me inderdaad heerlijk, zeg, jezelf aan elke verantwoordelijkheid te kunnen onttrekken.'

Stephan keek naar Yitzhak en die luisterde naar het meisje. 'Inge.'

'Ik vind wel vervoer naar huis. Blijven jullie maar.'

'Geen sprake van,' zei Stephan. 'Het spijt me,' zei hij tegen Yitzhak.

'Ja? Spijt het je?' vroeg Yitzhak en dwong daarmee de student om een uitspraak te doen. Even woog Stephan het belang van wat hij moest gaan zeggen. Even voelde het als een schaakzet die een tegenzet vereiste. Stephan overdacht de mogelijkheden, maar niet te lang.

'Nee, ik bied geen excuses aan voor wat Inge zegt. Ik verontschuldig me dat ik weg moet. Ik moet met haar mee.'

'Wat zou Nathan doen, Stephan?' vroeg Yitzhak plotseling.

Stephan keek hem aan.

'Wat doet het ertoe, Yitzhak. Wat doet het ertoe wat Nathan zou doen. Of wat ik zou doen? Het gaat erom: wat doe jij?'

Toen sloeg hij een arm om Inge heen. Günther bleef even zitten.

'Je moet met ze mee,' zei Yitzhak en hij moest even aandringen om Günther zo ver te krijgen dat hij met hen meeging. Daarop was de kamer leeg, en was er alleen een arts en zijn vrouw, en al dat eten op de salontafel.

'Er is nog zo veel over,' zei ze.

42

Er was een pension op de Olijfberg waar jongeren voor een habbekrats de nacht konden doorbrengen. Inge kon niet meer terug naar Jemima en voor Stephan was er ook nog wel een plek. Ze waren allebei aangeslagen door de gebeurtenissen van de avond. Wisten niet goed hoe ze met de onverwachte wendingen moesten omgaan. Het leek alsof elk plan telkens weer werd verstoord en hen dwong nieuwe paden te kiezen.

Stephan wist niet meer wat hem nu te doen stond. Teruggaan naar Yitzhak, en hem vragen mee te gaan naar Nederland om zich met Nathan te herenigen, leek op mosterd na de maaltijd. Tegelijk voelde het als een vorm van verraad tegenover Inge.

Inge wist niet goed wat ze moest doen. Terug naar Nederland was geen optie. Ze besefte dat de aanstaande dood van Yassoer opnieuw een wond op haar ziel zou worden, en daar zaten al de nodige littekens. Ze had genoeg van al dat janken. Een eenvoudig en gelukkig leven, was dat nou zo veel gevraagd? Ze wist niet waar ze dat moest zoeken. Verantwoordelijkheid nemen voor de wereld waar je in leeft... dat is vragen om een dagelijkse portie ellende.

Wat ze allebei vooral niet wisten, was hoe ze samen verder moesten. Inge wist niet wat ze in Nederland te zoeken had en Stephan hoorde niet in dit Israël. Als ze al zoiets als liefde voelden, dan was het een onmogelijke. Afscheid leek onafwendbaar. En dat deed zeer.

De volgende ochtend stonden ze op het terras. Stephan had een boterham gemaakt die hij buiten opat. Inge liet een hand over zijn rug glijden en schonk hem een vermoeide glimlach.

'Heb je wel kunnen slapen?' vroeg ze.

'Ach,' zei hij. 'Ik ga gewoon terug naar Nederland. Ik vertel Nathan dat ik zijn zoon heb gezien. Zijn zoon, ja. Ik heb er geen betere benaming voor. Maar ik zal Nathan zeggen dat hij trots op Yitzhak kan zijn.'

Ze knikte. Ze had geweten dat het zo zou gaan. Maar het was goed. Het zou haar wel lukken om Stephan te vergeten. Misschien niet helemaal, maar de pijn zou slijten.

'Het is goed, zo,' zei ze.

'Alleen is het hier onoplosbaar, denk je niet? Deze oorlog. Het zit zo verschrikkelijk diep. Dat gaat nooit meer weg.'

'Er moet ooit vrede komen,' sprak ze hoopvol.

'En wie komt dat brengen? De Amerikanen? De Noren?'

'God,' zei ze.

Hij keek haar aan. Hij geloofde er niet in. Want hij geloofde niet in God.

'Daar ben je blijkbaar dus niet in teleurgesteld,' zei hij.

'Niet doen, Stephan.'

'Vertel me dan eens. Je mag Nederland afkeuren. Ook de hele mensheid. In Rwanda, hier, overal. Palestijnen, Joden, iedereen, zelfs Yitzhak. Alleen God niet?'

Ze had tranen in haar ogen. Ze was de pijn wel gewend. Af

en toe haalde hij uit met zijn verbale klauwen en krabde haar mentale huid dan open. 'Voel je nou niet zo aangesproken. Zeg gewoon wat je denkt. Je vertelde dat je teleurgesteld bent. Teleurgesteld in 'dat zelfingenomen Nederland' en waarschijnlijk nog tienduizend andere dingen... Maar niet in die God van jou.'

'Niet 'die God van mij'. Dat zeg je zo niet.'

'Van wie dan ook! Als het God is die hier vrede moet komen brengen, dan heeft Hij wel een brevet van onvermogen gehaald.'

'O ja... God de schuld geven. Lekker makkelijk.'

'Wie dan? Oké, de mensen. Nee, die doen het prima, hoor. Ze schieten elkaar overhoop. Ze lopen met een vest vol explosieven een bus in en daar gaat weer een deel van de mensheid.'

'Moet het hier over gaan?' zei ze. Ze kreeg koppijn van deze discussie.

'Het hele conflict draait hierom. Elke partij zegt in een god te geloven, maar claimen die voor zichzelf. Op die manier is God een koe.'

'Hou op,' zei ze.

'Dat is jouw teleurstelling, toch? Je hebt gebeden om vrede, hier, daar, in Rwanda, maar je hebt het nooit gekregen. Je bidt om dat jongetje en wat gebeurt er: de dokter weigert!'

'Maar misschien...'

'... was jij het niet waard? Heb je jezelf dát wijsgemaakt?'

'Ik weet het niet!' schreeuwde ze.

Maar ze liep niet weg. Ze was bang, verdrietig. Dacht niet dat ze de strijd met deze schreeuwende, boze jongen kon winnen. Maar weglopen deed ze niet. Het moest maar gebeuren. Het was het laatste wat ze nog met hem kon meemaken, al was het niet prettig.

'Je weet het dus niet.'

'Nee,' zei ze. 'Ik weet het niet. En ik heb ook geen antwoord.

Ik weet niet waarom mensen in restaurants worden opgeblazen, waarom vliegtuigen zakencentra worden binnengevlogen, waarom ze met raketten op kinderen schieten, waarom die aan stukken gereten door de lucht vliegen.'

'Misschien moet je beter bidden, zus,' zei hij cynisch.

'Ik heb geen antwoord.'

'Of heb je geen antwoord gekregen?' Hij keek haar lang aan. 'Dat is het, hè? Je hebt gebeden om een antwoord, maar het bleef stil. Daar lag je dan op je knieën. Jij was dat goddeloze Nederland toch zo mooi ontvlucht? Waarom is die God van je dan niet met je meegegaan? Stond je daar in dat ziekenhuis in Rwanda bij je dooie zusje, zeg. Weer geen God. En nu, hier? Opnieuw en nog steeds geen antwoord.'

'Ik wacht gewoon,' zei ze.

'Tot je een ons weegt. Het is stil en het zal stil blijven, Inge. Er komt geen vrede. Zoiets simpels: elkaar niet langer haten, elkaar niet meer afmaken. Dat zou toch mogelijk moeten zijn. Wapenstilstand lijkt af en toe vooralsnog het hoogst haalbare. Alleen is dat geen vrede. Het is alleen afspreken om tijdelijk niet te schieten!'

'Zolang er hoop is...'

'Nee Inge, het is niet mogelijk. Want er zijn ácht zionistische organisaties. Er zijn linkse Joden, er zijn rechtse Joden. Er zijn Palestijnen met bloed aan hun handen en Palestijnen die land voor vrede willen ruilen. En al die Joden zijn het niet met elkaar eens. De Palestijnen ook al niet. En dan zijn er nog Palestijnen, steevast jonge Palestijnen, die gaan in een vliegtuig zitten of in een bus en 'bóem'! Boem bus. Boem vliegtuig. Boem mensheid. Yitzhak Rabin is door Joodse kogels vermoord. En elke Palestijnse leider heeft niet alleen iets te duchten van de Joden, maar ook van zijn eigen volk. Iedereen is uit op de dood van de ander. De ene buurman maakt de andere af. Kameraden? Moordenaars zijn het. Vooral broedermoordenaars.'

Stephan raakte verstrikt in zijn eigen tirade. De rest van zijn boterham keilde hij een eind weg.

'Stephan, alsjeblieft.'

'Waar moet de vrede dan beginnen, Inge? Zeg het me.'

'Hoe weet ik dat nou?'

'Misschien wel met een kind. Met een kind dat ze eigenlijk op de vuilnisbelt hadden willen flikkeren. Omdat het niks waard was. Een kind in Bethlehem, nota bene. Daar staat dat huis van jou toch, in Bethlehem? Een kind in Bethlehem, kan dat nou niet eens voor een beetje vrede zorgen? Zo gaat dat sprookje toch? Sneeuw in de kerstboom, lieflijke plaatjes erbij, sentimentele liedjes zingen. 'Voor hem was geen plaats meer in herberg of stal' – snik snik, snik. Daarna vuurwerk met Nieuwjaar en hóp, boekje dicht, doorleven maar weer.'

'Hoor je wel wat je allemaal zegt, Stephan?'

'Luid en duidelijk. En ik zal je nog meer zeggen. Ook wij hebben een kind. Een kind uit Bethlehem. En ook voor hem is geen herberg meer. Geen stal. Geen ziekenhuis. Geen dokter. En wat doen we eraan?'

'We hebben gedaan wat we konden!' zei ze.

Stephan ging op zijn hurken zitten op het terras. Machteloos, ademloos, hopeloos verloren.

'Lieve Stephan...'

'Nee, ook niet op die toer gaan. Ik ben niet lief. Ook ik heb gefaald. Ik heb geprobeerd dit land hier te begrijpen. Maar vrede of oorlog? Het kan me op dit moment allebei gestolen worden.'

Ze pakte hem beet en trok hem overeind. Ze kuste zijn kletsnatte gezicht. Hij was woedend, hij kon niet meer. Alles kookte bij hem van binnen. Ze zoenden. Zoenden lang. Zoenden zoals minnaars dat doen, lang en wanhopig.

'Ik hou van je,' zei ze.

'Ik pik het gewoon niet,' zei hij.

Toen liet hij haar los. En liep weg. Maar ze liet hem niet gaan. Ze ging met hem mee.

Hij reed driftig terug, in die hoestbui op wielen van hem, naar het huis van Yitzhak. Hij belde aan, maar er werd niet opengedaan.

'Hé, jij daar,' schreeuwde Stephan in de intercom en tegen de beveiligingscamera's. 'Je hoort me wel, lafaard. Nou durf je jezelf opeens niet meer te laten zien, hè? Maar je hoort me wel. Ik ben al dat filosofische gelul meer dan zat. Handen die iets beslissen wat het hoofd niet wil en zo… Luister naar me!'

Yitzhak hoorde Stephan wel. Zijn vrouw zat in een stoel en keek naar haar man. Ze zag iets waar ze al meer dan vijftien jaar op wachtte. Rouw om hun overleden zoon. Het verstand had al die jaren het verdriet verhuld. Ze hadden een goed leven. Yitzhak sliep echter alleen maar als hij er een pil voor nam. Over zijn verdriet sprak hij nooit. Maar in feite had het hem helemaal verlamd, zijn leven tot stilstand gebracht. Ze treurde er nog steeds om, maar had er niets aan kunnen veranderen.

Maar nu stond haar knappe man daar, bij de luidspreker van de intercom. Ze kon het geroepen Nederlands niet verstaan, maar zag wel de tranen op de wangen van de man die ze zo liefhad.

'Yitzhak,' zei ze.

Hij sloot zijn ogen.

'Je weet wat Nathan je leerde: nooit om de hete brij heenlopen.'

Yitzhak drukte op een knop.

'Want dat is het. Hete brij.'

'Hij heeft je geleerd om in zo'n geval te handelen. Iets te doen. Dat zei hij tegen jou, tegen mij, tegen de hele wereld. En jij bent in staat om in dit geval te handelen. Wat zeg ik, niemand zou het beter doen dan jij.'

Yitzhak leunde tegen de muur met de luidspreker alsof het nog zijn enige steunpilaar was.

Hij fronste zijn wenkbrauwen toen zijn vrouw opstond en haar jas pakte.

'Kom mee,' zei ze. ' We moeten ergens heen.'

De Weinsteins reden zwijgend door Jeruzalem om Günther op te halen. Samen met de veel jongere Duitse collega reden ze uiteindelijk naar het Kinderziekenhuis van Tel Aviv. Daar werden handen geschud, foto's bekeken, dossiers doorgenomen. Stephan en Inge moesten wachten, en dat deden ze buiten. Binnen overlegden de artsen met de chirurg in ruste.

'Hm. Het is lastiger dan ik dacht,' zei Yitzhak terwijl hij een van de röntgenfoto's bekeek. 'Hier, dat zit veel te dicht op elkaar. Zit daar ook vocht?'

Ook Günther bekeek de foto's en de latere scans.

'Er moet toch...'

'Ik kan het niet doen.'

'Je moet het doen.'

'Jij doet het,' zei Yitzhak opeens.

'Ik?! Ik kan dat niet. Daar heb ik de vaardigheid niet voor.'

'Je krijgt een goede assistent: ik.'

'Waarom doe je het dan niet zelf, Yitzhak?'

'Omdat ik er te oud voor ben,' veinsde de ervaren cardiochirurg als een iets te doorzichtig excuus. 'Maar ik laat je geen seconde alleen. Ik leid je door het hele proces heen.'

43

Kinderziekenhuis, Tel Aviv, winter 2012

Dit was nieuws. Meer nieuws dan Stephan kon beseffen. De televisiezenders kregen lucht van de op handen zijnde operatie en besteden er vele uitzendingen aan. Grote discussies op het einde van de avond en dan zoals ze dat in Israël doen: bijna raakten de voorstanders en de tegenstanders slaags. De kranten schreven er grote artikelen over. Sommigen hadden het over een doorbraak in het vredesproces. En anderen wezen op het gevaar dat Yassoer zou sterven onder het mes van een Jood en een Duitser. Ook buiten de Israëlische landsgrenzen werd het bericht opgepikt. Op Amerikaanse televisiezenders waren de ontwikkelingen te volgen... daar lusten ze wel pap van het melodrama in Tel Aviv... de arts die zijn zoon was kwijtgeraakt door de bommen van Palestijnen zou nu het leven redden van een zoon uit dat volk. Het werd mooier als ze Yossi nog een stukje konden laten spelen, via het archiefmateriaal. Dan zagen ze de trotse vader zitten die zo meteen dat kleine wonder moest verrichten. Er werd gedreigd, geschreeuwd. Palestijnen riepen dat alles een Israëlische propagandastunt was en de Israëliërs vonden dat de Palestijnen ondankbare honden waren.

Voor vrede zorgde de aankomende operatie niet. In ieder geval niet in eerste instantie, want er werd alleen maar ruzie over gemaakt. Stephan had intussen zijn kamer in Jeruzalem opgezegd en had zijn intrek genomen in Jemima. Het zou niet lang meer duren voordat hij naar Nederland terug kon gaan. Hij had Nathan Mossel geschreven. Bellen durfde hij niet. Het voordeel van een brief is dat je geen spontane vragen hoeft te beantwoorden. Hij had hem het liefst gezegd: ik heb hem gevonden, hij houdt van je, ik neem hem mee. Maar zo simpel was het niet. Niets was simpel.

Wat hij moest doen met alles dat hij geschreven had, wist hij niet. Nu hij het teruglas, vond hij het een slordig verhaal. Het ging helemaal niet over een zoektocht... het ging over hemzelf. En hij dacht niet dat iemand behoefte had om dat aan te horen. Inge en hij lieten elkaar enigszins met rust. In ieder geval zorgden ze ervoor dat hun liefde op een laag pitje kwam te staan en ze deden dat uit lijfsbehoud. Er kwam een afscheid aan en dat deed toch al zo'n zeer... dan kon het beter niet groter worden, dat wat tussen hen was.

Nathan in Nederland las de brief, opende de vioolkoffer en speelde. Dat ging niet goed. De vingers deden niet meer wat zijn hoofd zei dat ze moesten doen. De melodie klonk nergens naar. Hij ging naar Elize van Dillen en vertelde over Stephan die zowaar Yitzhak terug had gevonden en nog een jongen en een meisje uit de school van destijds. Ze werd er gelukkig door alsof het verleden zich herstelde.

De vader van Stephan kuste het erf van zijn boerderij, omdat hij niet wist hoe hij anders moest laten zien dat hij gelukkig was, binnen de perken van zijn ongeluk. Toen kocht hij voor een vermogen aan bloemen en ging naar het graf van zijn vrouw waar hij veel te lang niet was geweest. Hij boende de steen schoon van alle aanslag die zich daarop had verzameld en zorgde ervoor dat dit kleine plekje voor even een tuin vol kleuren werd.

Dora Taitelbaum verloor een van haar laatste kiezen toen ze suikertaart at.

In de operatiekamer van het Kinderziekenhuis werkte die dag een staf van zeven artsen en zo'n twaalf verpleegkundigen. Yitzhak keek de meeste tijd op een monitor die dicht bij het dunne kleine lijfje van Yassoer was gereden. Af en toe wierp hij ook een blik op het lichaam zelf. Er was een groot arsenaal aan machines die zorgvuldig waakten over de dunne grens tussen leven en dood. Het was opmerkelijk dat uitgerekend een Duitser deze operatie in Israël verrichtte. Het laatste gedeelte van de ingreep zou met een operatierobot worden gedaan, een specialistisch apparaat dat de technische afdeling van het Kinderziekenhuis in samenwerking met het Ziekenhuis van Jeruzalem had ontwikkeld. Het was in staat om op minder dan een millimeter nauwkeurig te werken.

'Hoeveel?' vroeg Yitzhak.

Günther keek op de monitor. Twee computers waren voortdurend aan het berekenen wat de arm precies voor bewegingen moest maken. Ze waren zorgvuldig geprogrammeerd en precies op de kleine patiënt afgestemd.

'Scalpel,' vroeg Yitzhak opeens aan een assistent. 'En klem.'

Günther keek verbaasd op.

De Joodse arts in ruste sloot kort zijn ogen en knikte. Tegen alle verwachtingen in, zou hij het toch persoonlijk doen.

Samen openden ze de borstkas van de jongen en brachten een kleine spreider aan. Daarna kon het echte werk beginnen. Het hart moest helemaal loskomen. De functie ervan werd overgenomen door de hart-longmachine.

'Weinig ruimte,' zei Günther.

'Longslagader. Hoeveel nu?'

'Twaalf millimeter. Minimaal drie erbij.'

'Dit vasthouden, iemand. Rapporteren.'

'Nul komma zeven, nul komma acht, één, één komma twee...'

Een assistent depte het hoofd af van de Joodse chirurg. Günther probeerde of hij al voldoende ruimte had. Misschien kon de arm van de operatierobot al met tweeëneenhalve centimeter speling naar binnen. Het lukte niet. Yitzhak moest nog meer duwen.

'Nieuwe klem!'

Een verpleegster reikte hem aan.

'Zie ik een bloeding?' vroeg de Duitser.

'Nee,' zei Yitzhak.

Hij had de situatie volledig onder controle.

De operatie duurde meer dan twaalf uur. Als die tijd speelden de kinderen van Jemima niet in de tuin, ook al liepen ze er wel rond. Inge en Stephan keken voortdurend naar de klok. Ze hielden de telefoon en het nieuws op de televisie in de gaten.

Toen was het gedaan. Günther trok de handschoenen uit en keek naar het kleine jongetje op de tafel. Yitzhak deed een stap achteruit.

'Te vroeg voor conclusies,' zei de Duitser. 'We kunnen nu alleen maar afwachten.'

'Maar ik denk dat de operatie geslaagd is,' zei de Joodse cardioloog in ruste.

Op televisie meldde een verslaggeefster bij de hoofdingang van het ziekenhuis:

'Volgens de artsen kan het nog enkele dagen kan duren

voordat er zekerheid is over volledig herstel. Weinstein en Sollingen zijn echter optimistisch gestemd. Los hiervan is de historische samenwerking tussen een Duits en een Israëlisch arts bij het opereren van een Palestijnse jongen uit een christelijk tehuis een feit.'

Het nieuws raakte al gauw bekend. In Bethlehem gingen sommigen de straat op om het te vieren. Hun Yassoer zou leven! Het jongetje was hun held. Ook in Jeruzalem gingen mensen de straat op om het te vieren. Ondanks zijn pensioen was Yitzhak Weinstein nog eenmaal hun held. De Duitse WDR besteedde er een speciale reportage aan. Bij hen was Günther Sollingen de held. In de kibboets Hamoreh werd wijn geschonken, omdat Israël hun held was. Een hoogleraar wiskunde op de Universiteit van Jeruzalem juichte, al wist hij niet dat die Hollandse jongen iets met deze operatie te maken had. De wetenschap was zijn held. In de tuin van Jemima werd eindelijk feestgevierd. Inge was de held van de kinderen.

Stephan bezag alle vreugde en gleed met zijn hand over het schrift dat hij de laatste dagen niet had aangeraakt. Nu pakte hij het weer op.

Een paar dagen later bracht Inge hem naar het vliegveld van Tel Aviv. Ze stond in de vertrekhal tegenover hem en hield hem vast. Het voelde zo vertrouwd.

'Ik zal je missen,' zei ze.

'Ik kom terug,' beloofde hij.

'Jij hoort in Amsterdam.'

'En jij hoort hier. Maar ik hoor bij jou,' zei hij.

'Daar komen we niet uit,' glimlachte ze.

'Overal is uit te komen.'

In het vliegtuig schreef hij de laatste regels in het schrift. 'Ik heb een oorlog van dichtbij gezien en nu weet ik iets beter wat vrede is. Altijd gedacht dat het een handtekening was onder een document en daarna de soldaten naar huis. Oorlog als beweging, vrede als rust. Wat heb ik me vergist. Vrede is schreeuwen op een berg, omdat de tranen uit je kop springen. Het is wanhopig met je handen op de stenen van de straat slaan tot ze bloeden en schrijnen. Het is duizend keer duizend keer met je hoofd tegen een muur lopen, tot hij breekt en we elkaar even in de armen kunnen vallen. Even. Want lang duurt dat nooit. De vrede van vandaag is morgen al weer over, want het monster dat oorlog heet slaapt hooguit één nacht.'

44

Amsterdam, lente van 2012

Hij had nog een paar weken werk aan het oeuvre van Nathan Mossel, maar toen was het gedaan. Alles stond nu in de computer. Stephan wist niet of Yitzhak ooit nog contact met Nathan zou opnemen. Misschien moest het verleden inderdaad blijven rusten, was dat beter voor alles en iedereen.

De jonge student had zijn gemarmerde schrift een aantal keren doorgebladerd. In eerste instantie had hij de meer persoonlijke pagina's eruit willen scheuren. Uiteindelijk liet hij toch de boel de boel en gaf alles aan Nathan.

'Er staat veel in wat er niet toedoet, maar dan weet je ten minste wat me in Israël heeft beziggehouden. En misschien kun je je dan toch een beeld maken van Yitzhak en zijn leven daar.'

Nathan had het schrift aangepakt, maar Stephan zag hem er nooit in lezen. Op de dag dat Stephan voor het laatst was, lag het nog precies zo in de vensterbank als op de dag waarop hij het Nathan had gegeven.

'Het is klaar,' zei de student. 'Alles is gedigitaliseerd.'

'Mooi.'

'Nou, dan moest ik maar gaan.'

'Ja.'

Stephan zocht zijn vader op. Niet dat er meer werd gesproken dan vroeger, maar de kleur van het land was opeens vriendelijker, zoals ook de kleur van hun hart. Ze werkten samen, Stephan sliep op zijn oude kamer en de zoon van de boer bedacht opeens dat hij misschien zelfs wel weer kon houden van de geuren op de boerderij – zelfs van de stank van mest. Ze kookten samen en ze aten aan een tafel, waaraan ze nauwelijks iets zeiden. En toch werd er in stilte veel gezegd.

'Wil je met me samen naar het graf van je moeder?' zei zijn vader een keer.

'Ja,' zei Stephan.

Ze reden naar een kleine begraafplaats en vonden daar de sobere steen met 'Hier rust mijn geliefde vrouw en mijn geliefde moeder'.

'Kijk eens om je heen,' zei Otto. 'Zie je die graven?'

Stephan zag ze. 'Ik wil je er één van laten zien.'

De vader pakte de hand van de zoon en samen liepen ze naar een graf van iemand die ze allebei niet kenden. Het was opgetrokken uit glas en een prachtig soort groen marmer. Het glas glom en weerspiegelde de bomen en struiken van de begraafplaats. Door de wind in de takken begon de weerspiegeling bijna te leven.

'Ik vind dat mooi,' zei Otto.

'Ik ook,' zei Stephan.

'Ik wil zo'n steen. Voor mijn vrouw en jouw moeder. Omdat ze leeft. In jou en nu ook weer in mij.'

'Dan nemen we zo'n steen.'

'Vind jij dat dat kan?'

'Zeker.'

'Maar ze ligt er natuurlijk wel onder. Mag je zoiets dan veranderen, na verloop van tijd?' Hij wist het niet, hij had het zich nooit afgevraagd.

'Veel mensen zullen het niet doen,' zei Stephan. 'Maar als jij het wilt...'

'Je moeder zou trots op je geweest zijn. En daarom ben ik het ook. Je hebt het toch maar mooi gedaan.'

'Het was maar een reis.'

'Nee jongen, het was veel meer.'

Die avond belden ze een steenhouwerij. De volgende dag hadden ze een ontmoeting met een vrouwelijke beeldhouwer die ter plekke wat schetsen maakte voor het verlangde ontwerp. Ze vroeg of de twee wilden vertellen over de vrouw en daarmee kwamen de verhalen los. Verhalen over liefde, over genegenheid, vrolijke verhalen ook en uiteindelijk een verdrietig einde. De vrouw maakte schetsen voor het grafmonument. Het leken vleugels, steen dat zou kunnen drijven op de wind. Er liepen tranen over Otto's wangen.

'Gaat het, pa?'

'Kijk, jongen, vleugels en vrijheid, en toch het stevige van marmer. Dat is nou je moeder,' zei Otto en tikte goedkeurend op de schetsen.

Ankie en Freek waren weliswaar een stel geworden, maar toch wilde Ankie Stephan spreken. Ze spraken af in de kroeg op de Haarlemmerstraat waar ze, inmiddels alweer maanden geleden, dat ene gesprek hadden, waarin Stephans ziel zich opende en zij hem had gestimuleerd om naar Israël te gaan. Ze wilde gewoon weten hoe het hem ging en waar hij nu stond.

'Ik studeer weer,' zei hij.

Het stelde haar teleur. 'Heb je dan niet geschreven?'

'Jawel,' zei Stephan. 'Het hele verhaal. Alles wat ik heb meegemaakt, gezien, gehoord en gevoeld.'

'Waar is dat dan?'

'Ik heb het aan Nathan gegeven. Het hoort letterlijk bij hem.'

'In welk opzicht?'

'Omdat het zijn verhaal is. Het is niet van mij.'

'Dat is niet waar, Stephan,' zei Ankie streng. 'Dat is gewoon niet waar!'

'Ik ben een getallenman, Ankie. Ik hoor in een doos vol wiskunde en daar kruip ik nu weer in terug. Met mijn vader heb ik vrede. Ook is er een jongetje in Israël gered. En het is net alsof iets of iemand me zegt dat het allemaal lang genoeg heeft geduurd. Het was een mooi verhaal.'

'En dat heb je geschreven!'

'Wat ik heb geschreven, was niet goed. Het was veel groter dan wat ik kon schrijven.' Hij herinnerde woorden van Inge. 'Ik kreeg de pijn niet op het papier.'

'Misschien stond de pijn tussen de regels.' Stephan knikte. Hij had gedaan wat Inge hem had opgedragen, maar daardoor was dát wat er in het schrift terecht was gekomen veel te persoonlijk geworden. De pijn stond niet meer tussen de regels, maar was op de regels terecht gekomen. Het was te persoonlijk geworden en daarom had hij er vrede mee dat het niet voor publicatie geschikt was.

'Ik had het zo graag willen lezen,' zei Ankie. 'Zo ontzettend graag.'

'Nathan heeft nergens op aangedrongen,' zei Stephan. 'Mij niet geadviseerd een uitgever te zoeken of wat dan ook. Hij heeft het zelfs doodgezwegen. Bovendien bezit hij nu het enige exemplaar. Het staat nergens in een computer en ik kan het geen tweede keer.'

'Stephan!'

'Verder gaat het goed met me, hoor,' zei de jongen met de krullen en de kralen van ogen.

Maar zijn haar leek dof. En zijn ogen doods. Of hij het nu wilde of niet, er hing teleurstelling om hem heen.

Stephan nam de studie weer op waar hij hem had verlaten. Gusta Marthés was behoorlijk in haar sas met zijn terugkeer. In afwachting van een nieuwe uitnodiging voor Los Angeles had ze voor hem een baantje op de universiteit geregeld. Het was een soort assistentschap aan de faculteit en het betaalde beter dan alles wat hij tot nu toe via het uitzendbureau had gedaan.

Het werd lente en af en toe nam hij een paar dagen vrij om terug te gaan naar de boerderij. Soms schreef hij Inge, en soms schreef zij terug. Hoewel het niet vaak gebeurde, verlangde hij dan telkens toch weer naar haar. Maar de kans dat zij naar hem zou komen, was klein – evenals de kans dat hijzelf ooit weer zou afreizen naar het land dat zijn leven had veranderd.

'Heb je dit gelezen?' vroeg Freek op een ochtend toen ze, als vanouds, met zijn drieën koffiedronken op een terras. De student Nederlands sloeg een krant open en duwde zijn vriend het artikel onder de neus: NATHAN MOSSEL KONDIGT EMOTIONELE THRILLER AAN OVER DE ZOEKTOCHT NAAR ZIJN VERLOREN ZOON.

'Hij is dus weer gaan schrijven,' zei Stephan.

Ankie keek Stephan aan. Dit was het boek dat hij had moeten schrijven, wist ze. En nu had Nathan Mossel het gedaan.

Het verbitterde haar. Dat gevoel werd alleen maar sterker, omdat ze zag dat Stephan zo uitgeblust was. De wiskundestudent nam zich voor om er vrede mee te hebben. Dat lukte niet helemaal. Iets bleef aan hem knagen. Diep zuchten liet het zware gevoel even vertrekken, maar het bleef hangen. Dat het hem niet gelukt was te schrijven, voelde hij als een persoonlijke nederlaag. Ankie wilde iets zeggen, maar wist niet goed wat. Indertijd, in dat café op de Haarlemmerstraat, waren de zinnen als vanzelf bij haar opgekomen. Nu sloeg ze dicht.

'Ooit nog iets van Nathan gehoord?' vroeg Freek.

'Het was maar een klus, Freek,' zei de student wiskunde.

'Nee, dus.'

In de etalage van boekhandel Scheltema op het Koningsplein van Amsterdam zag hij een poster. Het boek erop heette *Op zoek naar Yitzhak* en er stond een verschijningsdatum bij. Je kon voorintekenen op een eerste druk. Er hing een grote foto van de schrijver naast, samen met enkele krantenartikelen: 'Is dit de comeback van Nathan Mossel?', 'Verrassende roman van Nathan Mossel op komst', enzovoort.

Stephan liep de winkel binnen en zette zijn naam, mail-adres en handtekening op de nu al lange lijst van mensen die allemaal een exemplaar uit de eerste druk wilde hebben.

Thuis ging hij op bed liggen. Kachels hoefden niet meer aan. Het was lekker weer, niet te warm en niet te koud.

Opeens voelde hij een intens verdriet door zijn hele lijf trekken. Terwijl hij zich inmiddels weer had genesteld om er nooit meer op uit te gaan, kende hij de lokroep van het avontuur maar al te goed. Hij was het avontuur wel degelijk aangegaan, maar tenslotte weer gewoon thuisgekomen. Alleen een illusie armer.

Er werd op zijn deur geklopt. Het was zijn hospita.

'U hebt belangrijke post. Die meneer kwam het zelf brengen.'

'Welke meneer?'

Hij opende de envelop. Het was een uitnodiging voor de langverwachte onderscheiding van Nathan Mossel en de uit-gave van zijn verzameld werk.

Stephan flikkerde de uitnodiging met envelop en al in de prullenbak.

'Wis en waarachtig ga jij erheen,' zei Freek een dag later. 'En het is een uitnodiging voor twee personen, dus ik ga mooi mee. Zo'n kans krijgt een eenvoudige student Nederlands niet vaak!'

'Ik wil niet, Freek. Ik kan daar niet zijn.'

'*Op zoek naar Yitzhak* wordt er ook gepresenteerd. Dat is jouw verhaal, man.'

'Daar zit niets, maar dan ook niets van mij bij.'

'We gaan, Stephan. We gaan gewoon. Al moet ik je op mijn nek nemen.'

Ankie schreef hem dezelfde week nog een brief, misschien wel een dag na het gesprek met Freek:

Lieve Stephan,

Ik zal de avond in die kroeg op de Haarlemmerstraat nooit vergeten. Je belde me en zei dat je met me moest praten omdat 'jij je kop niet meer rustig kreeg'. Ik was zenuwachtig, want ik dacht: hij houdt van me en dat gaat hij me vanavond vertellen. Je zat aan het tafeltje en had het inderdaad over de grootste liefde in je leven... die de pen bleek. Je bekende me dat het altijd al in je had gewoed, met een haast vernietigende kracht. En ik keek in je mooie ogen. Als ik het me goed herinner, heb ik zelfs mijn hand door je krullen gehaald. Ik werd die avond smoorverliefd op je, maar realiseerde me ook dat het een onmogelijke liefde was. Want er was al iemand anders – iets anders.

Ik schrijf je dit omdat ik zie dat je bent veranderd. Je bent in niets meer de jongen die naar Schiphol ging om naar Israël te vliegen. De jongen die daar moest leven om te schrijven, die achter gedachtes aan moest hollen en van alles moest meemaken om zich – als een schaap naar de stal – naar zijn talent te laten drijven. Ik vond je mooi omdat ik zou willen dat we allemaal zo waren. Dat er in ieder van ons een vuur brandde dat groot genoeg is om ons aan te kunnen warmen. Maar jouw vuur – vriendje van me – was vele malen groter dan wat ik in me heb, of Freek met zijn gedichten.

Ik heb intussen mijn liefde gevonden en hij is me dierbaar. Met Freek word ik gelukkig, dat weet ik zeker. Dat was samen met jou nooit gelukt, omdat je niet anders zou kunnen dan me ontrouw te zijn door de pen. Over een paar jaar word ik misschien wel moeder. Als dat gebeurt en het een jongen is, noem ik hem Stephan. En een meisje natuurlijk Stephanie. Dan ben je alvast gewaarschuwd!

Maar nu iets anders. Want ik wil dat je jezelf een schop onder je kont geeft, Stephan! Witheet ben ik over hoe je eruitziet en hoe jij je gedraagt. Die avond op de Haarlemmerstraat dacht ik: ik krijg hem niet, maar het is tenminste om een hoger doel. En nu laat je dat allemaal uit je handen vallen? En waarom? Omdat die Nathan Mossel van je er met jouw boekje vandoor is? Hoe belangrijk ís dat verhaal nu eigenlijk, zeg? Jouw schrijven, jouw talent, dát is belangrijk. En er zijn zoveel verhalen die jij nog moet schrijven, Stephan. Over je vader en je overleden moeder. Over wiskunde en wat dit kan betekenen voor mensen. Over de stad Amsterdam en hoe je daar naar kunt verlangen als je in Jeruzalem bent. Over de oorlogen van vandaag, of die van morgen. Over een meisje in de stad die op een onmogelijke liefde hoopt. Over al die onderwerpen, Stephan, moet jij boeken schrijven. Daar verplicht ik je toe! En ik mag dat zeggen, als iemand die van je houdt, als iemand die je had kunnen versieren als ik dat had gewild en als de vriendin van je beste vriend die, zo weet hij zelf ook wel, nooit een echt gedicht zal kunnen schrijven.

Alleen een lafaard gaat niet naar de Stadsschouwburg, Stephan. Lafaards gaan dingen uit de weg, gaan pijn uit de weg en verstoffen uiteindelijk als een wiskundefreak in een kamer vol duffe getalletjes.

Ik meen het werkelijk als ik zeg dat je huidige instelling onze vriendschap in gevaar brengt. Als je in de slachtofferrol wilt blijven, moet je dat maar lekker doen. Alleen spreken we elkaar dan nooit meer.

Freek haalt je wel op.

Liefs,

Ankie

Plaats van handeling was de Amsterdamse Stadschouwburg, een paar nare weken later. Stephan had in de tussentijd alle boekhandels gemeden. Hij wilde nergens met Nathan Mossel en die grote comeback van hem geconfronteerd worden. Het liefste was hij ook nu niet hier geweest, maar Freek had hem min of meer geterroriseerd. Die ochtend had zijn vriend hem van huis gehaald en niet meer uit het oog verloren. Er was geen ontsnappen aan.

Ze kwamen in de drukke foyer. Daar was veel literatuur aanwezig. Journalisten ook, camera's, mensen van belang. Een pr-dame lichtte een aantal verslaggevers in over het verloop van de presentatie en uitreiking.

'En niet alleen de schrijver zal erbij aanwezig zijn. Het onderwerp van de nieuwe roman die hij vandaag presenteert, is er ook. Het is een roman die grotendeels op waarheid is gebaseerd. Het gaat over de zoektocht naar een verloren zoon, gezien door de ogen van een jonge student. Ook die verloren zoon is vandaag hier.'

Er ging een deur open. Meteen was er rumoer. Daar stond

Nathan Mossel, bescheiden als altijd. Hij schudde handen. Langzaam maar zeker kwam de oude schrijver in de buurt van Stephan. Deze kon het bijna niet meer verdragen. De vernedering was te groot.

Stephan draaide zich om en maakte aanstalten zich naar de uitgang te begeven.

'Wat doe je nou, man?' zei Freek. 'Misschien wil hij je wel bedanken.'

'Laat me. Ik had hier helemaal niet moeten komen.'

Maar het lukte hem niet om door de drukte heen te komen.

Er ging een andere deur open en opeens stond Yitzhak Weinstein daar. Nathan keek op. Als in een zorgvuldig ingestudeerd melodrama liepen de twee mannen, de een nog ouder dan de ander, naar elkaar toe en vielen elkaar in de armen. De vele fotografen vereeuwigden het tranentrekkende tafereel dankbaar.

Stephans maag draaide zich in hem om.

De uitgever van Nathan Mossel vroeg de aanwezigen hem naar de Grote Zaal te volgen. Onmiddellijk stroomde iedereen erheen. Iedereen, behalve Stephan. Hij probeerde weg te komen, maar botste in het gedrang tegen Yitzhak op.

'Aha,' zei Yitzhak. 'Daar hebben we... eh, ik ben je naam even kwijt.'

'Stephan,' zei de student.

Er was nu geen ontkomen meer aan. Freek pakte hem bij een arm, trok hem mee naar binnen en drukte zijn vriend in een pluche stoel.

Op het podium nodigde een spreker Nathan uit om zijn onderscheiding in ontvangst te nemen. Het lopen ging de oude Joodse schrijver niet meer zo goed af, maar hij slaagde er uiteindelijk in om het spreekgestoelte te bereiken.

Toen nam hij het woord.

'Ik ben het schrijven een jaar of tien geleden kwijtgeraakt.

En ik dacht dat ik het nooit meer zou hervinden. Dat ik nooit meer de pen zou kunnen aanraken om iets waardevols aan het papier toe te vertrouwen. En kijk nu eens... Je kunt geen krant meer openslaan of Nathan Mossel wordt de hemel in geprezen. Een aangename voorafschaduwing voor een ouwe man zoals ik. Maar tot dat moment ben ik weer helemaal terug!'

Stephan kon het niet meer aanhoren. Hij voelde zich verraden en verloren. Hij rukte zich los van Freek, rende naar de zaaldeur en ging de gang op. Hij moest de straat op. Hij had lucht nodig, frisse lucht.

In de hal stond een jonge vrouw. Ze had iets bekends.

'Inge?'

'Ga terug, Stephan.'

'Wat doe jij hier?!'

'Kom.'

Ze pakte hem bij de arm en trok hem mee de zaal in. Nathan Mossel was nog altijd aan het woord.

'Het boek dat ik u vandaag presenteer, is een briljante roman! Ik kan u zeggen dat boek dat ik hier in mijn hand heb, jaloersmakend goed is. Het is een pleidooi voor de wereldvrede, iets wat iedereen voor onmogelijk houdt. Het komt op voor kinderen, niet alleen op de plek waar het boek zich afspeelt, maar overal. Van de kinderen die wij ernaartoe hebben gebracht en van de kinderen die daar nu wonen. Maar ik zie u denken: hoe kan Nathan Mossel nu toch zo tevreden zijn met zichzelf? Wat is hij onbescheiden. Niet dat hij ooit nederig is geweest over zijn eigen talent, maar op hoge leeftijd overdrijft hij het wel ernstig. Welnu, heel eenvoudig. Wat ik eerder zei, klopt. Ik heb inderdaad nooit meer een pen aangeraakt.'

'Wat doen we hier? Wat doe jij hier?' siste Stephan tegen Inge.

'Ik wilde dit niet missen.'

'Je weet niet waar je het over hebt, Inge. Dat daar op het podium is...'

'Hou je mond en luister!'

'Jij begrijpt niet...' zei Stephan.

Ze gebaarde nadrukkelijk dat hij stil moest zijn, omdat ze de plechtigheid zo verstoorden.

'De inhoud van het boek dat ik u vandaag presenteer, is namelijk niet door mijzelf geschreven. Dat, beste aanwezigen, heb ik ook niet eerder gezegd. Met trots introduceer ik hierbij een nieuwe schrijver, een nieuw boek, een nieuw verhaal. O zeker, het verhaal is inderdaad voor een deel mijn verhaal. Maar de roman is zíjn roman.'

Er ging een lichte schok door de zaal. Verbazing alom.

'Ik ben eigenlijk niet meer dan de voedingsbodem. Op mij groeien nieuwe loten. Van het boek dat u hopelijk massaal zult gaan kopen, recenseren en de hemel in zult prijzen, heb ik geen letter geschreven. Ik heb het niet eens uitgetypt. Het handgeschreven manuscript...' Hij hield een stapel fotokopieën op. 'Dit is een fotokopie van het handgeschreven manuscript. Ik heb het door een uitermate slimme computer heen gehaald, die al mijn werk uit vervlogen tijden heeft ontcijferd en – zoals men dat noemt – heeft gedigitaliseerd. Alleen dit keer las het niet mijn handschrift, maar dat van mijn...'

Stephan staarde naar het podium. Langzaam maar zeker drong het tot hem door wat er zich daadwerkelijk aan het afspelen was. '... van een van mijn twee zonen. Nee, ik heb geen echte kinderen. Ik had Yitzhak Weinstein maar al te graag mijn zoon willen noemen, alleen had hij ouders in Roemenië. Maar tegelijk beschouw ik Stephan de Vos ook als een soort zoon. Hij heeft meer voor mij gedaan dan wat een mens van een ander zou mogen verwachten.'

Stephan keek naar Inge. Op hetzelfde moment zag hij nog meer bekenden in de zaal. Daar zat zijn vader. En zijn hospita. En Ankie. En Gusta Marthés. En wat studenten van de faculteit.

Toen het applaus steeds sterker werd, keek Nathan nog verder om zich heen. Uit alles bleek dat Nathan hem zojuist had uitgenodigd om op het podium te komen.

Als verdoofd stond hij op. Op weg naar het podium kwam hij Yitzhak tegen.

'Ha, broer,' zei de arts en omhelsde hem.

Eenmaal op het podium, omarmde Nathan Mossel hem ook. Eindelijk was er iemand teruggekomen uit de oorlog. Eindelijk was er gerechtigheid, nadat hij al die jaren had gewacht op de mensen van wie hij zo hield.

Toen Stephan even later het eerste exemplaar van het boek in handen had, zag hij daadwerkelijk zijn eigen naam op de omslag. Koortsachtig zocht hij met zijn ogen in de zaal naar degene met wie hij dit bijzondere moment op afstand wilde delen. Nadat hij zijn vader zag zitten, ontdekte hij eindelijk Inge. En ook haar mond vormde de woorden 'Ik hou van je'.

Stephan hoorde het applaus niet meer. Hij zag niet meer wat er gebeurde. Hij begreep zelfs deze dag niet meer, evenmin als de werkelijkheid van de droom waarin hij terecht was gekomen.

Het leven was vandaag begonnen.

Nawoord

Er zijn zoveel mensen die ik moet bedanken voor hun hulp bij het schrijven van deze roman. Journalist Paul van der Gaag, die met zijn VPRO-radiodocumentaire 'Tussenstop Apeldoorn' mij het verhaal over de vijfhonderd kinderen min of meer in de schoot wierp. Professor Itzhak Ohad – geen wiskundige, maar een biochemicus – voor zijn levendige herinnering aan de reis van de vijfhonderd kinderen en aan details over het leven daarna in Israël. Veel van wat in dit boek beschreven staat, komt voort uit de levendige herinnering die hij met mij wilde delen. Nathan Barzilai, die me uitnodigde op een reünie van de kinderen en me krantenartikelen en filmbeelden uit die tijd heeft laten zien. Hij sprak nog altijd vloeiend Nederlands, opgestoken in dat kleine jaar in Nederland. Wim Kortenoeven, die voor mij een gids was in Israël en met wie ik het structureel over van alles en nog wat oneens mocht zijn. Bert Dronkert, omdat hij heel lang in de essentie van dit verhaal heeft geloofd. Burgemeester Yossi Kappach van de Joodse nederzetting Kedoemim, die me uitnodigde op een bruiloft in Israël en vond dat ik ook wel weer eens mocht gaan dansen. Peter van Dijk, die me uiteindelijk dwong deze

347

roman te schrijven en wiens geduld ik eindeloos heb getest. Mijn gidsen in Israël en alle mensen daar die me welkom heetten in hun huizen. Frieda Yovel, voormalig cultureel attaché, die me de Molen Montefiori liet zien, de mensen van het kindertehuis Jemima waar ik een paar dagen mocht rondkijken. Gerda van Roshum, die over mijn schouder meelas en me corrigeerde waar ik dreigde te verzuipen in het verzamelde materiaal.

Eén opmerking wil ik nog maken. Het boek dat Stephan de Vos schrijft, lijkt misschien in de verte op *Nathans Erfenis*, maar het is het niet. Ik zou het niet over mijn hart kunnen verkrijgen om over mijzelf of over dat wat ik schrijf te zeggen dat het goed is... of dat het enig ander superlatief zou verdienen. Daarom: ik ben Stephan niet... hij is jonger en zijn talent is vanzelfsprekend vele malen groter dan dat van zijn verzinner.

De meeste feiten in deze roman zijn werkelijk zo gebeurd, de meeste mensen hebben ook daadwerkelijk bestaan of bestaan nog altijd, de meeste plekken die ik beschrijf, zijn terug te vinden in dat prachtige oorlogsland in het Midden-Oosten. Soms verdroeg mijn fantasie de werkelijkheid niet helemaal en dan heb ik iets verschoven aan wat er waar is gebeurd. Nee, een leugen is het daardoor niet geworden... eerder een fantasie, niet altijd even onschuldig overigens.

Sjalom!

Amsterdam, oktober 2012

Dick van den Heuvel